Grammaire FRANÇAISE

Grammaire FRANÇAISE

6e édition

JACQUELINE OLLIVIER

MARTIN BEAUDOIN

Campus Saint-Jean, University of Alberta

Grammaire française, 6e édition

by Jacqueline Ollivier and Martin Beaudoin

Vice President, Editorial Higher Education:
Anne Williams

Publisher:
Anne-Marie Taylor

Executive Marketing Manager:
Amanda Henry

Developmental Editor:
Theresa Fitzgerald

Production Project Manager:
Susan Lee

Production Service:
MPS Limited

Copy Editor:
Michel Therrien

Proofreader:
MPS Limited

Indexer:
MPS Limited

Design Director:
Ken Phipps

Managing Designer:
Franca Amore

Interior Design:
Liz Harasymczuk
Sharon Lucas

Cover Design:
Liz Harasymczuk

Cover Image:
Tony Worrall Foto/Getty Images

Compositor:
MPS Limited

Printed and bound in Canada
2 3 4 5 19 18 17 16

For more information contact Nelson Education Ltd., 1120 Birchmount Road, Toronto, Ontario, M1K 5G4. Or you can visit our Internet site at http://www.nelson.com

Library and Archives Canada Cataloguing in Publication Data

Ollivier, Jacqueline, author
Grammaire française / Jacqueline Ollivier, Martin Beaudoin. – Sixième édition.

Includes index.
Target audience: For English-speaking students of French.
ISBN 978-0-17-657003-3 (pbk.)

1. French language—Grammar—Textbooks. 2. French language—Textbooks for second language learners—English speakers.
I. Beaudoin, Martin, 1965–, author
II. Title.

PC2105.O48 2015
448.2'421 C2014-905962-0

ISBN-13: 978-0-17-657003-3
ISBN-10: 0-17-657003-9

SOMMAIRE

4E PARTIE : LES TRANSFORMATIONS SYNTAXIQUES

APPENDICES

TABLE DES MATIÈRES

2E PARTIE: LES INVARIABLES ET LES MOTS INDÉFINIS

3E PARTIE : LE GROUPE VERBAL

4E PARTIE : LES TRANSFORMATIONS SYNTAXIQUES

APPENDICES

AVANT-PROPOS

Au cours des années, la *Grammaire française* conçue par Jacqueline Ollivier a acquis la réputation d'être l'un des meilleurs manuels d'enseignement de la grammaire française pour les apprenants dont le français n'est pas la langue maternelle. En effet, les explications grammaticales et la structure de ce manuel sont à la fois simples, exhaustives et entièrement en français. Tout en apportant plusieurs changements à la 5e édition, j'ai tenu à respecter l'esprit que Jacqueline Ollivier avait donné à son ouvrage.

Le présent manuel s'adresse aux étudiants du collégial et du 1er cycle universitaire qui ont le français comme langue seconde ou comme langue non dominante. Il peut être utilisé pour une étude systématique de la langue française ou comme référence occasionnelle. Les explications grammaticales, fournies dans un français simple et concis, sont accompagnées d'exercices spécifiques à chaque ensemble de règles. Tous les aspects structurels de la grammaire française et plusieurs éléments lexicaux y sont abordés, permettant une étude complète et méthodique de la langue dans un contexte canadien. De plus, le manuel applique toujours la nouvelle orthographe, déjà introduite dans la 4e édition, tout en présentant l'orthographe traditionnelle là où c'est nécessaire. Un résumé de la réforme de l'orthographe est disponible à l'**appendice B.** Les rectifications de l'orthographe sont maintenant admises dans toute la francophonie et sont enseignées en France, en Suisse et en Belgique, ainsi qu'en Alberta et en Saskatchewan.

STRUCTURE

La 6e édition de *Grammaire française* est organisée selon la même structure que la 5e édition. Ainsi, elle est constituée de quatre parties reflétant une analyse moderne de la langue. Un chapitre préliminaire offre un survol de l'ensemble de la grammaire française, de façon à ce que l'étudiant ait une vision globale des structures de la langue. La 1re partie porte sur le groupe nominal, centré sur le nom ou le pronom qui le remplace, et comportant également le déterminant et l'adjectif. La 2e partie couvre les invariables — c'est-à-dire les adverbes, les prépositions, les conjonctions, les comparatifs et les superlatifs — et les mots indéfinis. La 3e partie présente un survol des structures verbales, ainsi que les principaux temps et modes verbaux du français. Finalement, les transformations syntaxiques sont regroupées dans la dernière partie : la négation, l'interrogation, la voix passive et le discours indirect. Cette nouvelle édition compte encore 31 chapitres.

Chaque chapitre comporte :

- une liste des **objectifs du chapitre** qui permet à l'apprenant de connaitre d'emblée ce qu'il étudiera au cours du chapitre ;
- des **explications grammaticales** sur des règles ou des particularités de la langue, avec de nombreux exemples ;
- des mises en garde, appelées **Attention,** qui signalent des erreurs fréquentes et qui expliquent comment les éviter ;
- des **précisions** qui donnent des explications détaillées pour les apprenants plus avancés ;
- des exercices d'**application immédiate** qui permettent une vérification rapide de la compréhension. La longueur de ces exercices a été réduite dans la 6e édition. Nous avons assigné un niveau de difficulté à chaque exercice d'application immédiate correspondant à peu de chose près au référentiel du Cadre européen : A pour l'utilisateur élémentaire (ou débutant), B pour l'utilisateur indépendant (ou intermédiaire) et C pour l'utilisateur expérimenté (ou avancé) ;

A	B	C
Exercice de niveau A	Exercice de niveau B	Exercice de niveau C

- une synthèse, appelée **En résumé,** qui rappelle les concepts les plus importants du chapitre et qui aidera l'apprenant à se préparer pour les tests et les examens ;
- des **exercices récapitulatifs** qui proposent des activités en groupes ou de courtes rédactions pour réviser et mettre en pratique les notions apprises dans le chapitre. Des icônes indiquent les activités qui se font en groupes ou en paires, ou qui comportent une courte rédaction. Ces marqueurs graphiques rendent l'identification de ces composantes aisée et rapide.

Exercice à faire en paires	Exercice à faire en groupes	Exercice de rédaction

LA 6E ÉDITION COMPREND QUELQUES CHANGEMENTS MINEURS :

- Les extraits littéraires servant d'**activité brise-glace** au début de chaque chapitre ont été éliminés pour se concentrer sur la grammaire et les exercices.
- Les règles grammaticales ont été revues et dans certains cas, simplifiées ou réorganisées.

- Les exercices d'**application immédiate** ont été réduits en longueur et en nombre puisque ceux-ci ont pour objectif d'ancrer les acquis par une courte pratique ; la taille de ce manuel s'en trouve donc réduite. Par ailleurs, le *Cahier d'exercices* fournit déjà à l'apprenant un grand nombre d'exercices.

MATÉRIEL SUPPLÉMENTAIRE

Cahier d'exercices

Les apprenants peuvent se procurer le *Cahier d'exercices* qui suit de près la structure et les règles de la 6e édition. Cet outil a été rédigé par Dorine Chalifoux. Il comporte un grand nombre d'exercices supplémentaires à tous les niveaux et permet à l'apprenant de se concentrer davantage sur certains aspects grammaticaux.

Présentation PowerPoint®

Une série de diapositives en PowerPoint a été mise au point pour décrire les aspects structurels de la grammaire et plusieurs éléments lexicaux. Au moins 15 diapositives sont disponibles pour chaque chapitre.

Corrigé pour le manuel

Ce corrigé complet peut être téléchargé depuis le site web www.nelson.com/login ou http://login.cengage.com. Le document est disponible en Microsoft® Word® ainsi qu'en format PDF.

Corrigé pour le *Cahier d'exercices*

Le corrigé pour le *Cahier d'exercices* peut être téléchargé depuis le site web www.nelson.com/login ou http://login.cengage.com. Le corrigé pour chaque chapitre est disponible en Microsoft® Word® ainsi qu'en format PDF.

REMERCIEMENTS

Je tiens à remercier Michel Therrien, correcteur-réviseur, et Theresa Fitzgerald pour leur contribution au travail d'édition.

Martin Beaudoin
Campus Saint-Jean, University of Alberta

1

Survol de la phrase

OBJECTIFS DU CHAPITRE

À la fin de ce chapitre, vous serez en mesure:

- d'identifier les parties du discours du français;
- de reconnaitre les groupes de mots et leur fonction dans la phrase;
- de comprendre la structure de la phrase simple;
- de discerner les parties de la phrase complexe;
- d'effectuer les quatre transformations de la phrase de base.

Considérez les extraits suivants:

Extrait 1
J'ai pris l'autobus à deux heures. Il faisait très chaud. J'ai mangé au restaurant, chez Céleste, comme d'habitude.

Extrait 2
J'ai compris que j'avais détruit l'équilibre du jour, le silence exceptionnel d'une plage où j'avais été heureux. Alors, j'ai tiré encore quatre fois sur un corps inerte où les balles s'enfonçaient sans qu'il y parût. Et c'était comme quatre coups brefs que je frappais sur la porte du malheur.

L'étranger, Albert Camus.

Vous noterez que les phrases du premier extrait sont courtes et simples, alors que celles du second sont plus longues et plus complexes. Le premier type de phrase s'appelle, vous l'aurez deviné, la phrase simple et le second, la phrase complexe. Dans ce chapitre, nous survolerons les parties de la phrase, les parties du discours (c'est-à-dire les sortes de mots qui constituent la phrase), les différents types de regroupements de mots, les structures de la phrase simple et complexe et les transformations de la phrase.

PARTIES DE LA PHRASE

La phrase est une suite de mots qui forment un tout ayant un sens spécifique et qui est séparée par un point, un point d'exclamation, un point d'interrogation, un point-virgule ou un deux-points. Les groupes de mots renvoyant à un sens spécifique au sein de la phrase s'appellent des propositions. La phrase peut être complexe et comporter plusieurs propositions, mais nous nous limiterons pour l'instant à la phrase simple, qui n'en a qu'une. Elle est ainsi composée de mots qui peuvent être regroupés selon la fonction qu'ils remplissent dans la phrase.

J'ai pris l'autobus à deux heures.

J' (le personnage narrateur du texte) fait l'action de **prendre (ai pris)**; c'est un pronom qui a la fonction de sujet dans cette phrase. La partie qui suit le verbe est formée de deux compléments qui ajoutent de l'information sur l'action: j'ai pris quoi, quand? L'autobus, à deux heures. Le premier complément est un complément direct, le second est un complément de phrase, puisqu'il porte sur toute la phrase.

Comme on le voit dans l'extrait 2, la phrase peut comporter plus de parties lorsqu'elle est complexe. Si on prend la dernière, on note qu'elle est constituée de deux verbes. Le pronom relatif **que** établit une dépendance entre la partie principale, qui précède ce pronom, et la partie relative, qui le suit.

Et c'**était** comme quatre coups brefs que je **frappais** sur la porte du malheur.

Les regroupements de mots dans la phrase sont appelés *syntagmes* ou *groupes*. Il existe plusieurs types de groupes qui seront décrits plus loin dans ce chapitre. Dans un premier temps, nous aborderons les parties du discours avant de revenir sur les regroupements et les constituants de la phrase complexe.

PARTIES DU DISCOURS

Il suffit de regarder une phrase simple pour comprendre que les mots n'ont pas tous la même fonction. Certains mots servent à énoncer des actions ou des états, alors que d'autres ont pour fonction de préciser l'étendue d'autres mots. Étudions d'abord la nature des parties du discours avant de nous attaquer aux fonctions.

Nom (ou N; voir chapitre 2)

Le nom est un mot qui renvoie à un être, à un concept ou à une chose. Une des particularités des mots en français est qu'ils ont un genre, soit masculin, soit féminin.

Le genre du nom n'est habituellement pas lié aux caractéristiques de ce qu'il signifie; le genre des noms provient d'une évolution historique et d'une certaine part d'arbitraire. Il convient ainsi d'apprendre le genre des noms en même temps qu'on apprend le nom en le mémorisant avec un article, ce qui est possible pour tous les noms, sauf ceux de personnes.

Le **gâteau** est sur la **table.**
Un **amour** profond peut durer toute la **vie.**
Simon est un **ami** très cher.
J'ai visité presque tout le **Canada.**

Verbe (ou V; voir chapitres 14 à 27)

Le verbe est un mot qui se conjugue et qui décrit une action ou un état. Les verbes qui renvoient à un état s'appellent des *copules.* Les verbes se conjuguent, c'est-à-dire que leur terminaison est modifiée selon le moment où l'action s'est déroulée ou la perception que nous avons de son déroulement (action réelle, potentielle, hypothétique, imposée). Certaines conjugaisons exigent un auxiliaire, qui est une particule précédant le verbe et permettant d'en faire des formes composées.

Je **mangeais** de la soupe.
On **trouve** des moules.
Connaitre la grammaire est utile.
Ils **ont échangé** quelques messages. (**ont** est ici auxiliaire)

Déterminant (ou Dét; voir chapitre 3)

Les déterminants servent à préciser le nom auquel ils se rapportent pour distinguer un nom d'un autre. Ils peuvent indiquer la possession, la démonstration, la négation et certaines autres caractéristiques. Il existe plusieurs types de déterminants. Les plus importants sont les articles définis et indéfinis, les déterminants possessifs et les déterminants démonstratifs. Le déterminant s'accorde en genre (masculin ou féminin) et en nombre (singulier ou pluriel) avec le nom.

Les idoles de **ma** jeunesse.
Ces piments me brulent **la** bouche.
Deux heures devraient suffire.

Adjectif (ou Adj; voir chapitre 4)

L'adjectif qualifie ou classe le nom. Il s'accorde donc en genre et en nombre avec lui. Il s'y rapporte soit directement (il est alors *épithète*), soit indirectement par l'intermédiaire d'un verbe copule (il est alors *attribut*).

Ma **petite** fille est **mignonne.**
La **troisième** personne est arrivée.
Les pages **blanches** me font peur.

Pronom (ou Pron ; voir chapitres 5 à 8)

Les pronoms remplacent le nom et le groupe nominal pour éviter la redondance ou pour reprendre cette partie de phrase. Il existe plusieurs pronoms, reflétant les diverses fonctions syntaxiques que peut remplir le nom. Les plus importants sont les pronoms personnels, les pronoms relatifs, les pronoms possessifs et les pronoms démonstratifs.

> **Vous** avanciez lentement lorsque **je vous** ai rattrapé.
> Les oiseaux **qui** pêchent **me** fascinent.
> **Ils** possèdent le meilleur équipement, alors que **le nôtre** est désuet.

Adverbe (ou Adv ; voir chapitre 9)

L'adverbe est un mot invariable que l'on lie habituellement à un verbe, à un adjectif ou à un autre adverbe pour le modifier ou pour apporter des nuances. Il existe des adverbes de manière, de temps, de lieu, de quantité, d'affirmation, de doute, de négation et d'interrogation. L'adverbe peut par ailleurs avoir des compléments, qui forment avec lui le groupe adverbial. La négation, les comparatifs et les superlatifs sont basés sur l'adverbe. Par ailleurs, l'adverbe peut être simple ou prendre la forme d'une locution.

> Je suis **très** fatigué, car nous marchons trop **rapidement.**
> Tu cherches **toujours** à marcher **devant.**
> **Comment** voulez-vous qu'elle **ne** soit **pas complètement** effrayée ?
> C'est **le plus** grand escroc du monde.

Préposition (ou Prép ; voir chapitre 11)

La préposition est un mot invariable qui joint un complément à un mot ou un groupe de mots. La partie qui suit la préposition est toujours complément de la partie qui précède la préposition ; il y a donc un rapport hiérarchique. Tout comme les adverbes, la préposition peut exprimer différents rapports : la manière, le temps, le lieu, le but, la cause et l'opposition. Elle peut par ailleurs être simple ou prendre la forme d'une locution.

> J'y suis allé **en dépit de** la tempête de neige.
> Le savon à lessive est nocif **pour** l'environnement.
> Il aimerait vous voir **après** la classe.

Conjonction (ou Conj ; voir chapitre 12)

La conjonction est un mot invariable qui unit des parties de la phrase ou des phrases entières dans un rapport d'égalité, ou qui établit un rapport de dépendance entre deux propositions. Les parties liées sont souvent de même nature, mais elles peuvent différer.

> Il achèterait des fleurs **ou** une plante.
> Il est mort accidentellement **et** nous pensons tous à lui.
> Elle partait **lorsque** tu es entrée.

APPLICATION IMMÉDIATE

A. En petits groupes, identifiez les parties du discours des phrases suivantes.

1. J'ai mangé au restaurant, chez Céleste, comme d'habitude.
2. Et c'était comme quatre coups brefs que je frappais sur la porte du malheur.

TYPES DE GROUPES

Comme nous venons de le voir, les mots se combinent en groupes, ou syntagmes, et prennent la fonction du mot sur lequel ils sont bâtis. Seules les parties du discours pouvant comporter des compléments peuvent constituer des syntagmes. Les groupes les plus importants sont le groupe nominal et le groupe verbal, qui forment ensemble la phrase simple (voir « Structure de la phrase », p. 6).

Groupe nominal (ou GN)

Le GN comporte au moins un nom ou un pronom, qui remplace le nom. Le nom est habituellement précédé d'un déterminant et peut être accompagné d'un ou plusieurs adjectifs qui remplissent alors la fonction d'épithète. Il peut aussi inclure des groupes prépositionnels, des groupes verbaux ou des groupes adverbiaux.

> **Thomas** travaille.
> **Le chat de la voisine** est âgé.
> **Les dents du chien qui a mordu le lapin de nos amis** sont toutes brisées.

Groupe verbal (ou GV)

Le GV est construit sur la base d'un verbe conjugué, appelé *prédicat*. Dans la phrase affirmative, ce verbe peut être précédé d'un auxiliaire, précédé et suivi de l'adverbe ou suivi de compléments. Les compléments les plus fréquents sont les compléments directs, indirects ou adverbiaux.

> Nicole **rénove son appartement.**
> Le renard **a déjà mangé la souris.**
> Il **est parti** avant même que je **ne sois réveillé.**

Groupe prépositionnel (ou GP)

Le GP est formé autour d'une préposition, mais peut être précédé d'un adverbe ou d'un groupe nominal. Il est très fréquent, car il sert à introduire le complément du nom, de l'adjectif, indirect et certaines autres structures.

> Les fortes pluies **du printemps** ont nui **aux cultures.** (deux GP)
>
> Tu tournes <u>**à gauche**</u> <u>**pour te rendre**</u> <u>**à l'épicerie**</u>. (trois GP)
>
> Les oies volent **au-dessus de** la ville. (un GP)

Groupe adjectival (ou GAdj)

Le GAdj est constitué d'au moins un adjectif et parfois d'adverbes qui le modifient. Normalement, le GAdj est constitué d'un seul adjectif, mais il peut être complété par un adverbe ou un GP. Par ailleurs, il peut y avoir plusieurs GAdj juxtaposés dans un ordre relativement fixe ou liés par une conjonction de coordination. Ce syntagme peut aussi inclure un complément prépositionnel, un pronom ou même une proposition.

> Elle regardait un vieillard **petit** et **grassouillet** s'approcher du comptoir. (deux GAdj)
>
> Anne est une <u>**très jolie**</u> <u>**petite**</u> fille. (deux GAdj)
>
> Sa mère avait toujours été **généreuse envers lui.** (un GAdj)

Groupe adverbial (ou GAdv)

Le GAdv est une composante basée sur l'adverbe et à laquelle s'ajoute souvent un autre adverbe, un nom introduit par les prépositions **de** ou **par**, ou un complément prépositionnel.

> Je l'appelle **presque tous les jours.**

APPLICATION IMMÉDIATE

A

B. Identifiez les groupes syntaxiques dans la phrase suivante.

Alors, j'ai tiré encore quatre fois sur un corps inerte où les balles s'enfonçaient sans qu'il y parût.

STRUCTURE DE LA PHRASE

Phrase simple

La phrase simple consiste généralement en *un groupe nominal* ayant fonction de sujet, suivi *d'un groupe verbal* à fonction de prédicat (qui peut inclure des attributs du sujet). Elle est affirmative, active et neutre, mais elle peut être transformée en phrase interrogative, négative ou passive. Il faut noter que tout n'est pas toujours exprimé explicitement dans la phrase ; en effet, *l'ellipse* est un procédé phrastique par lequel une partie de la phrase est effacée pour éviter la redondance ou pour simplifier la structure, notamment dans les dialogues, dans les comparaisons et dans la coordination. Par ailleurs, on peut aussi simplifier la phrase par *la suppléance,* c'est-à-dire que l'on remplace un groupe ou une proposition par un pronom.

Phrase complexe

La communication quotidienne ne peut cependant pas se suffire de phrases simples.

> Pierre marchait dans la rue. Il a mis le pied dans une flaque d'eau. Il a mouillé son soulier gauche. Il venait tout juste d'acheter cette paire de chaussures. (phrases simples)
> Pierre marchait dans la rue lorsqu'il a mis le pied dans une flaque d'eau, ce qui a mouillé la chaussure gauche de la paire qu'il venait tout juste d'acheter. (phrase complexe)

Comme vous le constatez dans le premier exemple, la communication devient rapidement monotone, fastidieuse et redondante. C'est pourquoi des structures syntaxiques plus compliquées existent et permettent de former ce qui est appelé *la phrase complexe,* comme dans le deuxième exemple. Les trois processus nécessaires pour la former sont simples, mais les combinaisons sont presque infinies. Ces processus sont la *juxtaposition,* par laquelle les propositions sont directement collées les unes aux autres; la *coordination,* par laquelle des propositions de valeur égale sont combinées à l'aide de conjonctions de coordination ou d'adverbes; et la *subordination,* qui fait appel aux conjonctions de subordination ou aux pronoms relatifs pour regrouper des propositions impliquant une relation de dépendance syntaxique de l'une envers l'autre. À ces processus de base s'ajoutent quelques structures moins fréquentes, mais tout de même importantes que nous verrons ensuite.

Juxtaposition

La juxtaposition est un procédé par lequel deux propositions sont mises directement côte à côte pour former une phrase complexe.

Types de juxtaposition :
- juxtaposition simple :

  Les heures passent, mon fils n'arrive pas.
- juxtaposition paradoxale :

  Vous me le montreriez, je ne vous croirais pas.
- juxtaposition par insertion.

  Il y a des jours, je vous le dis, où elle ne s'endure pas elle-même.

Coordination

La coordination permet de construire des phrases complexes à l'aide d'une conjonction de coordination (mais, ou, et, donc, car, ni, or étant les plus fréquentes), d'un adverbe de coordination (ensuite, cependant, éventuellement, etc.), ou d'un adverbe de corrélation (tant… tant, sitôt… sitôt, soit que… soit que, etc.) Les propositions ainsi unies doivent être sans liens de dépendance. On s'en sert notamment par souci d'économie pour éviter de répéter des parties de phrases ou d'ajouter des pronoms.

Types de coordination :

- par conjonction de coordination : mais, ou, et, donc, car, ni, or

  J'ai mangé, **mais** j'ai encore faim.
  Il aime le bleu, **car** cette couleur le détend.

- par adverbe : ensuite, cependant, tant… tant, plus… plus, tantôt… tantôt, non seulement… mais aussi, sitôt… sitôt

  Mon vélo est **non seulement** beau, **mais** il est aussi léger.
  Nous travaillons **d'abord, ensuite** nous fêterons.

Subordination

La subordination implique l'union de propositions dans un rapport de dépendance. Une phrase devient alors la proposition centrale à laquelle l'autre se rattache. La proposition la plus importante s'appelle la *proposition principale* et l'autre, *la proposition subordonnée.*

Types de subordonnées :

- Subordonnées relatives (introduites par un pronom relatif)

  Elle est née dans un village **où on élève l'agneau.**

- Subordonnées complétives (introduites par **que**)

  Tu sais **que je t'aime.**

- Subordonnées circonstancielles (introduites par une conjonction de subordination et qui agissent comme complément de la phrase)

  Jette-le **puisqu'il est brisé.**

Mots explétifs

Il arrive qu'on doive ajouter des mots dans la phrase sans qu'ils n'apportent d'information et sans avoir de fonction syntaxique. Ils ont souvent une fonction euphonique. Ces mots sont dits *explétifs*. Les plus courants sont le **ne** explétif (voir p. 140 et 377) et le **l'** de **l'on** (si le mot précédant se termine par une voyelle).

La démocratie parait plus douce qu'elle **ne** l'est en réalité.

Mots en apostrophe

On désigne par les mots en apostrophe la structure par laquelle on nomme la personne ou l'être animé à qui l'on s'adresse sans que ce soit grammaticalement nécessaire. Ce procédé sert à mettre en évidence le destinataire ou l'interlocuteur.

Samuel, finis ton repas avant de te lever.

Éléments incidents

Les éléments incidents sont des phrases ou des syntagmes non essentiels ajoutés à un énoncé principal pour exprimer un commentaire personnel.

Il marchait, **je vous l'ai dit,** au milieu de la route.

Incises

Les incises sont des formules ajoutées à l'intérieur d'une proposition lorsqu'on rapporte directement les propos d'une personne. Elles indiquent un discours direct.

J'arrive, **a-t-il dit,** ce soir.

APPLICATION IMMÉDIATE

A

C. Indiquez les structures de phrase dans les phrases suivantes.

1. Elle savait que Roger était mourant.
2. Ils sont arrivés, je me tue à vous le dire, à minuit pile.
3. Plus Pierre écrit, plus son style s'améliore.
4. Tu plonges, tu te tues.
5. Théo avait toujours faim, mais il se retenait.

FONCTIONS DANS LA PHRASE

Sujet de la phrase

Le sujet est un mot ou un groupe de mots qui *gouverne l'accord du verbe*. Il renvoie habituellement à ce qui fait l'action du verbe. On reconnait le sujet de la phrase en posant la question « qui ? » ou « qu'est-ce qui ? » devant le verbe. Plusieurs parties du discours peuvent remplir la fonction de sujet. *Le nom* et *le pronom* sont les plus courants. *Un verbe à l'infinitif* ou *une proposition subordonnée* peuvent aussi remplir cette fonction.

Rachelle tombe.
Une vache qui passait par là et qui broutait paisiblement de l'herbe m'a regardé.

Prédicat

La prédication est la fonction que remplissent la plupart des verbes dans la phrase. Le prédicat se conjugue selon son sujet. Plusieurs compléments et groupes peuvent s'y rattacher.

Les feuilles mortes **tourbillonnent** dans le vent.
Je **mange** les bananes à la vitesse de l'éclair.

Attribut du sujet

L'attribut du sujet est un mot ou un groupe de mots qui se trouve après le verbe copule et qui décrit *l'état du sujet*. Le nom, le pronom, l'infinitif, l'adjectif, le participe passé, l'adverbe et le syntagme prépositionnel peuvent prendre la fonction d'attribut.

Ton sac semble **lourd.**
Michèle est **une jolie femme.**

Éléments subordonnés au verbe

a. *Complément direct*

Le complément direct est un groupe de mots qui est directement lié au verbe, c'est-à-dire sans l'intermédiaire d'une préposition. On l'identifie en posant la question « qui ? » ou « quoi ? » après le verbe.

Le chat a mangé **la souris.** (le chat a mangé quoi? **La souris** = CD)
Ta souris, le chat **l'**a mangée. (le chat a mangé quoi? **l'** = CD, tenant lieu de **ta souris**)

Le nom, le pronom, le verbe à l'infinitif et la proposition peuvent remplir la fonction de complément direct. Le CD peut être placé avant ou après le verbe. Notez l'accord du participe passé **mangée** dans le deuxième exemple, puisque le CD précède le verbe (voir chapitre 16 pour plus de détails, p. 228).

b. *Complément indirect*

Contrairement au complément direct, le complément indirect doit être introduit par une préposition, sauf pour certains pronoms personnels. On retrouve les CI après les verbes transitifs indirects. Chacun de ces verbes fait appel à des prépositions spécifiques.

Nous parlons **du bureau.**
Pierre achète des fleurs **à Sophie.**

Notez que le dernier exemple comporte un CD (souligné) et un CI (en gras): certains verbes peuvent être à la fois transitifs directs et indirects.

c. *Attribut du complément direct*

Le complément direct peut avoir un attribut, qui informe de l'état du complément direct par l'intermédiaire d'un verbe copule sous-entendu. Cette structure peut se transformer en proposition subordonnée complétive. L'attribut s'accorde généralement en genre et en nombre.

Elle juge *ses élèves* **très forts.** (Elle juge que ses élèves sont très forts.)
Le premier ministre a déclaré la guerre **terminée.** (Le premier ministre a déclaré que la guerre était terminée.)

d. *Complément adverbial*

Le CA est constitué d'un adverbe ou de mots qui peuvent être remplacés par un adverbe. Cette appellation remplace le complément circonstanciel qui ne couvrait pas tous les cas. Le CA a pour fonction d'apporter des renseignements sur les circonstances entourant l'action : le temps, le lieu, la manière, la mesure, l'opposition, le but, la cause ou la condition. Il peut être séparé du verbe par d'autres compléments.

Marche-t-il **lentement** ou **à toute vitesse** ?
Je repars **dans 15 minutes.**

e. *Complément d'agent du verbe passif*

Lorsqu'une phrase active devient passive, ce qui était le sujet grammatical ne l'est plus, même si le sens semble indiquer le contraire. Il faut alors distinguer le sujet grammatical du sujet réel.

La vague renverse le kayak. (phrase active)
Le kayak est renversé **par la vague.** (phrase passive)

Ce qui était le sujet grammatical de la phrase active devient le complément d'agent du verbe passif. Ce complément est habituellement introduit par la préposition **par** ou **de**.

Éléments subordonnés au nom

a. *Déterminant*

La fonction de déterminant est de spécifier l'étendue du nom, c'est-à-dire qu'il précise, par exemple, de laquelle des tables la personne parle. Est-ce ma table, la table dont nous venons de parler ou encore une table quelconque ?

La table est longue.

Cette fonction est toujours remplie par le déterminant, qui précède toujours le nom et qui est habituellement nécessaire. Il existe plusieurs types de déterminants : article défini, article indéfini, article partitif, déterminant possessif, négatif, numéral ou démonstratif. Le déterminant s'accorde avec le nom qu'il accompagne.

Ce café est trop corsé à **mon** gout.
J'aimerais **un** peu **de** farine, s'il vous plait.

b. *Épithète*

La fonction d'épithète est de donner une caractéristique au nom ou au pronom qu'elle accompagne. L'épithète est habituellement composée d'un groupe adjectival ou d'un participe placé avant ou après le nom. Elle s'accorde avec le nom ou le pronom qu'elle accompagne. Elle est parfois détachée du nom à l'aide d'une virgule.

Le **gros** homme du coin est gentil.
Fatiguée, elle s'écroula.

c. *Apposition*

La fonction d'apposition est remplie par un nom ou un verbe à l'infinitif presque toujours placé après le nom, directement ou séparé par une virgule, un deux-points ou par la préposition **de.** L'apposition a la particularité de toujours désigner la même réalité que le nom auquel elle se rapporte.

Le général **Wolfe** a attaqué Québec.
Je viendrai vous voir au mois **de septembre.**

Autres compléments du nom

Le nom peut comporter des compléments qui ne sont ni déterminatifs, ni appositionnels, ni épithètes. Ils se trouvent toujours après le nom et y sont habituellement liés par une préposition, mais prennent parfois la forme d'un groupe nominal, d'une subordonnée relative ou complétive. On les distingue de l'apposition (soulignée dans le premier exemple ci-dessous) par le fait que les compléments du nom ne désignent pas la même réalité que ce nom.

Mon amie Lyne porte une veste **sans bouton.**
Mon fils a les yeux **qui piquent.**
J'ai des milliers **d'amis.**

Éléments subordonnés au pronom

a. *Déterminant*

Les pronoms possessifs, indéfinis peuvent être précédés d'un déterminant. Notons que le pronom relatif **lequel** implique déjà un déterminant (**le + quel**).

Le mien est brun.
D'autres arriveront plus tard.

b. *Épithète*

Le pronom peut être accompagné de l'épithète, mais dans très peu de situations. **Autre, seul** et **même** sont les adjectifs les plus fréquents dans cette fonction.

Lui **seul** peut prendre cette décision.
Nous **autres** Canadiens ne voulons pas la guerre.

Éléments subordonnés à l'adjectif

a. *Complément de l'adjectif*

L'adjectif est parfois complété par un groupe prépositionnel, un adverbe, les pronoms **en** ou **y**, ou une proposition subordonnée complétive.

Il **en** est satisfait.
Le sous-marin a subi des dommages **très** importants.
Mon père étant généreux **envers les autres,** il leur a donné notre piano.

Éléments subordonnés aux mots invariables

a. *Complément de l'adverbe*

L'adverbe peut être modifié par un autre adverbe, par un groupe prépositionnel ou par une subordonnée complétive. Un nom peut aussi parfois être complément de l'adverbe.

J'ai **trop** peu dormi.
Heureusement **que tu es venue.**
Vivement **l'été** !

b. *Complément de la préposition et de la conjonction de subordination*

La préposition et la conjonction de subordination peuvent toutes deux prendre un complément, qui se place après. Ce complément peut être composé d'un adverbe ou d'un groupe nominal.

Tu dois arriver **bien** avant minuit.
Le lit fut prêt **deux jours** avant son arrivée.
Subséquemment à mon renvoi, j'ai contacté mon avocat.

TRANSFORMATIONS SYNTAXIQUES

Considérez la phrase suivante :

Le chat chasse la souris.

La phrase de base est dite affirmative, positive et active, c'est-à-dire qu'elle énonce un fait qui relate l'action faite par le sujet ou l'état du sujet. La phrase de base peut être transformée de trois façons différentes :

Le chat ne chasse pas la souris.	(voir La négation, chapitre 28)
Le chat chasse-t-il la souris ?	(voir L'interrogation, chapitre 29)
La souris est chassée par le chat.	(voir La voix passive, chapitre 30)

De plus, un énoncé qui renvoie aux paroles ou aux écrits d'une personne — comme **« Le chat chasse la souris », dit-elle** — peut être transformé au discours indirect. Cette transformation implique souvent des changements au verbe pour assurer la concordance des temps.

Elle dit que le chat chasse la souris.	(voir Le discours indirect, chapitre 31)

Nous étudierons chacune de ces transformations dans des chapitres séparés, car elles impliquent toutes des modifications importantes de la phrase de base. Par ailleurs, il faut noter que les transformations peuvent être combinées. Voici une phrase simple à laquelle nous avons fait subir quelques transformations.

La politicienne tient sa promesse.	(affirmative, active et neutre)
La politicienne tient-elle sa promesse ?	(interrogative, active et neutre)
La politicienne ne tient pas sa promesse.	(négative, active et neutre)
Cette promesse n'est pas tenue par la politicienne.	(négative, passive et neutre)
Cette politicienne, elle ne tient jamais ses promesses.	(négative, active et emphatique)

On peut conclure ce survol en disant qu'il existe des mots de diverses natures qui peuvent remplir plusieurs fonctions syntaxiques dans la phrase. Ces mots se combinent pour former des groupes ou des locutions, qui se combinent à leur tour pour former des propositions et des phrases. Ces phrases peuvent alors être transformées selon le sens qu'on veut donner aux énoncés. Il y a un lien étroit entre le sens et les règles de grammaire. La connaissance des subtilités grammaticales permet de transmettre des messages riches et subtils en sens.

2

Le nom

OBJECTIFS DU CHAPITRE

À la fin de ce chapitre, vous serez en mesure :

- d'identifier un nom, son genre (masculin ou féminin) et son nombre (singulier ou pluriel) ;
- d'accorder des noms simples ou composés au pluriel ;
- d'utiliser adéquatement les nombres collectifs et les fractions.

Un nom est un mot qui *sert à désigner un être animé* (personne ou animal) ou *une chose*. On l'appelle aussi *un substantif*. On distingue *les noms communs* des *noms propres*. Ces derniers *désignent des gens, des lieux* ou *des époques* et prennent une majuscule.

Noms communs	Noms propres
un désert (masc.)	Roger (masc.)
une culture (fém.)	Alberta (fém.)
un respect (masc.)	Japon (masc.)

OBSERVATIONS SUR LE NOM COMMUN ET LE NOM PROPRE

- *Les noms de nationalité* prennent *une majuscule*, mais les adjectifs de nationalité (voir chapitre 4, p. 64) et les noms de langue ne prennent pas de majuscule.

Une **Albertaine** (nom) est une femme de l'Alberta.
C'est un **Acadien** (nom). C'est un chanteur **acadien** (adj.).
Il est **acadien** (adj.).

- On *vulgarise* des noms propres quand on utilise un nom propre pour désigner un objet provenant du lieu ou de la personne; ces noms propres vulgarisés peuvent prendre la marque du pluriel et débutent alors par une minuscule:

le cognac   un Suzor-Côté   des petits einsteins

- On *personnifie* des noms communs quand on les utilise pour désigner une personne, un lieu ou une époque et on met alors une majuscule à ces mots:

le Petit Prince   la rivière des Prairies   la Renaissance

GENRE DES NOMS

Les noms ont un *genre*: **masculin** ou **féminin**. L'attribution du genre des noms de choses est *purement grammaticale,* c'est-à-dire que le genre d'un objet n'est pas lié à ses caractéristiques.

- Il faut toujours savoir le genre d'un nom, mais cette connaissance vient avec la pratique. Quand vous rencontrez un nom, apprenez-le toujours avec un article, préférablement les articles indéfinis **un** et **une.**

une table (fém.)   **un** sentiment (masc.)   **une** nation (fém.)

Dans un texte, si le déterminant qui accompagne un nom n'indique pas son genre, il faut chercher un autre mot qui porte la marque du genre: autre déterminant, adjectif, participe passé, pronom.

Cette œuvre (fém.)
Ces **importantes** ressources naturelles (fém. plur.)

- Il y a des exceptions, mais la terminaison d'un nom commun permet souvent d'identifier son genre. Voici une liste des terminaisons les plus courantes classées selon le genre qu'elles déterminent.

TERMINAISONS DÉTERMINANT LE FÉMININ

Terminaison	Exemples	Exceptions
-ade	une promenade une limonade	un jade un stade
-aille	une trouvaille une tenaille	le braille
-aine	une dizaine une semaine	un domaine un capitaine
-aison	une maison une raison	

(Page suivante)

TERMINAISONS DÉTERMINANT LE FÉMININ *(Suite)*

Terminaison	Exemples	Exceptions
-nce	une tendance une science une pince	un prince un silence
-ée	une idée une pensée une bordée	un musée un lycée un trophée
-sse	une masse une promesse	
-ice	une justice une police	un supplice un caprice
-ie	une pluie une boulangerie une folie	un incendie un génie un parapluie
-ière	une carrière une bière une manière	un derrière un cimetière l'arrière
-ion	une vision une conversation une mission	un bastion un million un camion
-té	la liberté la bonté	un raté un été
-tte	une omelette une patte une cigarette	un squelette
-tude	une habitude une certitude	
-ture	une conjoncture une nature	

TERMINAISONS DÉTERMINANT LE MASCULIN

Terminaison	Exemples	Exceptions
-c	un banc un porc	
-d	un gland	
-g	un rang	
-k	un kayak un yack	

(Page suivante)

TERMINAISONS DÉTERMINANT LE MASCULIN *(Suite)*

Terminaison	Exemples	Exceptions
-l	un fauteuil	
-p	un drap	
-m	un harem	une faim
-t	un menuet un appartement un changement un coffret un port un rabot	une dent une forêt une nuit une jument une part la plupart
-lon/-non/-ron/-ton	un ballon un tenon un baron un chaton	une guenon
-a	un cinéma un camélia	une caméra une véranda
-aire	un dictionnaire un anniversaire	une grammaire une affaire une paire
-ier	un terrier	
-in	un pain un vin	une main une fin
-o	un piano un métro un mémo	une radio une moto une photo
-oir	un devoir un pouvoir	
-sme	le socialisme un spasme	
-u	un bureau un genou un tutu	une eau une peau une vertu
-ien	un bien un lien	

APPLICATION IMMÉDIATE

A

A. Donnez le genre (masc. ou fém.) des noms suivants.

1. ___________ matin
2. ___________ méditation
3. ___________ chant
4. ___________ promesse

5. ___________ pouvoir
6. ___________ solitude
7. ___________ chatte
8. ___________ manière

- Certaines catégories de noms de choses ont le même genre.

Catégorie	Genre	Exemples
Sciences et disciplines	tous féminins (sauf le génie, le droit et le notariat)	la médecine la linguistique
Saisons	masculins	le printemps
Jours	masculins	le lundi
Arbres	masculins (sauf l'épinette)	le bouleau l'érable
Métaux	masculins	le fer le cuivre
Couleurs	masculins	le bleu
Doctrines	masculins	le capitalisme le socialisme le bouddhisme
Langues	masculins	le français

ATTENTION

En français, le nom des langues, des sciences et des disciplines s'écrit habituellement en minuscules, même dans les noms de diplômes.

les lettres — un baccalauréat ès lettres
le japonais — un certificat en langue et culture japonaises

- Le genre des titres de fonctions (qui diffèrent de la discipline — pensez à la profession de médecin, qui consiste à pratiquer la médecine) découle généralement du sexe de la personne qui occupe la fonction, mais certains de ces titres ont la même forme au féminin et au masculin; le déterminant et l'adjectif prennent alors le genre de la personne qui occupe la fonction.

un chef (masc.) — une chef (fém.)
un médecin réputé (masc.) — une médecin réputée (fém.)

- Les **noms propres** ont aussi un genre. Le genre des noms de personnes est déterminé par le sexe de la personne. Le genre des noms d'évènements ne suit pas de règles. Pour les noms géographiques, le genre dépend du type de lieu :

Type de lieu	**Genre**
les noms de planètes	tous féminins
les noms de continents	tous féminins, sauf l'Antarctique et l'Arctique
les noms de pays et d'iles	ne suivent pas de règles
les noms de villes	généralement masculins

APPLICATION IMMÉDIATE

A

B. En petits groupes, donnez les noms de 5 villes, de 5 iles, de 5 provinces et de 5 pays. Indiquez-en le genre.

OBSERVATIONS SUR LE GENRE DE QUELQUES NOMS

- Certains noms ont un *double genre et deux sens différents.*

Noms avec un double genre	
un livre : « a book »	une livre : « a pound »
un poste : « a job »	la poste : « postal services »
un manche : « a handle »	une manche : « a sleeve »
un vase : « a vase »	la vase : « mud »
un mode : « a mode »	une mode : « a trend »
un voile : « a veil »	une voile : « a sail »

- Certains noms sont identiques au masculin et au féminin. On dit qu'ils sont *épicènes.*

Noms épicènes	
un élève	une élève
un enfant	une enfant
un camarade	une camarade

- **Orgue, délice** et **amour** sont des noms *masculins au singulier*, mais *féminins au pluriel.*

un orgue impressionnant	→	de grandes orgues
un premier amour	→	des amours passagères

APPLICATION IMMÉDIATE

A 

C. En petits groupes, donnez oralement le genre de chaque nom en utilisant **le** ou **la**, ou si vous préférez, **un** ou **une**.

1. biologie, équité, étudiant, voyage, musée, poulet, garantie, bouteille, saveur
2. firmament, ciel, mardi, ambiance, élève, démolition, écureuil, effet, hauteur
3. capitalisme, Saskatchewan, pierre, utopie, feuille, bonté, présence, nation, fils
4. gouvernement, Amérique, fil, addition, opinion, toiture, absence, érable
5. oiseau, château, enlèvement, douceur, armature, moitié, parti, partie, carreau
6. litière, analogie, maladie, menton, ferveur, caoutchouc, égalité, société, baignoire

B

D. Rédigez les phrases suivantes au féminin.

1. Voilà un prince qui aide le peuple.

   ____

2. Le héros est courageux.

   ____

3. Cet homme est riche et vieux.

   ____

4. Ce cheval est agile.

   ____

5. Le jeune homme est sincère.

   ____

PLURIEL DES NOMS

Pluriel des noms simples

Le pluriel des noms simples se forme généralement en ajoutant un **s** au singulier. Cela est vrai aussi pour les noms d'origine étrangère, suivant les rectifications orthographiques.

l'hôtel	→	les hôtels
une dent	→	des dents
une fille	→	des filles
un solo	→	des solos
un maximum	→	des maximums

- Les noms qui se terminent par **s, x** ou **z** ne changent pas au pluriel.

un fils	→	des fils
une toux	→	des toux
un nez	→	des nez

- Certains noms sont *toujours pluriels.*

les gens	les mathématiques
les fiançailles	les frais
les funérailles	les mœurs

- Les noms en **ou** prennent un **s** au pluriel.

un clou	→	des clous
un trou	→	des trous

Exceptions:
Sept noms en ou prennent un x

bijou	caillou
chou	genou
hibou	joujou
pou	

- Les noms en **eu, au, eau, œu** prennent généralement un **x.**

un cheveu	→	des cheveux
l'eau	→	les eaux
un vœu	→	des vœux

Exceptions (prennent un **s** au pluriel) :

pneu	bleu
sarrau	landau

- Les noms en **al** changent généralement en **aux.**

un canal	→	des canaux
un journal	→	des journaux

Exceptions (prennent un **s** au pluriel) :

aval	bal	carnaval	chacal
festival	récital	régal	

- Les noms en **ail** prennent un **s**.

un éventail	→	des éventails
un détail	→	des détails

Exceptions (changent **ail** en **aux**) :

bail	corail	émail	soupirail	travail	vitrail

- Certains pluriels sont *complètement irréguliers*.

un œil	→	des yeux
un ciel	→	des ciels (poésie, peinture, météorologie) *ou* des cieux (firmament, paradis)
un aïeul	→	des aïeuls (grands-parents) ou des aïeux (ancêtres)

- En français, les noms de familles ne prennent pas de **s** au pluriel.

les Gagnon les Zaccaron les Tremblay

APPLICATION IMMÉDIATE

A

E. Donnez le pluriel des noms suivants.

1. le col ______
2. le sceau ______
3. la toux ______
4. le chou ______
5. un pneu ______
6. un travail ______
7. un amour ______

B

F. Rédigez les phrases suivantes au pluriel. Notez que vous devrez faire l'accord des adjectifs et participes passés qui accompagnent les noms.

1. Regardez ce vitrail coloré.

____

2. Le fil électrique est bleu.

____

3. Cet appartement est cher et luxueux.

____

4. C'est un bel homme.

____

5. Le pneu est usé.

____

6. Voilà un vieil ami.

____

Pluriel des noms composés

Les noms composés sont habituellement formés de deux ou de plusieurs éléments généralement séparés par un trait d'union. Ces éléments peuvent être de diverses natures. La formation du pluriel du nom composé dépend de la nature des mots qui le composent.

Éléments	Formation	Exemples
Nom + adjectif Adjectif + nom	Les deux éléments prennent la marque du pluriel.	les coffres-forts les grands-mères
Verbe + nom ou GN	Le verbe ne varie pas, alors que le nom prend la marque du pluriel si le composé est au pluriel (sauf lorsque le complément débute par une majuscule ou est accompagné d'un article).	des gratte-ciels des essuie-mains des soutien-gorges *mais :* des trompe-l'œil des prie-Dieu
Mot invariable + nom	Seul le nom prend la marque du pluriel.	des sans-abris des après-midis des arrière-grands-mères
Nom + préposition + nom	Seul le premier nom prend la marque du pluriel.	des chefs-d'œuvre des nids-de-poule
Verbe + verbe	Tout reste invariable.	des ouï-dire des laissez-passer

APPLICATION IMMÉDIATE

G. Mettez les noms composés au pluriel.

1. un arc-en-ciel ______
2. un divan-lit ______
3. un ouvre-boite ______
4. un après-midi ______
5. un haut-parleur ______
6. un coffre-fort ______
7. un chef-d'œuvre ______
8. un cure-dent ______

NOMBRES COLLECTIFS

On *ajoute* **-aine** à *certains nombres cardinaux* (dix, onze, douze, etc.) pour indiquer *une quantité approximative*. Ce sont des noms féminins suivis d'un complément (**de** + *nom)* ou précédés du pronom **en** qui remplace ce complément. Le **e** du nombre cardinal disparait et **x** se change en **z**. Certains nombres collectifs indiquent parfois une quantité précise.

Combien de personnes y avait-il à la conférence ?
Il y avait **une centaine de** personnes ou il y **en** avait **une centaine**.
Le prix de la **douzaine** d'œufs vient d'augmenter (quantité précise).

Nombres collectifs :

dix	→	une dizaine (de)
douze	→	une douzaine (de)
quinze	→	une quinzaine (de)
vingt	→	une vingtaine (de)
trente	→	une trentaine (de)
cent	→	une centaine (de)

Exception :

mille	→	un millier (de)

On évite habituellement les nombres collectifs pour les chiffres en bas de 10 puisqu'ils sont trop petits pour impliquer une approximation.

J'ai reçu une **douzaine de** roses. (12 exactement)
Il a acheté **une demi-douzaine d'**œufs. (6)

APPLICATION IMMÉDIATE

A

H. Donnez oralement le nombre collectif qui correspond à chaque expression de quantité.

1. à peu près vingt jours
2. environ trois mille morts
3. environ quinze pages
4. à peu près dix élèves

B

I. Écrivez le nombre collectif qui correspond à chaque expression de quantité.

1. environ 50 ____________________
2. à peu près 20 étudiants ____________________
3. 12 mouchoirs ____________________
4. environ 1000 personnes ____________________

FRACTIONS

La fraction est composée d'un nominateur (toujours un nombre cardinal) et d'un dénominateur (quart, tiers, demi, et pour les autres nombres, cinquième, sixième, septième, etc.).

$\frac{5}{7}$: cinq septièmes
$3\frac{2}{5}$: trois et deux cinquièmes
$\frac{51}{3}$: cinquante-et-un-tiers
$50\frac{1}{3}$: cinquante et un tiers

Fractions courantes

$\frac{1}{4}$: un quart	$2\frac{1}{4}$: deux et (un) quart	$\frac{2}{3}$: deux tiers
$\frac{1}{3}$: un tiers	$\frac{3}{4}$: trois quarts	
$\frac{1}{2}$: un demi, une demie	$5\frac{1}{2}$: cinq et demi(e)	

PRÉCISIONS

Demi(e) est variable après le nom, invariable devant le nom (voir chapitre 4, p. 62). Le nom correspondant est **la moitié (de).**

J'ai répondu à une question et **demie** en une **demi**-heure.
As-tu répondu à toutes les questions ? Non, seulement à **la moitié.**

APPLICATION IMMÉDIATE

B

J. Lisez les fractions suivantes à haute voix.

1. $\frac{4}{3}$
2. $\frac{3}{6} = \frac{1}{2}$
3. $\frac{3}{4}$
4. $8\frac{1}{9}$
5. $5\frac{1}{4}$

B

K. Écrivez les fractions en toutes lettres.

1. $\frac{3}{5}$ ____________________
2. $\frac{3}{4}$ ____________________
3. $\frac{1}{8}$ ____________________
4. $4\frac{5}{6}$ ____________________

C

L. Complétez les phrases suivantes en employant **demi(e)** ou **la moitié**.

1. Vous avez bu ______________ de la bouteille de vin.
2. J'ai passé une semaine et ________________ chez eux.
3. Tu as mangé _____________ du gâteau.
4. Il nous a fallu une______________ -heure pour faire ce travail.

EN RÉSUMÉ...

- Un nom sert à faire référence à un objet ou un être.
- La plupart des noms ont un genre, soit masculin ou féminin, qu'on peut généralement identifier à partir de la terminaison
- Le pluriel des noms simples se forme habituellement en ajoutant un **s** à la fin du mot, mais il existe plusieurs exceptions selon la terminaison.
- Le pluriel des noms composés dépend de leur structure. En règle générale, le nom et l'adjectif prennent la marque du pluriel. Si le nom est précédé d'une préposition, il est invariable. Le verbe et les mots invariables (préposition, adverbe, etc.) ne prennent pas la marque du pluriel.

EXERCICES RÉCAPITULATIFS

A. *En groupe de 2, écrivez une courte histoire qui inclut les mots suivants au pluriel et au singulier :* ***demi, livre, enfant, journal, joujou, piano, grand-mère, après-midi.***

B. *Composez en petits groupes une lettre qui inclut au moins 10 noms communs et 4 noms propres dont au moins la moitié sera au pluriel.*

C. *Expliquez à vos amis comment vous vous y prenez pour préparer votre plat favori. Faites attention au genre des noms désignant les ingrédients.*

3

Les déterminants

OBJECTIFS DU CHAPITRE

À la fin de ce chapitre, vous serez en mesure :

- d'identifier les différents types de déterminants ;
- de savoir quand employer chaque type de déterminant ;
- de savoir quand omettre le déterminant ;
- de faire l'accord des déterminants.

Il existe plusieurs types de déterminants. Les *articles définis,* les *articles indéfinis,* les *articles partitifs,* les *déterminants démonstratifs,* les *déterminants possessifs* et les *déterminants numéraux (nombres)* sont présentés dans ce chapitre. Les *déterminants indéfinis* sont expliqués dans le chapitre 13. Les *déterminants interrogatifs* et *exclamatifs* sont abordés dans le chapitre 29 et les *déterminants négatifs,* dans le chapitre 28.

LES ARTICLES

L'article est un déterminant minimal, qui précise *l'étendue d'un nom* tout en indiquant son *genre* (masculin ou féminin) et son *nombre* (singulier ou pluriel), mais sans autre information. Il y a trois sortes d'articles :

1. *l'article défini,*
2. *l'article indéfini,*
3. *l'article partitif.*

LES ARTICLES

Article	Singulier		Pluriel
	masculin	*féminin*	*masculin et féminin*
défini	**le (l')**	**la (l')**	**les**
indéfini	**un**	**une**	**des**
partitif	**du (de l')**	**de la (de l')**	**des**

Article défini

Formes : le, la, les (voir aussi tableau ci-dessus)

- **Le** et **la** se changent en **l'** devant un mot commençant par une voyelle ou un **h** muet. **L'** n'indique pas le genre du nom qui le précède.

  L'omelette (féminin)
  l'honneur (masculin)

APPLICATION IMMÉDIATE

A

A. Indiquez si le **h** est muet ou aspiré (vous trouverez une liste des mots débutant par un **h** aspiré en troisième de couverture).

1. l'habit ______________________
2. la harpe ______________________
3. le héron ______________________
4. l'histoire ______________________

A

B. Lisez chaque nom à haute voix en le faisant précéder de **l', le** ou **la**. (Attention à la première lettre : voyelle, **h** muet ou **h** aspiré.)

1. __________ autobus
2. __________ hausse
3. __________ espérance
4. __________ Havane
5. __________ hasard
6. __________ héros
7. __________ héroïne
8. __________ humour
9. __________ humeur

- Les articles **le** et **les** se contractent avec les prépositions **à** et **de**, sauf quand l'article fait partie d'un nom de famille :

Articles définis contractés		
à + le	→	au
à + les	→	aux
de + le	→	du
de + les	→	des

Je vais **au** cinéma.
Elles sont **aux** États-Unis.
C'est l'heure **du** départ.
Voici la chambre **des** invités.
mais : Les tableaux **de Le** Corbusier.

- Cependant, **l'** et **la** n'ont pas de formes contractées : **à l', à la ; de l', de la.**

Nous sommes **à la** cafétéria.
Nous profitons **de l'**expérience.

APPLICATION IMMÉDIATE

C. Ajoutez l'article défini quand il est nécessaire. Contractez-le avec **à** ou **de** au besoin. **A**

1. Tous ________ jours, il se plaint ________ temps qu'il fait.
2. La lettre est datée ________ 5 octobre.
3. ________ musées sont souvent fermés ________ lundi.
4. J'ai besoin ________ livre que je vous ai prêté.
5. ________ Ile-du-Prince-Édouard est bondée de touristes en juillet.
6. J'adore ________ nougat.
7. ________ bêtise n'a pas de patrie.
8. ________ bonheur vient avec la simplicité de vie.
9. Voici ________ meilleurs renseignements qui existent.
10. Je vous appellerai ________ mercredi prochain.
11. ________ heures, ________ jours, ________ semaines, ________ mois passent rapidement.
12. ________ sommets ________ Rocheuses sont très hauts.

Emplois

L'article défini est employé :

- Devant *un nom désignant une personne ou une chose déjà identifiée.* On répète l'article dans une série de noms ;

  Voici **le** manuel que nous employons.
  Le médecin me suggère de prendre des anti-inflammatoires.
  Elle a acheté **la** robe, **le** manteau et **les** chaussures qu'elle aimait.

- Devant *un nom pris dans le sens général* (l'article est souvent omis en anglais dans ce cas). Il est employé en particulier avec les verbes **aimer, adorer, préférer, detester** ;

  La vie est courte. (« Life is short. »)
  L'argent ne fait certainement pas le bonheur.
  J'aime **la** musique, mais je déteste **la** peinture.
  Il n'aime pas **le** café ; il préfère **la** tisane.

- Devant *les noms abstraits ;*

  Le silence est d'or, la parole est d'argent. (proverbe)
  La patience est utile dans **la** vie.

- Devant *les titres de profession et les titres honorifiques,* sauf lorsqu'on s'adresse directement à la personne en lui donnant son titre ;

  Le premier ministre du Canada vit à Ottawa.
  J'aime la classe **du** professeur Lachance.
  La rectrice est en visite au Nouveau-Mexique.
  L'abominable docteur Dupont était à son bureau lors de son arrestation.
  mais : Veuillez agréer, **Excellence**, l'assurance de tout mon respect.

  On n'emploie pas l'article devant **monsieur, madame** ou **mademoiselle** suivis du nom de la personne.

  Monsieur Lancelot est de bonne humeur.
  J'ai vu madame Therrien hier matin.

- Devant *les noms de saisons ;*

  Le printemps est romantique, mais l'été est sensuel.

- Devant *les noms de langues ou de disciplines ;*

  J'étudie **le** français, **la** politique et **l'**économie.

  Quand un nom de langue suit le verbe **parler,** l'article n'est pas nécessaire.

  Je parle français, mais je ne parle ni (le) russe ni (l') italien.

- Devant *les noms de peuples et les noms de pays, de provinces, de régions, de grandes iles, de montagnes, de fleuves, de rivières, de bâtiments célèbres ;*

  Les Québécois aiment la chaleur.
  L'Ile-du-Prince-Édouard n'est pas très grande.

Le nord de **la** Saskatchewan est vallonné.
L'Arctique est d'une grande beauté.
Les Rocheuses traversent **le** Canada et **les** États-Unis.
Le Musée Royal Tyrrell est un musée célèbre.

L'article est quelquefois inclus dans un nom de ville ; on ne le répète alors pas.

Le Mans est une ville connue pour ses courses d'autos.
Nous sommes arrivés **au Havre** hier soir.

- Pour indiquer le prix d'un objet *par unité de mesure ou de poids* ;

Le lait d'amandes coute deux dollars **le** litre.
Les œufs coutent trois dollars **la** douzaine.

- Pour *l'unité de vitesse*, on emploie généralement **au** (contracté), **à la** ou **à l'**. S'il s'agit d'une distance plutôt que d'une vitesse, on utilise **par**.

Il roulait à 50 km **à l'**heure quand il a eu son accident.
mais : Elle marchait 50 km **par** jour.

- Pour *l'unité de temps*, on emploie généralement **par**.

Il gagne 1 500 dollars **par** mois.

- Pour *remplacer le déterminant possessif* quand le possesseur est indiqué ou évident (voir p. 48 et chapitre 25, p. 353) :

Je me lave **les** mains. (plutôt que « Je lave mes mains. »)
Vous haussez **les** épaules. (plutôt que « Vous haussez vos épaules. »)
Vous lui soignez **les** yeux. (plutôt que « Vous soignez ses yeux. »)

- Dans *les dates* ;

Aujourd'hui, c'est **le** 8 aout.
Edmonton, **le** 8 aout 2007. (en haut d'une lettre)

- Devant *le nom des jours de la semaine*, quand l'action est habituelle ou imprécise ;

Je me promène toujours **le** dimanche. (« on Sundays »)
J'ai des cours **le** lundi, **le** mercredi et **le** vendredi, mais pas **le** mardi ni **le** jeudi.

Quand il s'agit d'un jour particulier, on omet généralement l'article.

J'irai vous voir mardi. (= mardi prochain)
Je pars mardi en huit. (= dans une semaine)

- Devant *l'expression du superlatif* (voir chapitre 10, p. 141).

Voilà **le** plus beau des compliments.
Voilà l'étudiante **la** plus vaillante de la classe.

APPLICATION IMMÉDIATE

A

D. Complétez les phrases avec une forme de l'article défini, quand cela est nécessaire.

1. _______ remarque de _______ étudiante est intéressante.
2. J'aime _______ soupe, _______ salade, _______ légumes, _______ pain et _______ café.
3. _______ écriture à la main est une habileté qui se perd avec _______ utilisation de l'ordinateur.
4. Il trouve que _______ docteur Alzheimer est lunatique.
5. _______ cigarette n'est pas bonne pour _______ santé.
6. _______ Mississippi est _______ plus long fleuve d'Amérique.
7. Comprenez-vous _______ allemand ?
8. Combien coute ce ruban ? Deux dollars _______ mètre.

Article indéfini

Formes : un, une, des (voir aussi tableau, p. 30)

un cahier	**des** cahiers (« some : »)
une serviette	**des** serviettes

APPLICATION IMMÉDIATE

A

E. Complétez les phrases ci-dessous avec l'article indéfini.

1. Ils achètent _______ vélo et _______ pompe.
2. Il y a _______ enfants dans le parc.
3. J'ai trouvé _______ livres qui m'intéressent.
4. Nous avons écrit _______ composition.

Emplois

- L'article indéfini s'emploie *devant des noms de personnes ou de choses indéterminées.* On le répète dans une série de noms.

  Un homme marche lentement dans la rue.
  Une fourmi se promène par terre.
  Je vois **des** enfants qui courent.
  Nous avons **un** chien, **un** chat et **un** cheval.

- En français soutenu, l'article indéfini se change en **de** (ou **d'**) *devant un nom précédé d'un adjectif ou après une négation absolue.*

Voici **des** roses.	Voici **de** belles roses.
J'ai fait **des** erreurs.	J'ai fait **de** graves erreurs.
Tu as **un** crayon.	Tu **n'**as **pas de** crayon.
Cet enfant a **des** souliers.	Cet enfant **n'**a **pas de** souliers.

PRÉCISIONS

- Pour la négation absolue, le nom se met au pluriel dans les cas où il y en aurait plusieurs si la phrase était positive.

Il n'y a pas de voitures dans la rue.	Il y a des voitures dans la rue.
Elle n'a pas de bicyclette.	Elle a une bicyclette.

- Il n'y a jamais de changements avec le verbe **être**.

C'est **un** livre.	Ce **n'**est **pas un** livre.
C'étaient **des** excuses.	Ce **n'**étaient **pas des** excuses sincères.

- On emploie **un, une** ou **des** pour insister sur une distinction.

Je ne veux pas **un** crayon; je veux deux crayons.

APPLICATION IMMÉDIATE

B

F. Indiquez si **de** est un article indéfini ou une préposition.

1. *De* (a) nombreux avions s'envolaient *de* (b) la piste. (a) ______ (b) ______
2. Au bord *de* (a) l'eau, *de* (b) petits crabes s'agitaient. (a) ______ (b) ______
3. Au fond *de* (a) votre verre, je vois *de* (b) nombreuses particules noires. (a) ______ (b) ______
4. Elle portait *de* grosses lunettes démodées. ________
5. Il n'y a pas *de* voitures garées dans la rue. ________

B

G. Écrivez les phrases ci-dessous au singulier.

1. Elle a des plantes. ______________________________
2. Vous aurez des vêtements pour Noël. ______________________________
3. Il a de petites difficultés. ______________________________

B

H. Indiquez si **des** est un article indéfini ou un article défini contracté (prép. **de + les**).

1. Le long *des* (a) quais, il y a *des* (b) cafés. (a) _____ (b) _____
2. *Des* vagues déferlaient sur les rochers. _____
3. Avez-vous besoin *des* clous qui sont là ? _____

ATTENTION

Les étudiants apprenant le français ont souvent des difficultés à choisir correctement entre **les** et **des**, ainsi qu'entre **aux** et **à des**. Pour éviter de vous tromper, mettez le nom au singulier. Il sera alors facile de déterminer, selon le sens de la phrase, si c'est l'article défini ou indéfini qui convient.

J'ai vu des avions.	→	J'ai vu un avion.
J'ai vu les avions partir.	→	J'ai vu l'avion partir.
Nous écrivons aux auteurs.	→	Nous écrivons à l'auteur.
Nous écrivons à des auteurs.	→	Nous écrivons à un auteur.

Article partitif

Formes : du (de l'), de la (de l'), des (voir aussi tableau, p. 30).

Il est formé de **de** + l'article défini.
Je fais **du** judo, **de la** danse et **de** l'aïkido.

Emplois

- L'article partitif est employé devant des noms de choses *qu'on ne peut pas compter*, pour indiquer une partie ou une quantité indéterminée de ces choses (« some, any »).

J'ai **du** travail à faire pour demain.
Vous voulez **de la** soupe, n'est-ce pas ?
Avez-vous **de la** chance au jeu ?
Il faut que j'achète **du** pain, **de la** viande et **de l'**huile.

PRÉCISIONS

- **Des** est partitif seulement avec des noms non comptables. Il peut aussi être un article défini contracté (*de + les*) ou indéfini (pluriel de *un* ou *une*).

Il me faut **des** vacances. (article partitif)
J'ai trouvé **des** cadeaux pour tout le monde. (article indéfini)
Voilà un **des** étudiants. (article défini contracté)

- Le partitif « some, any » n'est pas toujours exprimé en anglais ; il est toujours exprimé en français.

- On utilise aussi habituellement le partitif **de** (**d'**) après un mot de quantité, que ce soit un nom, un adjectif ou un adverbe. Voici quelques exemples :

LE PARTITIF *DE (D')* APRÈS UN MOT DE QUANTITÉ

Noms	Adjectifs	Adverbes
deux cuillerées de	couvert de	beaucoup de
un tas de	plein de	trop de
une tasse de	orné de	assez de
une boite de	garni de	un peu de
une bouteille de	rempli de	peu de
un bouquet de	vide de	combien de
une douzaine de	regorgeant de	autant de

Nous n'avons pas assez **de** temps.
Combien **d'**argent as-tu ?
Il y a pas mal **de** travail à faire. (= une assez grande quantité)
La boite est pleine **de** bonbons.

Cependant, on garde habituellement **du, de la, de l'** ou **des** dans les expressions suivantes :

bien des
la plupart des
la plus grande partie du, de la, de l'
encore du, de la, de l', des

Bien des gens ne comprennent pas cela.
La plupart des politiciens sont corrompus.
Il me faut **encore du** papier ; je n'en ai pas assez.

- Après *une négation absolue*, **du, de la, de l'** se changent en **de** (ou **d'**).

J'ai **de la** chance. → Je **n'**ai **pas de** chance.
Il a **de l'**argent. → Il **n'**a **pas d'**argent.
Apportez **du** thé. → N'apportez **pas de** thé.

Tout comme pour l'article indéfini, il n'y a pas de changements avec le verbe **être** dans les négations limitées ou pour insister.

Ce n'est **pas du** pain.
Je n'ai pas mangé **du** gâteau qui est sur la table.
Il ne veut pas **du** vin, mais de la bière.

APPLICATION IMMÉDIATE

A

I. Complétez les phrases avec une forme de l'article partitif.

1. Vous avez __________ patience et __________ ambition.
2. Y a-t-il __________ espoir ?
3. Ce n'est pas __________ bruit qu'il faut ; c'est __________ silence.
4. N'as-tu rien mangé __________ repas que tu as commandé ?

PRÉCISIONS

- Ne confondez pas le partitif **du, de la, de l', des** et l'indéfini pluriel **des** avec les formes **du, de la, de l'** et **des** de l'article défini contracté (préposition **de** + **le, la, l', les**).

  L'enseignant corrige les travaux **des** étudiants.
  (article défini contracté : prép. **de + les**)
  Aujourd'hui, je m'achète **des** souliers neufs.
  (article indéfini : pluriel de **un**)
  Nous avons parlé **du** passé.
  (article défini contracté : prép. **de + le**)
  On annonce **du** beau temps pour demain.
  (article partitif)

- Rappelez-vous que l'article défini (**le, la, les**) ne change jamais dans une phrase négative, mais que l'article indéfini et le partitif (**un, une, du, de la, de l', des**) deviennent **de** (ou **d'**) dans une négation absolue, excepté avec le verbe **être** ou pour insister. Cela est vrai aussi dans les phrases interrogatives négatives.

J'ai **la** clé de ta chambre.	→	Je **n'**ai **pas la** clé de ta chambre.
Je cherche **un** crayon.	→	Je **ne** cherche **pas de** crayon.
A-t-il **du** courage ?	→	**N'**a-t-il **pas de** courage ?
Il a **du** courage.	→	Il **n'**a **pas de** courage.
Vous êtes **des** vedettes.	→	Vous **n'**êtes **pas des** vedettes.

APPLICATION IMMÉDIATE

B

J. Indiquez s'il s'agit de l'article indéfini, du partitif, de l'article défini contracté ou de la préposition **de** + *article.*

1. Il y a **des** enfants dans la voiture.
2. Je m'occupe **de la** maison.

3. Vous avez **du** courage pour entreprendre le tour **du** monde.
4. Voilà le résultat **des** tests.
5. Il faut **de l'**affection dans la vie.

Omission de l'article

L'article n'est pas employé :

- Dans plusieurs locutions prépositionnelles et verbales.

avec soin	**contre nature**	**sans cœur**
avec patience	**demander pardon**	**sans gêne**
avoir faim	**donner congé**	**sans rancune**
avoir peur	**garder rancune**	**sauf correction**
avoir raison	**par hasard**	**sous clé**
avoir recours	**perdre de vue**	**sous enveloppe**
avoir soif	**prêter sur gages**	**tenir parole**
avoir tort	**rendre justice**	**etc.**

- Devant un nom *objet d'un autre nom* (complément déterminatif).

  le laboratoire de langues
  le livre de français
  notre salle de lecture
  sa table de travail

- Dans certains *proverbes*.

  Œil pour œil, dent pour dent.
  Il y a anguille sous roche.
  Noblesse oblige.
  Donner carte blanche.

- Dans des *appositions*.

  Falher, capitale canadienne du miel.
  Nous avons invité M. Lévesque.

- Après la préposition **en.**

  Vous êtes en amour.
  Il faut agir en justicier.
  Nous sommes en vacances.

1re partie : Le groupe nominal

APPLICATION IMMÉDIATE

A

K. Complétez les phrases, quand cela est nécessaire, avec l'article défini, indéfini ou partitif, ou avec **de**.

1. _______ poésie est intéressante à étudier. Dans ce recueil, il y a _______ poème que j'aime beaucoup.
2. Il n'y a plus _______ espoir de retrouver _______ deux alpinistes qui ont disparu il y a une semaine.
3. Vous avez montré beaucoup _______ patience et bien _______ gens n'en auraient pas eu autant.
4. Nous avons tous besoin _______ compréhension envers _______ autres.
5. Il manque _______ importants détails à votre travail. Ce ne sont pas _______ choses à négliger, pourtant.
6. Avez-vous _______ thé vert ?
7. Je n'ai jamais _______ argent liquide sur moi. Je paie toujours avec _______ cartes de crédit.
8. Il n'y a plus _______ lait ni _______ œufs dans _______ réfrigérateur ; il faudrait en acheter, ainsi que _______ fromage et _______ bouteille _______ vin.
9. _______ plupart _______ temps, je suis heureux.
10. Nous avons beaucoup _______ travail pour _______ lundi prochain.
11. Vous avez mis _______ peinture _______ endroits difficiles à atteindre.
12. J'aime _______ soccer et je suis un _______ meilleurs marqueurs _______ mon équipe.

B

L. Mettez des articles entre les mots, là où il en faut, pour faire des phrases correctes (les mots sont dans le bon ordre). Faites les contractions nécessaires.

nous/avons/dictée/tous/jours/durant/cours de français
Nous avons une dictée tous les jours durant le cours de français.

1. tous/êtres humains/ont/qualités/et/défauts

   ____
2. je/bois/thé/parce que/je/n'aime/pas/café. j'y/ajoute/citron/et/sucre

   ____
3. vendredi/je/participe/à/discussions/sur/sujets/intéressants

   ____
4. elle/fait/belles/peintures. c'est/artiste incomparable

   ____

5. j'apporte/médicaments/au cas où/j'aurais mal/à/tête

____

6. elle prend/train de Montréal/à/Toronto puis/avion jusqu'/Mexique

____

7. il/nous/donne/autres/exercices/à/faire/pour/semaine/prochaine

____

8. aventure est/sel/de/vie

____

LES DÉTERMINANTS DÉMONSTRATIFS

On emploie le déterminant démonstratif (anciennement appelé *adjectif démonstratif*) soit pour désigner *une personne ou une chose qui est présente* au moment où l'on parle, soit pour *reprendre quelque chose dont on a déjà fait mention* ou dont on parlera.

LES DÉTERMINANTS DÉMONSTRATIFS

	masc. sing.	fém. sing.	masc. et fém. plur.
forme simple	**ce/cet**	**cette**	**ces**
forme composée	**ce/cet... ci**	**cette... ci**	**ces... ci**
	ce/cet... là	**cette... là**	**ces... là**

Formes simples : *ce, cet, cette, ces*

Le déterminant démonstratif *s'accorde en genre et en nombre avec le nom qu'il modifie* et sur lequel il attire l'attention.

cette professeure — **cet** arbre
ce bureau — **ces** étudiants
(« this, that, these, those »)

PRÉCISIONS

- La deuxième forme du masculin singulier (**cet**) s'emploie devant un mot qui commence par une voyelle ou un **h** muet (exception : on traite les nombres ordinaux qui débutent par une voyelle comme s'ils commençaient par une consonne).

  cet oiseau — cet honneur
  mais : ce onzième

- Il n'y a qu'une forme au pluriel : **ces**.

APPLICATION IMMÉDIATE

A

M. Mettez les phrases au singulier.

1. Ces vallées sont magnifiques.

____

2. Ces jeunes hommes ont apporté ces gros colis.

____

3. Ces honneurs ont été accordés à ces femmes.

____

Formes composées avec *-ci* et *-là*

Quand on veut *faire la distinction entre deux noms* (pour les séparer ou les opposer), on ajoute **-ci** après un des noms et **-là** après l'autre. (N'oubliez pas le trait d'union.)

Je voudrais essayer **cette** cape-**ci**, mais pas **ce** manteau-**là**.

En principe, **-ci** indique l'objet le plus proche ou qui suit, alors que **-là** indique l'objet le plus éloigné ou qui vient d'être énoncé.

APPLICATION IMMÉDIATE

A

N. Ajoutez le déterminant démonstratif simple ou composé qui convient.

1. _______ travail est mal fait.
2. Donnez-lui _______ feuille _______ et _______ crayon _______ .
3. Regardez _______ arbre magnifique !
4. À qui appartient tout _______ or ?
5. _______ onzième enfant n'est pas le bienvenu dans la famille.

B

O. Ajoutez le déterminant démonstratif simple ou composé qui convient.

1. _______ jour heureux restera longtemps gravé dans ma mémoire.
2. _______ petite rivière, _______ arbres touffus et _______ herbe épaisse rendaient _______ petit coin de la vallée très pittoresque.

3. ________ œillets- ________ vont éclore, mais ________ roses- ________ sont déjà fanées.
4. Depuis ________ soir- ________, je ferme toujours à clé.
5. Nous n'aimons pas ________ voitures- ________ .

PRÉCISIONS

Le déterminant démonstratif peut avoir *un sens temporel.* Voici quelques exemples :

- **ce soir** (dans le futur proche) (« tonight »)

  Je vous appellerai **ce soir.**

- **cette nuit** (la nuit dernière ou la nuit prochaine)

  J'ai bien dormi **cette nuit**. J'espère ne pas rêver **cette nuit.**

- **en ce temps-là** (pour un temps passé)

  En ce temps-là, les choses étaient différentes.

- **ces jours-ci** (pour un temps non fini ou récent)

  Ces jours-ci, il ne se sent pas bien.

LES DÉTERMINANTS POSSESSIFS

Formes

Un déterminant possessif indique à qui appartient la chose ou la personne.

LES DÉTERMINANTS POSSESSIFS

		OBJET(S) POSSÉDÉ(S)		
		un seul		*plusieurs*
	personnes	**masc. sing.**	**fém. sing.**	**masc. et fém. plur.**
possesseur **un seul**	je	**mon**	**ma**	**mes**
	tu	**ton**	**ta**	**tes**
	il, elle	**son**	**sa**	**ses**
		masc. et fém. sing.		**masc. et fém. plur.**
possesseurs **plusieurs**	nous	**notre**		**nos**
	vous	**votre**		**vos**
	ils,elles	**leur**		**leurs**

Accord

Examinons la phrase :

Marc a apporté **sa** composition.

On remarque que le déterminant possessif s'accorde *en personne avec le possesseur,* **Marc** (3e personne du singulier), et *en genre et en nombre avec l'objet possédé,* **composition** (féminin singulier).

Le nom de l'être ou de l'objet possédé se trouvant *après le déterminant possessif,* il faut toujours savoir *le genre de ce nom* pour le donner au déterminant possessif.

Elle aime **son** fils. Il aime **sa** fille.
Il aime **son** fils. Elle aime **sa** fille.

ATTENTION

Par raison d'euphonie, **mon, ton** et **son** sont utilisés devant un mot *féminin* qui commence par une voyelle ou un **h** muet, sauf devant les nombres ordinaux.

mon auto, mon amour
ton énorme maison
son amie, son ami
son histoire (**h** muet)
mais : **sa** haute estime (**h** aspiré)
J'en suis à **ma** onzième semaine à l'université.

APPLICATION IMMÉDIATE

A

P. Ajoutez le déterminant possessif qui convient, à la personne demandée. Le genre du nom est indiqué.

1. ____________ maison (féminin) ; 1re sing.
2. ____________ poème (masculin) ; 3e sing.
3. ____________ belle histoire (féminin) ; 2e sing.
4. ____________ autre chemise (féminin) ; 3e sing.
5. ____________ origine (féminin) ; 3e sing.
6. ____________ mauvaise habitude (féminin) ; 2e sing.
7. ____________ haute taille (féminin) ; 1re sing.
8. ____________ onzième page (féminin) ; 1re sing.

Q. Complétez les phrases avec le déterminant possessif qui convient. Tenez compte du genre du nom qui suit le possessif.

1. L'étudiant a posé ________ affaires sur le bureau, c'est-à-dire ________ calculatrice, ________ livre, ________ stylo, ________ crayon et des feuilles de papier.
2. À l'université, vous prenez ________ propres décisions.
3. Cet édifice est impressionnant ; regardez ________ hauteur vertigineuse et la couleur de ________ murs !
4. Tout le monde fait de ________ mieux dans cette classe.
5. Les quatre saisons ont ________ particularités ; chacune a ________ avantages et ________ inconvénients.
6. Tu n'as rien dit et pourtant ________ opinion est importante.
7. Elle se querelle parfois avec ________ amis.
8. Je vais vous donner ________ propre impression du voyage.
9. Il a du vocabulaire, mais ________ accent est très prononcé et ________ articulation n'est pas très bonne.
10. Parle-moi de ____________ voyages avec ________ amis.
11. Chantal est habillée chaudement ; elle porte ________ bottes d'hiver, ________ tuque et ________ écharpe.
12. J'ai des voisins estranges ; ils prennent ________ voiture pour aller chez les voisins et ________ enfants jouent sur le toit de ________ maison.
13. J'avais besoin de toute ________ énergie.
14. Mes enfants sont intéressants ; j'aime ________ originalité.
15. Vous êtes arrivés chacun à ________ tour.

Emplois

- Le déterminant possessif indique qui est *le possesseur* de la chose (ou de l'être) désignée par le nom.

  Je suis fière d'avoir **mes** propres opinions.
  Avez-**vous** écrit **votre** curriculum vitæ ?

- *Avec le pronom indéfini* **on** (ou un autre pronom, indéfini ou impersonnel, sujet du verbe), on emploie généralement **son, sa, ses** ; quelquefois on emploie **notre, nos** ou **votre, vos**, selon le contexte.

  On n'est pas toujours satisfait de **son** sort.
  Chacun a **ses** défauts.

Il faut emporter **son** parapluie quand il pleut.
Il est évident qu'une bonne odeur dans la cuisine excite **notre** appétit.
Quand **quelqu'un** frappe à **votre** porte, il est quelquefois imprudent d'ouvrir.

- Il y a parfois ambigüité quant au possesseur de **son, sa** et **ses**. Considérons cette phrase : « Paul est content parce que Anne-Marie n'a pas oublié **son** livre. » Comme le possessif n'indique pas le genre du possesseur, on ne sait pas si **son** indique un livre qui appartient à **Paul** ou à **Anne-Marie**. Pour être clair, on peut :
  a. ajouter **à lui, à elle** (en gardant le déterminant possessif) ;

     Paul est content parce que Anne-Marie n'a pas oublié **son** livre à **lui.** (livre appartenant à Paul)

  b. renforcer le possessif avec l'adjectif **propre** ;

     Paul est content parce que Anne-Marie n'a pas oublié son propre livre. (livre appartenant à Anne-Marie)

  c. répéter le nom du possesseur : le livre **de Paul (de Anne-Marie).**

- **Son, sa, ses** ou **leur, leurs ?**
  À la 3e personne, **leur, leurs** s'emploient pour *deux* possesseurs ou plus ; pour un seul possesseur, on utilise **son, sa, ses**.

  Elle voit **son** problème. (un possesseur)
  Il se rend compte de **ses** responsabilités. (un possesseur)
  M. et Mme Léonard sont allés voir **leurs** enfants. (deux possesseurs)
  Les enfants sont en train de promener **leur** chien. (plusieurs possesseurs)

APPLICATION IMMÉDIATE

A

R. Complétez avec **leur(s), son, sa** ou **ses.**

1. Ils rient de __________ défauts.
2. Paul revoit __________ notes de cours.
3. Le professeur a apporté __________ tablette et __________ papiers.

B

S. Remplacez les mots soulignés par un déterminant possessif de la 3e personne : **son, sa, ses** ou **leur(s). Attention au nombre de possesseurs.**

1. La roulotte de mon frère est petite. ______________________________
2. La gentillesse de mes amis me touche. ______________________________
3. Les enfants de nos voisins sont insupportables. ______________________________
4. Le dernier livre du professeur est intéressant. ______________________________
5. L'ordinateur de l'avocate est lent. ______________________________

- Particularité de **leur** (singulier) et **leurs** (pluriel) :

Dans la phrase « **M. et Mme Dion** sont dans **leur** maison. », **leur** est singulier parce qu'il n'y a qu'une maison.
Dans la phrase « **Les oiseaux** font **leur** nid. », on emploie

▶ **leur** (singulier) si on veut souligner que **chaque** oiseau a **un** nid :

Les oiseaux font **(chacun) leur** nid.

▶ **leurs** (pluriel) si on veut insister sur *la pluralité* :

Les oiseaux font **leurs** nids.

Cependant, le singulier est généralement de règle.

APPLICATION IMMÉDIATE

B

T. Appliquez le même raisonnement avec cette phrase :

« Les professeurs ont leur(s) façon(s) d'enseigner. »

ATTENTION

Le déterminant possessif pluriel **leurs** prend un **s**, mais le pronom personnel objet indirect pluriel **leur** (voir chapitre 5, p. 79) n'en prend pas.

J'ai vu **leurs** amis et je **leur** ai dit bonjour.
Richard a des amis à Toronto; il m'a donné **leurs** numéros de téléphone et je **leur** ai téléphoné.

APPLICATION IMMÉDIATE

B

U. Complétez avec **leurs** (*déterminant possessif*) ou **leur** (*pronom*).

1. Ils sont avec __________ parents et ils __________ parlent.
2. Elle __________ dit qu'elle __________ rendra __________ disques.

- Répétez le déterminant possessif devant chaque nom, sauf si ces noms renvoient au même objet ou au même être possédé.

J'ai apporté **mon** livre, **mon** portatif et **mon** cellulaire. (trois objets différents)
Je vous présente **mon** collègue et ami Édouard Toupin. (une seule personne)

- Le déterminant possessif *fait partie du nom* dans des mots comme :

singulier	**ma**dame	**ma**demoiselle	**mon**sieur
pluriel	**mes**dames	**mes**demoiselles	**mes**sieurs

Article défini à la place du possessif

- On emploie l'article défini à la place du possessif *quand le possesseur est évident dans la phrase.*

Il a haussé **les** épaules.
mais : Levez **la** main si vous savez la réponse.
J'ai mal **au** dos.
Il a tiré **les** cheveux de **Julie.**
Il **se** lave **les** mains.
Elle **s'est** cassé **la** jambe gauche en faisant du ski.
J'**ai les** yeux noirs et **les** cheveux bruns et frisés.
Elle était assise, **l'**œil fixé sur lui.
Il est entré, **le** manteau déchiré et **le** chapeau sale.
mais : J'ai mis **mes** mains sur **mes** genoux. (Le possesseur n'est pas évident.)

- On emploie parfois aussi *l'article défini* (+ **en**) à la place du possessif quand *le possesseur est un objet*; **en** désigne alors le possesseur. Cet usage est peu fréquent.

Je voudrais bien acheter ce lecteur DVD, mais **le** prix **en** est trop élevé.
(= mais son prix est trop élevé)
Ce tableau est très beau, mais **les** couleurs **en** sont trop vives.
(= mais ses couleurs sont trop vives)
J'aime Paris et j'**en** connais **les** monuments.

- Après **dont**, il n'y a pas de possessif, car ce pronom indique une forme de possession.

Voilà une ville **dont** je connais **la** vie artistique.
J'ai lu une composition **dont la** longueur est insuffisante.

APPLICATION IMMÉDIATE

B

V. Complétez avec le déterminant possessif ou l'article défini, selon le cas.

1. Le petit garçon a tiré ________ langue au père Noël.
2. En rentrant à la maison, il a enlevé ________ souliers et il s'est allongé sur ________ dos pour se faire un somme.
3. Elle m'a parlé durement, ________ regard méchant et ________ doigt menaçant.
4. Voici votre travail. Vous allez en corriger toutes ________ fautes.
5. Vous avez ________ mains moites.

Autres façons d'exprimer la possession

- Avec **être à**

  À qui **est** ce manteau ? — Il **est à** moi.
  Est-ce que ces lunettes **sont à** vous ? — Non, elles **ne sont pas à** moi ; elles **sont à** elle.
  Est-ce que cette serviette **est à** Claude ? — Non, elle **n'est pas à** lui ; elle **est à** son voisin.
  Est-ce **à** vous ? — Oui, c'**est à** moi. Et ça ? — C'**est à** lui.

- Avec **appartenir à** (seulement pour les objets)

  Est-ce que ce livre **appartient à** Josée ? — Oui, il **lui appartient.**
  La clé qui est sur la table **m'appartient.**
  À qui **appartiennent** ces balles ? — Elles **leur appartiennent.**

- Avec **de** + *nom*

  C'est le livre **de mon camarade.**
  C'est la sœur **de Josée.**
  Ce n'est pas mon chapeau, c'est celui **de Jocelyn.**

Ainsi, il y les trois façons d'exprimer la possession :

Ce manteau est à Paul.	*ou*	Ce manteau est à lui.
Ce manteau appartient à Paul.	*ou*	Ce manteau lui appartient.
C'est le manteau de Paul.	*ou*	C'est son manteau.

ATTENTION

Pour traduire « He is a friend of mine. », on dit :
C'est un de mes amis. *ou* **C'est un ami à moi**.

APPLICATION IMMÉDIATE

W. Donnez deux expressions équivalentes pour chaque phrase. **A**

1. C'est l'argent de Sylvie. ______________ ______________
2. C'est son argent. ______________ ______________
3. Cette bicyclette est à elle. ______________ ______________

X. Complétez les phrases avec le déterminant possessif qui convient, ou avec l'article défini si le possessif n'est pas nécessaire. Faites bien la distinction entre les parties du corps et les vêtements ou les autres objets possédés. **B**

1re partie : Le groupe nominal

1. L'enfant a des plaies sur ________ mains.
2. Le médecin lui a soigné ________ foie.
3. Elle est arrivée ________ cœur battant et ________ air effrayé.
4. Quand vous sortez, emportez ________ lunettes de soleil et ________ maillot de bain.
5. Je vais mettre ________ chapeau, parce que j'ai froid à ________ tête.
6. Je me suis heurté ________ front contre la porte.
7. Mon neveu a ________ cheveux roux de ________ père et ________ nez retroussé de ________ mère.
8. Monsieur Gosselin était présent au banquet; à ________ droite se trouvait ________ femme et à ________ gauche était assis ________ fils.
9. Avant de mettre l'enfant au lit, je lui ai lavé ________ figure et ________ mains et puis je lui ai mis ________ pyjama ; j'ai aussi rangé ________ jouets.
10. Après être entrés, ils se sont essuyé ________ pieds et ont enlevé ________ manteau.
11. Qui est ________ jeune fille dont on ne voit que ________ nez et ________ yeux sur la photo ?
12. Quand il ne sait pas la réponse, il hausse toujours ________ épaules.
13. L'avaleur de sabres s'est enfoncé la lame dans ________ gorge.
14. Il a chaud à ________ tête ; il est certainement fiévreux.
15. Ils se sont brulé ________ doigts en touchant au feu.

LES DÉTERMINANTS NUMÉRAUX

Les nombres sont représentés par des chiffres.

Le nombre 25 est formé des chiffres 2 et 5.

Les **nombres** (ou déterminants numéraux) **cardinaux** indiquent *un nombre précis.* Ils sont généralement *invariables.*

Particularités

- Le féminin de **un** est **une**.

  J'ai acheté **un** chandail et **une** paire de chaussures.

- Attention ! **Quatre** ne prend jamais de **s**.

  Voilà les **quatre** dollars que je vous dois.

- Traditionnellement, les déterminants numéraux composés *en dessous de* ***cent*** s'écrivent avec un ou des traits d'union (sauf si les éléments sont reliés par **et**). Cependant, on recommande maintenant l'emploi du trait d'union même entre les nombres au-dessus de cent. La conjonction **et** est aussi précédée et suivie d'un trait d'union.

  vingt-cinq   soixante-dix   soixante-et-onze   cent-quarante-deux

> **Il n'y a pas de et dans les nombres suivants:**
> quatre-vingt-un (81)
> quatre-vingt-onze (91)
> cent-un (101)
> cent-onze (111)

- **Vingt** et **cent** prennent un **s** s'ils sont multipliés *et s'ils terminent le nombre.*

  quatre-vingts
  cinq-cents
  mais: quatre-vingt-cinq
  cinq-cent-vingt
  cinq-cent-un

- **Mille** est invariable.

  six-**mille** personnes

- Dans les dates du dernier millénaire, on peut dire l'année en centaines ou en milliers.

  1812 = l'an mille-huit-cent-douze *ou* l'an dix-huit-cent-douze
  mais: 2003 = l'an deux-mille-trois

- On n'emploie pas **un** devant **cent** ou **mille**.

  100 000: cent-mille   1 300: mille-trois-cents

- **Million** et **milliard** prennent un **s** au pluriel puisque ce sont des noms. On ajoute **de** s'ils sont immédiatement suivis d'un nom.

  trois-million**s** **d'**habitants
  six-milliard**s**-cent-mille humains

- Quand on écrit les nombres en chiffres, *la virgule marque le point décimal (sauf dans les dates).* Aussi, on *laisse une espace après chaque groupe de trois chiffres* en allant vers la gauche. Les nombres de quatre chiffres peuvent s'écrire avec ou sans espace. Si un *symbole* suit le nombre, *une espace les sépare.*

  dix-mille-huit-cent-vingt-deux: 10 822
  un dixième: 0,1
  cinq-cents euros cinquante: 500,50 €
  mille-cent-trois dollars canadiens: 1 103 $CAN *ou* 1103 $CAN

- Certains nombres ont une prononciation particulière.

  ▶ Le **f** de **neuf** se prononce /**v**/ devant quatre mots commençant par une voyelle ou un **h** muet: ans, autres, heures et hommes. Le **f** se prononce /**f**/ devant tous les autres mots commençant par une voyelle ou un **h** muet.

  Il a neuf ans. [nœvɑ̃]
  Il est neuf heures. [nœvœr]

Six et **dix** se prononcent [**sis**] et [**dis**]. De plus, on prononce la consonne finale de **cinq, six, huit, dix** sauf quand ils sont suivis d'un mot qui commence par une consonne (la consonne finale est tout de même parfois prononcée par souci de clarté).

cinq livres [sɛ̃]; six livres [si]; huit livres [ɥi]; dix livres [di]

▶ Devant un mot qui commence par une voyelle, la liaison est normale.

six éléphants [sizelefɑ̃]; huit enfants [ɥitɑ̃fɑ̃]

▶ La liaison est interdite à l'intérieur d'un nombre composé.

cent-un [sɑ̃ œ̃]

APPLICATION IMMÉDIATE

A

Y. En petits groupes, lisez les nombres suivants.

16	22	31	44	55
67	78	81	93	105
111	123	132	146	271
304	1 001	2 614	10 359	3 000 000
trois enfants	six étudiants	dix livres	huit pages	neuf crayons

B

Z. Lisez à haute voix les opérations suivantes. (+ = **plus,** − = **moins,** × = **multiplié par** ou **fois,** ÷ = **divisé par,** = **égalent** ou **font**.)

1. $6 - 6 = 0$
2. $32 \times 2 = 64$
3. $75 - 15 = 60$
4. $144 \div 12 = 12$
5. $131 - 111 = 20$
6. $10{,}8 \div 4 = 2{,}7$
7. $1\,000 \times 1\,000 = 1\,000\,000$

EN RÉSUMÉ...

- Les déterminants servent à préciser l'étendue d'un nom, c'est-à-dire s'il s'agit d'un nom spécifique (défini), d'un nom quelconque (indéfini) ou d'un nom non comptable ou partiellement quantifiable (partitif), d'un nom très spécifique (démonstratif), d'un nom dont on peut indiquer la possession (possessif) ou d'un nom quantifiable (numéral).
- Les déterminants s'accordent tous en genre et en nombre, sauf les déterminants numéraux, qui sont invariables (exceptions : le mot **un** a pour féminin **une**, et les mots **vingt** et **cent** peuvent parfois prendre un **s**).
- Les déterminants possessifs varient aussi selon la personne du possesseur et le nombre de possesseurs.

EXERCICES RÉCAPITULATIFS

A. *Parlez, en petits groupes, d'une chose spéciale que vous possédez. Décrivez ses qualités et dites pourquoi vous l'aimez. Employez beaucoup de déterminants possessifs.*

B. *Un jour vous avez porté un costume spécial pour une certaine occasion : pour jouer dans une pièce, pour une fête ou simplement pour faire rire vos amis. Décrivez votre déguisement et votre maquillage.*

C. *Vous montrez une photo prise dans un endroit que vous avez visité et vous la montrez à un(e) ami(e) en lui indiquant les différentes personnes ou choses qui s'y trouvent et en expliquant les circonstances : « Cet été, je suis allé à... et nous avons pris cette photo. Regarde... » Écrivez cinq ou six lignes et employez beaucoup de déterminants démonstratifs et possessifs.*

D. *Travaillez en groupes de deux ou trois. Vous avez très faim et très soif ; vous allez commander le repas dont vous avez envie. Employez les verbes* ***vouloir, boire, manger, prendre, demander,*** *etc.*

E. *Écrivez une de vos recettes préférées. Faites attention aux déterminants numéraux et partitifs. Partagez-la ensuite avec vos collègues.*

4

L'adjectif

OBJECTIFS DU CHAPITRE

À la fin de ce chapitre, vous serez en mesure :

- d'identifier un adjectif ;
- d'accorder l'adjectif en genre et en nombre avec le nom ou le pronom auquel il se rapporte ;
- de bien placer l'adjectif selon le nom qu'il accompagne.

L'adjectif se rapporte à un *nom* ou à un *pronom*, dont il *exprime une caractéristique essentielle :* c'est pour cette raison qu'on l'appelait traditionnellement *adjectif qualificatif*. Il ne possède pas de genre ou de nombre et prend par conséquent ceux du nom ou du pronom dont il dépend. Certains adjectifs peuvent être modifiés par un adverbe ; on appelle ces adjectifs des *qualifiants*, alors que ceux qui ne peuvent pas être modifiés s'appellent des *classifiants*.

Elle est très **intelligente.** (qualifiant)
C'est un son plus **aigu.** (qualifiant)
L'Assemblée **législative.** (classifiant)

FORMES

Féminin de l'adjectif

- On ajoute généralement un **e** au masculin pour obtenir le féminin d'un adjectif. Le **e** ne se prononce pas, mais il permet la prononciation de la consonne qui le précède.

grand	→	grande	fermé	→	fermée
court	→	courte	intelligent	→	intelligente
courtois	→	courtoise	vrai	→	vraie

PRÉCISIONS

Le *tréma* indique qu'il faut prononcer deux voyelles consécutives séparément. Étant donné qu'il faut mettre le **e** du féminin des adjectifs en **gu**, il est maintenant recommandé de mettre le tréma sur le **u** plutôt que sur le **e** pour conserver le son [y] du masculin, puisque c'est le son du **u** qui est prononcé.

aigu → aigüe   contigu → contigüe

- Quand l'adjectif se termine déjà par un **e** au masculin, il ne change pas au féminin.

riche	→	riche	calme	→	calme
utile	→	utile	tranquille	→	tranquille
étrange	→	étrange	moderne	→	moderne

Féminins particuliers

- Les adjectifs **beau, nouveau, vieux** ont une autre forme au masculin singulier: **bel, nouvel, vieil. Nouveau** et **vieux** se placent habituellement avant le nom, mais on les retrouve parfois après. **Beau** est toujours antéposé. Cette forme est employée devant un nom commençant par une voyelle ou un **h** muet. Les adjectifs **fou** et **mou,** qui se placent normalement après le nom, ont aussi une autre forme au masculin singulier: **fol** et **mol**. Cette forme, plutôt littéraire, s'emploie également devant un nom commençant par une voyelle ou un **h** muet.

  un bel **e**ndroit   le nouvel **h**abit   un vieil **a**rbre   un fol **a**mour

  Le féminin de ces adjectifs est formé à partir de cette deuxième forme du masculin: **belle, nouvelle, vieille, folle, molle.**

APPLICATION IMMÉDIATE

A

A. Écrivez la forme correcte de l'adjectif.

1. (nouveau) un __________ espoir
2. (bon) un __________ ami
3. (fou) une __________ passion
4. (grand) une __________ tour
5. (beau) un __________ âge
6. (mou) un __________ oreiller

B. Remplacez les mots soulignés par ceux qui sont donnés entre parenthèses et faites les changements nécessaires.

B

Modèle : Voici un fruit vert et peu appétissant. Il a l'air véreux et il est petit. (une poire)

Voici une poire verte et peu appétissante. Elle a l'air véreuse et elle est petite.

1. Ce fruit doit être savoureux parce qu'il est bien rouge et mûr à point ; il est assez pulpeux et a l'air délicieux. (Cette tomate) ____________________

____

2. Ma tante est grande, distinguée et très active. C'est une femme généreuse et aimée de tout le monde. (Mon oncle) ____________________

____

3. Le boulevard est long, large et bordé d'arbres. Il est toujours plein de monde. (La rue) ____________________

____

4. J'aime mon frère parce qu'il est discret, honnête et calme. Il est aussi ordonné, gentil et courageux. Il est franc et direct avec moi. (ma sœur)

____

____

5. Regardez ce mont. Il n'est pas haut, mais il est escarpé. En ce moment, le temps est sec, alors il est jaune foncé. (cette montagne) ____________________

____

- La terminaison **er** change pour **ère**.

premier	→	première	cher	→	chère
léger	→	légère	étranger	→	étrangère

- La terminaison **f** change pour **ve**.

actif	→	active	neuf	→	neuve
naïf	→	naïve	bref	→	brève

- La terminaison **x** change pour **se.**

heureux	→	heureuse	dangereux	→	dangereuse
amoureux	→	amoureuse	jaloux	→	jalouse

- La terminaison **eur** change généralement pour **euse.**

voleur	→	voleuse	trompeur	→	trompeuse
flatteur	→	flatteuse	râleur	→	râleuse

▶ La terminaison **eur** change quelquefois en **eresse**.

pécheur	→	pécheresse
vengeur	→	vengeresse
enchanteur	→	enchanteresse

▶ Plusieurs adjectifs en **eur** prennent un **e.**

meilleur	→	meilleure
antérieur	→	antérieure
postérieur	→	postérieure
majeur	→	majeure
mineur	→	mineure
inférieur	→	inférieure
supérieur	→	supérieure
intérieur	→	intérieure
extérieur	→	extérieure
ultérieur	→	ultérieure

▶ La terminaison **teur** peut aussi avoir la forme **trice**.

moteur	→	motrice	créateur	→	créatrice

- Certains adjectifs qui se terminent *par une consonne précédée d'une voyelle doublent la consonne* avant le **e** final :

ancien	→	ancienne	épais	→	épaisse
bon	→	bonne	gras	→	grasse
gros	→	grosse	las	→	lasse
muet	→	muette	cruel	→	cruelle
net	→	nette	gentil	→	gentille
sot	→	sotte	naturel	→	naturelle
nul	→	nulle	pareil	→	pareille
vermeil	→	vermeille			

mais il existe plusieurs *exceptions* à cette règle.

complet	→	complète	féminin	→	féminine
concret	→	concrète	fin	→	fine
discret	→	discrète	opportun	→	opportune
inquiet	→	inquiète	replet	→	replète
mauvais	→	mauvaise	final	→	finale
ras	→	rase	général	→	générale

- Certains adjectifs ont *un féminin irrégulier.*

blanc	→	blanche	doux	→	douce	favori	→	favorite
grec	→	grecque	faux	→	fausse	frais	→	fraiche
public	→	publique	roux	→	rousse	long	→	longue
sec	→	sèche	malin	→	maligne	franc	→	franche

- Certains adjectifs sont *invariables*: **chic** (pas de féminin), **bon marché** et les noms employés pour désigner des couleurs (**orange, marron, cerise, crème,** etc.).

  Regardez comme cette robe est **chic.**
  Il préfère acheter des vêtements **bon marché.**
  Tes souliers sont-ils **marron** ou noirs ?
  Ces sacs ne sont pas blancs, mais **crème.**

APPLICATION IMMÉDIATE

C. Écrivez le féminin des adjectifs suivants.

1. joli __________
2. vieux __________
3. passionnel __________
4. veuf __________
5. menteur __________
6. turc __________
7. supérieur __________
8. portatif __________
9. heureux __________
10. franc __________
11. rouge __________
12. familier __________
13. beau __________
14. satisfait __________
15. bénin __________
16. bas __________
17. chic __________
18. ambigu __________
19. oral __________
20. quotidien __________

Pluriel de l'adjectif

- On ajoute généralement un **s** au singulier (masculin ou féminin) pour obtenir le pluriel.

masc.	content	→	contents
fém.	contente	→	contentes
masc.	bleu	→	bleus
fém.	bleue	→	bleues

- Quand il se termine par un **s** ou un **x** au singulier, l'adjectif ne change pas au masculin pluriel, mais le pluriel du féminin est régulier.

masc.	mauvais	→	mauvais	malheureux	→	malheureux
fém.	mauvaise	→	mauvaises	malheureuse	→	malheureuses

- La terminaison **al** devient **aux** au masculin pluriel.

général → généraux
normal → normaux

Exceptions :

▶ Les adjectifs suivants peuvent prendre la terminaison **als** *ou* **aux** au pluriel : **austral, banal, boréal, final, glacial, marial, pascal** et **tonal**.

▶ Les adjectifs suivants prennent toujours la terminaison **als** au pluriel : **bancal, fatal, natal** et **naval**.

- On ajoute **x** aux terminaisons **eau** et **eu** (sauf **bleu → bleus**).

beau → beaux
nouveau → nouveaux
hébreu → hébreux

APPLICATION IMMÉDIATE

A

D. Donnez le féminin singulier, le masculin pluriel et le féminin pluriel des adjectifs suivants.

1. bon ____________________
2. religieux ________________
3. normal _________________
4. nouveau ________________

ACCORD

- L'adjectif s'accorde *en genre et en nombre* avec le nom ou le pronom auquel il se rapporte.

Le cheval est **brun.**
Il y a des feuilles **blanches** sur le bureau.
Ils sont **satisfaits.**
La page est **marquée.**

- Quand un adjectif qualifie *plusieurs* noms ou pronoms, il est :
  - ▶ *masculin pluriel* si les noms ou pronoms sont masculins ;

    Le cheval et le cochon sont **beiges**.
    Pierre et lui sont **absents**.

  - ▶ *féminin pluriel* si les noms ou pronoms sont féminins ;

    La poire et la pêche sont **bonnes**.
    Hélène et elle sont **gentilles**.

  - ▶ *masculin pluriel* si les noms ou pronoms sont de genres différents. On met alors le nom masculin proche de l'adjectif pour des raisons esthétiques.

    Mélanie et Jeremy étaient **heureux** de se revoir.
    Les fleurs et le vase sont **blancs**.

- *Deux adjectifs au singulier* peuvent qualifier *un nom pluriel.*

  Les langues **française** et **espagnole** sont populaires dans les écoles.
  Les **première** et **deuxième** personnes du pluriel sont irrégulières.

- Dans le cas d'*un nom collectif,* l'adjectif s'accorde avec le nom *ou* avec son complément, selon le sens.

  Un groupe d'étudiants **bruyant** (ou **bruyants**).
  Un groupe d'étudiants **important** (au sens de nombreux).

- Avec l'expression **avoir l'air,** l'adjectif s'accorde :
  - ▶ avec le sujet s'il s'agit d'une chose ;

    Votre machine a l'air **vieille**.
    Ces propositions ont l'air **sérieuses**.

  - ▶ avec le sujet ou le mot **air** (masc.) s'il s'agit d'une personne, selon le sens.

    Elle a l'air **gentille**. (Elle a l'air d'être gentille.)
    Elle a l'air **inquiet**. (Elle a un air inquiet.)

- L'adjectif est invariable (toujours masculin singulier) dans les cas suivants :
  - ▶ Après **ce + être**, même si **ce** représente des noms féminins ou pluriels ;

    Écoutez cette musique qui vient de l'église ; **c'est** vraiment **beau** !
    Je suis allé à une présentation ce soir, mais **ce** n'**était** pas **intéressant**.

  - ▶ Quand il est employé *adverbialement* (c'est-à-dire qu'il modifie le verbe) dans des locutions courantes : **couter (valoir) cher ; parler fort, haut** ou **bas ; voir clair ; chanter faux** ou **juste ; travailler dur ;** etc.

    Les cigarettes coutent **cher.**
    Les étudiants travaillent **dur** au moment des examens.
    Elle parle toujours **fort**, ce qui est agressant.

- Les adjectifs **demi, mi** et **nu** sont invariables *quand ils précèdent le nom* (il y a un trait d'union entre l'adjectif et le nom).

Écrivez un paragraphe d'une **demi**-page.
Parlez à **mi**-voix.
Il est **nu**-tête.
mais : une page **et demie**, la tête **nue**.

- L'adjectif **possible** est invariable avec le superlatif **le plus, le moins**.

Faites le plus d'efforts **possible**.
mais : Vos prédictions sont **possibles**.

- Après **quelqu'un de, personne de, quelque chose de, rien de** (voir aussi chapitre 13, p. 179 et 180).

J'ai vu **quelqu'un de très grand.**
Je n'ai vu **personne d'important.**
J'ai vu **quelque chose de joli.**
Je n'ai **rien** vu **de beau.**
mais : J'ai vu une personne **importante.**
J'ai vu une **belle** pie.

- Dans *un adjectif de couleur composé,* c'est-à-dire formé de deux mots exprimant la couleur (adjectif + adjectif ; adjectif + nom ; adjectif + **foncé, clair, pâle,** etc.).

des yeux **bleu vert**
des tissus **vert pomme**
une veste **bleu foncé**
des souliers **beige clair**
mais : une veste **bleue**
des souliers **beiges**

Cependant, les adjectifs de couleur liés par **et** s'accordent seulement s'ils indiquent *des couleurs distinctes* ; pour éviter l'ambigüité, on peut répéter le nom.

des vaches noir et blanc (ces vaches ont toutes du noir et du blanc)
des vaches noires et blanches (certaines de ces vaches sont entièrement noires, d'autres sont entièrement blanches)
des vaches noires et des vaches blanches (pour éviter l'ambigüité)

Les noms ou les syntagmes nominaux employés comme adjectifs de couleur sont en général invariables. (Exceptions : **rose, fauve, pourpre, écarlate** et **incarnat.**)

des habits **crevette**
une voiture **bourgogne**
des cheveux **poivre et sel**
les tables **orange**
mais : des reflets **fauves**
des joues **roses**

APPLICATION IMMÉDIATE

A

E. Complétez les phrases suivantes en écrivant la forme correcte des adjectifs entre parenthèses.

1. Mon grand-père raconte des histoires ________________ . (amusant)
2. Allez voir les montagnes de cette région. C'est si ________________! (beau)
3. Ses chaussures coutent très ________________. (cher)
4. Les ________________ (premier) et ________________ (deuxième) personnes du singulier de ce verbe prennent un **s**.
5. J'ai passé trois semaines et ________________ (demi) à voyager.

B

F. Écrivez l'adjectif correctement dans les phrases suivantes.

1. Cette volaille n'est pas ________ (frais).
2. J'entends mal les notes ________ (aigu).
3. Je lui ai fait écouter mes chansons ________ (favori).
4. La partie ________ (extérieur) est ________ (blanc crème).
5. Votre réponse est ________ (incorrect).
6. Heureusement, la tumeur était ________ (bénin).
7. Vos orientations politiques sont-elles ________ (libéral) ou ________ (conservateur) ?

C

G. Dans le texte suivant, substituez **Eugénie** et **religieuse** à **Eugène** et **religieux**, respectivement, puis faites les changements nécessaires.

Clarina et François Potvin eux-mêmes semblaient trouver délicieuse leur éternelle compote de citrouille. Tout de suite, Caroline et Eugénie Lecomte étaient devenues camarades. Très blanche de cette blancheur de clair de lune particulière à certaines religieuses ayant passé quelques années enfermées dans un cloitre, blancheur rehaussée, exagérée par d'abondants cheveux châtain foncé, Eugénie avait une figure d'infinie douceur qu'illuminait à des minutes précieuses, un fin et discret sourire.

La Scouine, Albert Laberge.

PLACE DE L'ADJECTIF

La place de l'adjectif est une question complexe, car il y a de nombreuses exceptions aux règles. Généralement, l'adjectif suit le nom.

Postposé

L'adjectif est placé après le nom (postposé) :

- Quand il donne au nom *une qualité distinctive* (couleur, forme, nationalité, religion, gout, profession, classe sociale, groupe politique, etc.) qui le place dans *une catégorie.*

  une robe **jaune**
  une table **ronde**
  le parti **socialiste**
  une sœur **bouddhiste**
  le cidre **doux**
  des écrivains **canadiens** (les adjectifs de nationalité ne prennent pas de majuscule)

- Quand *un participe présent* ou *un participe passé* est employé comme adjectif.

  une situation **inquiétante**
  un film **épeurant**
  un parfum **enivrant**
  une porte **ouverte**
  une enfant bien **élevée**
  un mur **peint**

- Quand il est modifié par *un complément* ou par *un adverbe long.*

  une conférencière **intéressante à écouter**
  un travail **agréable à faire**
  une femme **singulièrement gentille**

Antéposé

L'adjectif est placé devant le nom (antéposé) :

- Quand il est *court* et *très fréquent.*

petit	grand	gros
gentil	bon	mauvais
moindre	meilleur	pire
jeune	vieux	
joli	beau	

  une **longue** histoire
  la **moindre** chose
  mon **grand** frère
  mais : mon frère **ainé**
  un **joli** bouquet
  une **vieille** église
  une **mauvaise** note
  une note **aigüe** (car moins fréquents)

- Quand il forme une locution avec un nom ou est souvent employé avec un nom.

  un **jeune** homme
  des **jeunes** gens
  une **violente** tempête
  des **petits** pois
  offrir ses **sincères** condoléances
  un **grand** magasin
  des **petits** pains
  faire la **grasse** matinée
  dire un **bon** mot

- Quand il qualifie *un nom propre.*

  le **sympathique** M. Saint-Laurent
  le **célèbre** Louis Cyr

- Quand il est *descriptif avec un sens affectif* (par opposition au sens strictement distinctif) ou pour le rendre *plus poétique*, en poésie et quelquefois en prose.

  Quelle **merveilleuse** sensation !
  une **magnifique** réception
  une **incroyable** histoire
  de **belles** roses

PRÉCISIONS

Comme on peut le noter dans les deux derniers exemples qui précèdent, l'article indéfini **des** se change en **de** (ou **d'**) devant un nom précédé d'un adjectif.

APPLICATION IMMÉDIATE

A

H. Dans les phrases suivantes, placez l'adjectif (ou le groupe de mots) entre parenthèses au bon endroit et à la forme convenable.

1. Regardez la personne là-bas. (assis) ______
2. Voilà des chattes. (gentil) ______
3. C'est un film. (particulièrement bon) ______
4. Connaissez-vous Alexis le Trotteur? (impressionnant) ______
5. Quelle danse! (merveilleux) ______

B

I. Ajoutez **des** ou **de (d')** selon la position de l'adjectif si c'est nécessaire.

1. ______ jeunes bénévoles vont le voir pour lui apporter ______ très bonnes revues.
2. Ce romancier a publié ______ excellents romans.
3. Nous avons vu ______ différents programmes qui pourraient nous intéresser.
4. Elle a reçu ______ roses rouges, ______ superbes roses rouges.
5. Je n'ai pas ______ idées intéressantes en ce moment.

Place des adjectifs multiples

Les adjectifs gardent leur place respective, soit antéposés, soit postposés.

une **grosse** pluie
une pluie **froide** → une **grosse** pluie **froide**

une **belle** maison
une maison **rouge** → une **belle** maison **rouge**

Si plus d'un adjectif est antéposé, on les joint par la conjonction **et,** sauf si un des mots est plus fortement lié au nom.

un **beau** garçon + un **grand** garçon (lien étroit)	→ un **beau grand** garcon (*ou, moins fréquemment:* un **beau** et **grand** garçon)
un beau gâteau + un bon gateau	→ un beau **et** bon gâteau (liens égaux)
une vache **noire** + une vache **enragée**	→ une vache **noire enragée**

(la couleur de la vache étant plus fondamentale que son comportement)

APPLICATION IMMÉDIATE

A

J. Placez les adjectifs entre parenthèses au bon endroit et à la forme convenable.

1. un jardin (fleuri, joli) ______
2. une pluie (bonne, persistant) ______
3. des devoirs (long, difficiles) ______
4. des bicyclettes (léger, beau) ______
5. des vases (beau, petit) ______

B

K. Placez les adjectifs correctement, mettez-les au pluriel et faites les accords nécessaires.

Modèle: une cheminée (grand, noir)
→ de grandes cheminées noires

1. une présentation (ennuyeux, long) ______
2. une maison (délabré, abandonné) ______
3. un texte (clair, concis) ______
4. une bière (rousse, petit, bon) ______
5. un bâtiment (solide, vieux) ______
6. une femme (jeune, énergique) ______
7. l'exercice (premier, deuxième) ______

Changement de sens de l'adjectif selon sa place

Certains adjectifs changent de sens, selon qu'ils sont placés avant ou après le nom.

CHANGEMENT DE SENS SELON LA PLACE DE L'ADJECTIF

Adjectif	Sens après le nom	Sens avant le nom
ancien	l'histoire **ancienne** (d'une autre époque)	mon **ancien** professeur (que j'avais avant)
brave	un soldat **brave** (courageux)	un **brave** homme (gentil, bon, simple)
certain	un résultat **certain** (sûr, assuré)	un **certain** sourire (particulier)
cher	un vêtement **cher** (dont le prix est élevé)	mon **cher** ami (tendrement aimé)
dernier	l'année **dernière** (qui précède cette année)	le **dernier** mois de l'année (dans une série)
différent	une question **différente** (non semblable, pas la même)	**différentes** personnes (quelques, diverses, variées)
drôle	une histoire **drôle** (amusante)	une **drôle d'**histoire (bizarre)
grand	un homme **grand** (≠ petit)	un **grand** homme (important, célèbre)
même	la simplicité **même** (pure, exacte)	la **même** explication (identique)
nouveau	une technique **nouvelle** (inconnue jusqu'à maintenant, inédite, récente)	une **nouvelle** robe (autre, supplémentaire)
pauvre	un homme **pauvre** (qui n'est pas riche)	un **pauvre** homme (malheureux, infortuné)
prochain	la semaine **prochaine** (qui suit cette semaine)	la **prochaine** fois (suivante dans une série)
propre	une maison **propre** (≠ sale) le sens **propre** (réel, concret)	ma **propre** maison (qui m'appartient)
sale	des mains **sales** (≠ propres)	une **sale** affaire (mauvaise, désagréable)
seul	une personne **seule** (non accompagnée)	mon **seul** souci (seulement un, unique)

APPLICATION IMMÉDIATE

A

L. Remplacez le mot souligné par l'adjectif entre parenthèses. Placez-le devant ou après le nom, d'après le sens du mot souligné.

1. Il y a d'autres façons de voir la chose. (différent)
2. L'été passé, nous sommes allés à Sherbrooke. (dernier)
3. Il a une atmosphère bizarre aujourd'hui. (drôle)
4. Vous vous êtes mis dans une mauvaise situation. (sale)
5. Il a écrit ça de sa main à lui. (propre)
6. C'est une mode récente. (nouveau)
7. Lester B. Pearson était un homme important. (grand)
8. C'est un fait sûr. (certain)

B

M. Placez l'adjectif avant ou après le nom selon le sens donné par les mots entre parenthèses.

Modèle : chère / ma tante (que j'aime beaucoup)
→ ma chère tante

1. dernière / la semaine (dans une série) ______________________
2. même / la chose (identique) ______________________
3. brave / ma femme (si courageuse) ______________________
4. propre / sa maison (impeccable) ______________________
5. pauvre / son chien (malheureux) ______________________
6. nouveau / un (autre) manteau ______________________
7. seul / un enfant (sans amis) ______________________

C

N. Faites une phrase en employant chacun des adjectifs suivants à la place indiquée.

1. même (après le nom) ______________________
2. drôle (avant le nom) ______________________
3. dernier (après le nom) ______________________
4. grand (avant le nom) ______________________
5. sale (avant le nom) ______________________

OBSERVATIONS SUR QUELQUES ADJECTIFS

- **différent**

  Quand cet adjectif est placé devant le nom dans le sens de *certains* ou *divers*, il est pluriel et il n'y a pas d'article (voir aussi chapitre 13, p. 175).

  Différentes (certaines, diverses) personnes me l'ont dit.

- **étranger, étrange**
  Ne confondez pas **étranger** (qui est d'une autre nation) et **étrange** (bizarre).

  Pour vous, le chinois est une langue **étrangère.**
  Voilà un phénomène **étrange.** (bizarre, surprenant)

- **horrible**
  Signifie très laid, très mauvais.

  Il fait un temps **horrible.**

- **terrible**
  Signifie effrayant, violent.

  Il fait un vent **terrible.**

  Dans la langue familière, on emploie parfois **terrible** au sens de « extraordinaire » ou « super ».

ATTENTION

N'employez pas **très** avec un adjectif qui a déjà un sens superlatif, comme *merveilleux, formidable, extraordinaire, magnifique, épatant, horrible, délicieux,* etc.

- **mauvais**

  ▶ **mauvais ≠ bon** : c'est l'équivalent anglais de « bad » mais aussi de « wrong ».

  Ce café est **mauvais.**
  Je ne peux pas débarrer la porte; j'ai pris la **mauvaise** clé.

- **nouveau, neuf**
  Nouveau signifie *inconnu jusqu'à maintenant, récent, ou autre, supplémentaire* (voir p. 67).

  Venez voir ma **nouvelle** voiture (autre, elle peut être usagée).
  La voiture sans conducteur est une **nouvelle** invention. (récente)

  Neuf signifie *fait depuis peu, qui n'a pas ou presque pas servi* (« brand new »).

  C'est une voiture **neuve.** (qui vient d'être construite)

- **rendre** + *adjectif*
  Le verbe anglais « to make » se traduit par **rendre** quand il est construit avec *un adjectif.* N'employez jamais le verbe **faire** dans ce cas.

  Si vous mangez trop, vous allez vous **rendre malade.**
  Cette situation le **rendra nerveux.**
  Pour **rendre** votre long séjour **agréable,** il faudrait le préparer activement.

- **fort**
  Fort devant un autre adjectif, devient un adverbe et signifie **très.** Cette formulation est de nos jours surtout humoristique ou sarcastique.

  Vous êtes **fort** intelligente. (= Vous êtes très intelligente.)

APPLICATION IMMÉDIATE

B

O. Traduisez les deux phrases suivantes.

1. « This book will make you famous. » ______________________________
2. « The appointment I have makes me nervous. » ______________________

ADJECTIFS ORDINAUX

Les adjectifs ordinaux, aussi appelés les nombres ordinaux, indiquent *l'ordre* ou *le rang*.

Ils se forment en ajoutant **-ième** au nombre cardinal correspondant. Lorsqu'il y a un **e** final dans le nombre, il disparait.

sept → sept**ième**
quatre → quatr**ième**
vingt-et-un → vingt et un**ième**
vingt-deux → vingt-deux**ième**
vingt-trois → vingt-trois**ième**

Exceptions :

premier (1er), première (1re)
deuxième se dit aussi second ou seconde
cinq → cinquième (avec u)
neuf → neuvième (avec v)

Les adjectifs ordinaux sont variables en genre et en nombre.

le **premier** jour
la **première** année
les **premières** années
la **deuxième** année

PRÉCISIONS

- Quand **premier** et **dernier** accompagnent *un nombre cardinal,* on les place *après* le nombre cardinal.

  les **deux premiers** exercices

- Un nombre cardinal remplace un nombre ordinal (écrit en chiffres romains) pour désigner *le rang des souverains d'une dynastie*; cependant Ier et Ire se disent **premier** et **première**.

François Ier	→	François premier
Charles X	→	Charles dix
Louis XIV	→	Louis quatorze

- On *abrège* **premier** et **première** différemment des autres nombres ordinaux:

premier: 1er
première: 1re
deuxième: 2^{e}
second, seconde: 2^{d}, 2de (emploi rare)
troisième: 3^{e}
quatrième: 4^{e}
vingt-et-unième: 21^{e}
cent-unième: 101^{e}
...

- Finalement, l'abréviation de l'adjectif ordinal est aussi *variable en genre et en nombre.*

le **1er** jour
la **1re** année
les **1res** années
la **2e** année

APPLICATION IMMÉDIATE

B

P. Complétez les phrases suivantes avec la traduction appropriée des mots anglais entre parenthèses.

1. Vous êtes __________ à vous en plaindre. (« the first » ; quatre réponses)
2. __________, je dois me brosser les dents. (« First » ; deux réponses)
3. Faites __________ exercices pour la semaine prochaine. (« the first three » ; une réponse)

EN RÉSUMÉ...

- L'adjectif a pour fonction d'exprimer une caractéristique d'un nom ou d'un pronom.
- Il s'accorde en genre et en nombre avec le nom ou le pronom auquel il se rapporte.
- La règle générale de féminisation de l'adjectif est d'ajouter un **e** au masculin. Le **e** ne se prononce pas, mais il permet la prononciation de la consonne qui le précède.
- Il y a plusieurs formes particulières de féminisation de l'adjectif, notamment pour **beau**, **nouveau**, **vieux**, et pour les adjectifs se terminant en **er**, en **f**, en **x**, en **eur.** De plus, certains adjectifs sont invariables.
- On forme généralement le pluriel de l'adjectif en ajoutant un **s**. Font exception les adjectifs se terminant en **s**, en **x**, en **al**, en **eau** et en **eu.**
- L'adjectif se place généralement après le nom (postposé), mais plusieurs exceptions existent, particulièrement si plusieurs adjectifs se rapportent au même nom.

EXERCICES RÉCAPITULATIFS

A. *Décrivez un rêve étrange. Employez autant d'adjectifs que possible. (cinq lignes)*

____

____

____

____

____

B. *Rédigez une phrase avec chacune des expressions suivantes en faisant les accords appropriés. Aux numéros 6, 7 et 8, faites une phrase pour chaque mot.*

1. quelqu'un de (+ *adjectif*) ______________________________
2. quelque chose de (+ *adjectif*) ______________________________
3. avoir l'air (+ *adjectif*) ______________________________
4. ce (+ *adjectif*) (représentant un nom fém. ou plur.) ______________________________

   ____
5. un groupe de personnes (+ *adjectif*) ______________________________
6. horrible, terrible ______________________________
7. étranger, étrange ______________________________
8. nouveau, neuf ______________________________

5

Les pronoms personnels

OBJECTIFS DU CHAPITRE

À la fin de ce chapitre, vous serez en mesure :

- de connaitre les différents types de pronoms personnels et de savoir les employer à bon escient ;
- de combiner les pronoms adéquatement ;
- d'identifier l'antécédent d'un pronom personnel.

Un pronom est un mot qui peut *remplacer un nom, un autre pronom, un adjectif ou une proposition* pour éviter de le répéter. Quelquefois, un pronom ne remplace pas de mots ou de référents précis, mais il remplit la fonction de sujet.

On distingue *plusieurs types de pronoms* selon leur rôle :

Pronoms	
personnels	*démonstratifs*
possessifs	*relatifs*
interrogatifs	*indéfinis*

Le présent chapitre porte sur les pronoms personnels. Il y a deux sortes de pronoms personnels :

1. les *pronoms personnels conjoints*. Ils sont habituellement *sujets* ou *compléments du verbe* et sont *près du verbe*. Leur emplacement ne les met pas en relief, ce qui explique pourquoi on les appelle parfois *atones*.

J'y vais.
Tu me les donnes.

2. les *pronoms personnels disjoints.* Ils sont *séparés du verbe,* comme leur nom l'indique. Leur position et leur fonction les mettent en relief; c'est pourquoi on les appelle parfois *toniques.*

Lui, il part, mais **toi**, tu viens avec nous.
C'est **vous** qui avez mon livre.
Je ne veux voir ni **eux** ni **elles.**

PRÉCISIONS

La *1re* personne indique *qui parle.*

La *2e personne* indique *à qui l'on parle.*

La *3e personne* indique *de qui l'on parle* (personnes ne participant pas directement à la conversation).

TABLEAU COMPLET DES PRONOMS PERSONNELS

personnes	CONJOINTS				DISJOINTS
	SUJETS	COMPLÉMENTS		RÉFLÉCHIS	
		directs	*indirects*	*dir. ou indir.*	
1re sing.	je (j')	me (m')	me (m')	me (m')	moi
2e sing.	tu	te (t')	te (t')	te (t')	toi
3e sing.	il, elle, on	le, la (l')	lui	se (s')	lui, elle, soi
1re plur.	nous	nous	nous	nous	nous
2e plur.	vous	vous	vous	vous	vous
3e plur.	ils, elles	les	leur	se (s')	eux, elles
		en, y			

LES PRONOMS PERSONNELS CONJOINTS

Pronoms sujets

Formes *(voir tableau ci-dessus)*

- **Je** se change en **j'** devant une voyelle ou un **h** muet.

j'aime j'hésite

- **Il** et **ils** remplacent un nom masculin; **elle** et **elles** remplacent un nom féminin.

  Mme Tremblay est ici et **elle** est occupée.
  C'est une grande table. **Elle** est faite d'acajou.

  Ils peut aussi remplacer des groupes sujets faits de noms masculins et féminins, même s'il n'y a qu'un être ou objet mâle ou masculin parmi le groupe. Si toutefois tous les sujets sont féminins, on utilise **elles.**

  Les jeunes sont là. **Ils** sont tous arrivés.
  Dix mille girafes et un pou sont venus. **Ils** avaient l'air fatigués.
  mais: Ma mère et sa sœur arrivent demain. **Elles** repartiront vite, je te le promets.

- **On** est un pronom personnel indéfini, employé *seulement pour les personnes* comme *sujet* du verbe. **L'** est quelquefois ajouté devant **on** pour faciliter la prononciation dans des expressions comme **si l'on, où l'on** et **mais l'on**; dans ces cas, **l'** n'a pas de signification. **On** peut prendre le sens de « quelqu'un » ou de « tout le monde »; il peut aussi remplacer presque toutes les personnes grammaticales, mais plus souvent qu'autrement, il est utilisé pour la 1re personne du pluriel à l'oral, même dans les situations formelles. Toutefois, le verbe auquel il renvoie se conjugue toujours à la 3e personne du singulier, peu importe le sens.

  On peut y aller **si l'on** veut.
  On a marché le long du quai.

- **Vous** n'est pas toujours pluriel; il est singulier quand il est *la forme polie* de la deuxième personne du singulier; **tu** est *la forme familière.* On emploie **tu** en famille, entre les enfants et leurs parents (père et mère) et lorsqu'on s'adresse à des enfants ou à des personnes plus jeunes que soi. On emploie aussi **tu** avec certains amis et certains collègues. Mais dans l'incertitude, employez **vous.**

Place

- Le pronom sujet est généralement placé *devant le verbe.*

  Il fait beau.
  Nous buvons du thé.
  On se trompe parfois.

- Il est placé *après le verbe* (inversion: verbe-pronom sujet) ou *après l'auxiliaire* dans les temps composés (inversion: auxiliaire-pronom sujet):

  ▶ dans une interrogation;

  Aimez-**vous** le français? As-**tu** vu Marie?

  Ajoutez **t** entre deux voyelles à la troisième personne du singulier.

  Arrivera-**t-elle** toujours à trois heures? **A-t-il** fini?

  ▶ dans une *proposition incise,* placée après une citation ou insérée dans celle-ci;

  « J'aime la crème glacée », dit-**il.**
  « Votre père, remarqua-t-**il,** est très patient. »

Mais il n'y a pas d'inversion dans la proposition qui annonce la citation :

Il dit : « J'aime la crème glacée. »
Il remarqua : « Votre père est très patient. »

- après **peut-être, à peine... que, aussi, sans doute, encore,** placés au début de la phrase et portant sur le verbe.

Peut-être devriez-vous partir.
À peine la sonnerie avait-**elle** retenti **qu'**ils se précipitèrent dehors.
Le temps devenait mauvais : **aussi** avons-**nous** décidé de rentrer. (**aussi** = en conclusion, en conséquence)
Sans doute comprenez-**vous** maintenant...
Je veux bien lui parler ; **encore** faut-**il** qu'il m'écoute.

ATTENTION

Dans une conversation, employez **peut-être que**, sans inversion.

Peut-être que nous allons manger au restaurant ce soir, mais ce n'est pas sûr.

L'inversion est plus élégante que la forme *sans inversion* avec **que**, qui est plus lourde. Mais dans le langage parlé, **que** est plus employé parce que c'est plus simple.

APPLICATION IMMÉDIATE

B

A. Placez correctement dans la phrase le sujet et le verbe entre parenthèses.

1. « J'ai très faim », ________. (il, a ajouté)
2. Peut-être que ________ le voir tout à l'heure. (vous, pourrez)
3. Elle est partie ; peut-être ________ vous prévenir. (elle, aurait dû)
4. ________ ta décision ? (tu, as pris)
5. À peine ________ que le père Noël est arrivé. (il, s'était endormi)

B

B. Placez la proposition soulignée après la citation et faites les changements necessaries

Il a remarqué : « Vous êtes enthousiaste. »
→ « Vous êtes enthousiaste », a-t-il remarqué.

1. Il a lancé : « Venez m'aider. » ________
2. Elle s'est écriée : « C'est l'heure d'aller au lit ! » ________
3. Il a répondu : « Fais ce que tu veux. » ________
4. Tu me diras probablement : « Tu avais raison. » ________
5. Nous lui répétons : « Ce n'est pas vrai. » ________

Pronoms compléments directs ou indirects

Formes et emplois

REGROUPEMENT DES PRONOMS COMPLÉMENTS DEVANT LE VERBE

Groupe A *(dir. ou indir.)*		**Groupe B** *(dir.)*		**Groupe C** *(indir.)*		**Groupe D** *(indir. ou compl. du verbe)*		**Groupe E** *(dir., indir., ou compl. du verbe)*
me (m') te (t') nous vous se (s')	*devant*	le (l') la (l') les	*devant*	lui leur	*devant*	y	*devant*	en

Groupe A: me, te, nous, vous, se Les pronoms du Groupe **A** (voir tableau ci-dessus) sont des compléments *directs ou indirects*, ou des pronoms réfléchis. Ils sont placés *en première position* quand il y a plusieurs pronoms compléments.

- **Me, te, se,** se changent en **m', t', s'** devant une voyelle ou un **h** muet.

  Nous **t'**aimons. On **s'**ennuie.

- **Me, te, nous, vous** sont employés pour *des personnes seulement.*

  Elle **t'**a trouvé. Il **me** dira bonjour.

- **Se** est employé pour des personnes, des animaux ou des choses.

  Simon et Guillaume **s'**aiment passionnément.
  Fido **s'**est mis à japper.
  Les problèmes **se** multiplient. (choses)

- **Me, te, nous, vous, se,** sont les *pronoms réfléchis* des verbes pronominaux.

  Nous **nous** regardons.
  Vous **vous** parlez.

ATTENTION

Nous et **vous**. Quand un de ces pronoms se trouve immédiatement devant un verbe, *il n'est pas nécessairement le sujet* de ce verbe. Ils ont la même forme que les pronoms personnels sujets, mais ils ont ici une autre fonction.

Voilà un livre qui **nous** plait.
(Qu'est-ce qui plait? **Qui,** pronom relatif, dont l'antécédent est livre, est ici sujet; Il plait à qui? **Nous,** complément indirect).

APPLICATION IMMÉDIATE

A

C. Indiquez si les pronoms soulignés sont directs ou indirects dans les phrases suivantes.

1. C'est ton oncle qui nous conduira à la gare. ____________________
2. Jacques vous a-t-il expliqué son absence? ____________________
3. Il ne m'a pas répondu. ____________________
4. Je ne vois pas ce qui te dérange. ____________________
5. Les atomes se divisent. ____________________

B

D. Mettez le verbe indiqué au temps demandé et à la bonne personne. Assurez-vous de bien identifier le sujet du verbe.

1. Le chien nous __________ . (protéger, *présent de l'indicatif*)
2. Je lui __________ une question. (poser, *passé composé*)
3. Voilà les travaux que vous nous __________ . (demander, *passé composé*)
4. C'est le bleu qui vous __________ le mieux. (aller, *présent*)
5. Peut-être nous __________ -vous un jour. (comprendre, *futur*)

Groupe B : le, la, les Les pronoms du Groupe **B** (voir tableau, p. 77) sont des pronoms *compléments directs,* placés *après* **me, te, nous, vous, se** et employés pour *des personnes, des animaux* ou *des choses.* Ils remplacent *un article défini, un déterminant possessif ou démonstratif* + nom.

Surveilles-tu **les enfants**? (article défini + nom)
— Oui, je **les** surveille.
Mettez-vous **votre manteau**? (dét. possessif + nom)
— Oui, je **le** mets.
Connaissez-vous **cette personne**? (dét. démonstratif + nom)
— Non, je ne **la** connais pas.

- **Le** et **la** se changent en **l'** devant une voyelle ou un **h** muet.

  Tu peux **l'**acheter si tu **l'**aimes, ce manteau.

- Les pronoms **le** et **les** ne se contractent pas avec les prépositions **à** et **de** (seuls les articles définis se contractent).

  Il a besoin **de le** voir. Mes parents, je commence **à les** apprécier.

- Le pronom **le** ne remplace pas seulement un nom masculin complément direct. Il peut aussi :

  ► remplacer un adjectif (certaines de ces formules sont implicites) ;

  Je suis fatigué, mais vous, vous ne **l'**êtes pas.
  Elle est emballée par cette musique. **L'**es-tu, toi aussi?
  Je ne suis pas aussi doux que tes parents (**le** sont).

- remplacer une proposition (il correspond alors aux mots anglais « it, so, to ») ;

  Le matin, je n'arrive pas à me lever; tu **le** sais. (« you know it »)
  Est-ce qu'il viendra? — Je **le** pense. (« I think so »)
  Je veux t'épouser; je **le** veux. (« I want to »)

- annoncer une proposition.

  Comme vous **le** dites, c'est une affaire sérieuse.

APPLICATION IMMÉDIATE

A

E. Remplacez les mots soulignés par des pronoms et placez-les correctement dans les phrases.

1. Je vois ton fils qui joue dans le parc. ______
2. Je vois que tu n'as pas encore fait ton travail. ______
3. Voulez-vous rencontrer Lucie ? ______
4. Il est menteur, il doit se corriger de ce défaut. ______
5. Vous avez eu raison de poser ces questions. ______

B

F. Placez correctement dans les phrases les pronoms entre parenthèses.

1. Je ______ (le, vous) apporterai.
2. Pourquoi ne ______ (les, me) avez-vous pas apportés ?
3. Je ne ______ (le, te) redirai pas.

Groupe C : lui, leur Les pronoms du Groupe **C** (voir tableau, p. 77) sont des pronoms *compléments indirects*. Ils remplacent **à** + *nom de personne* et renvoient à une personne ne participant pas à la conversation. On peut personnifier un animal ou un objet en utilisant ces pronoms, mais la forme usuelle est le pronom **y**.

Avez-vous parlé **à Sarah** ?
— Oui, je **lui** ai parlé et j'ai aussi parlé à Stéphane. Je **leur** ai parlé à tous les deux.
N'oublie pas de **leur** téléphoner.
Je le **lui** ai dit.
Nicki jappait, et je **lui** ai dit de se taire. (animal)

ATTENTION

Pour employer le pronom direct ou indirect convenablement, il faut :

- *savoir distinguer les compléments directs (CD) et indirects (CI) amenés par la préposition* **à.** S'il n'y a pas de préposition entre le verbe et le nom complément, le nom est un *complément direct* (on parle alors d'un verbe *transitif direct*). *S'il y a la préposition* **à** entre le verbe et le nom complément, le nom est un *complément indirect* (on parle alors d'un verbe *transitif indirect*). La préposition est presque toujours exprimée en français, ce qui n'est pas le cas en anglais.

- *raisonner avec le verbe français* et oublier le verbe anglais. Les constructions des verbes sont souvent différentes dans les deux langues et beaucoup d'erreurs viennent de la traduction littérale de l'anglais au français.

Je cherche **mon chemin**. → CD → Je **le** cherche.
Elle appelle **ses parents.** → CD → Elle **les** appelle.
Il obéit **à ses patrons**. → CI → Il **leur** obéit.
Ils parlent **à Cindy**. → CD → Ils **lui** parlent.

Plusieurs verbes admettent les compléments directs et indirects.

Je dis mon secret (CD) à ma sœur (CI).	Je le (CD) lui (CI) dis.
Elle écrit un courriel (CD) à Lucie (CI).	Elle le (CD) lui (CI) écrit.

APPLICATION IMMÉDIATE

A

G. Complétez avec un pronom complément direct ou indirect.

1. Ce petit garçon est très gentil avec sa mère ; il __________ obéit toujours.
2. Je vais parler à mon épouse et je vais __________ demander pourquoi elle est fâchée contre moi.
3. Voilà un homme en difficulté ; il faut __________ aider.
4. J'ai un téléviseur, mais je ne __________ allume jamais.
5. Il est aussi grand que son père et il __________ ressemble beaucoup.

Groupe D : y Le pronom **y** est un pronom *complément indirect*, habituellement employé *pour les choses et les animaux*. Pour les personnes, on utilise plutôt les pronoms disjoints en conservant la préposition **à** (voir p. 90). Il est placé avant **en** (voir tableau, p. 77). Cependant, on peut personnaliser une chose ou un animal en utilisant **lui** ou **leur**, et on peut désigner une personne en utilisant **y** pour des raisons stylistiques.

Des pommes, il **y en** avait partout.

- **Y** remplace **à** + *nom de chose.*

Croyez-vous **à la réincarnation** ?
— Oui, j'**y** crois.

Tu n'as pas touché **à mon Nutella**, j'espère!
— Non, je n'**y** ai pas touché.
mais: Avez-vous pensé **à vos parents**?
— Oui, j'ai pensé **à eux.**

- **Y** remplace **à** + *proposition* si le verbe peut se construire avec à + *nom* (ou **cela**).

Vous attendez-vous **à obtenir un A en français**?
(Vous attendez-vous **à un A**?)
— Oui, je m'**y** attends. J'**y** travaille assidument.
Tenez-vous **à ce qu'il vous dise ce qui est arrivé**?
(Tenez-vous **à cela**?)
— Oui, j'**y** tiens absolument.
mais: Apprenez-vous **à jouer au badminton**?
— Oui, j'apprends **à y** jouer.
(On dit: **j'apprends cela**; on ne peut donc pas dire ***j'apprends y jouer.**)

- **Y** remplace un adverbe de lieu ou une préposition (autre que **de**) + *nom de lieu*.

Mon livre est-il **sur l'étagère**?
— Oui, il **y** est.
Travaillez-vous **dans le même bureau**?
— Oui, nous **y** travaillons tous les deux depuis deux ans.
Était-il **là-bas**?
— Oui, il **y** était.

- Avec le futur et le conditionnel du verbe **aller,** on omet **y** pour éviter la répétition du son [i].

Irez-vous **en classe** aujourd'hui? — Oui, j'irai.

PRÉCISIONS

À la place de **y**, on emploie quelquefois **dessus, dessous, dedans** pour remplacer **sur**, **sous** ou **dans** + *nom de chose.* Ces formes étaient anciennement considérées comme des prépositions (de+sus, de+sous, de+dans), mais sont maintenant considérées comme des adverbes.

Je ne vois pas le papier **sur ton bureau.** Je l'ai mis **dessus,** pourtant.
Est-ce que le chat est **sous le lit**? — Oui, il est **dessous.**
As-tu mis ton linge sale dans le panier? — Oui, je l'ai mis **dedans.**

Les mots **dessus, dessous, dedans** sont aussi employés comme noms.

le dessus d'un meuble, **le dessous** d'une boite, **le dedans** d'un panier, etc.

APPLICATION IMMÉDIATE

B

H. Remplacez les mots soulignés par **y** ou par **dessus, dessous, dedans**, quand c'est possible.

1. Vous pensez trop à vos résultats. ____________
2. Il ira à Bangkok l'été prochain. ____________
3. Gus n'arrive pas à se brancher sur Internet. ____________
4. Pourrais-tu réagir à ce message ? ____________
5. Je l'ai trouvé dans la cave. ____________

LOCUTIONS CONTENANT *Y*

allez-y, vas-y (langage parlé) = en avant, commence(z) (« go ahead »)	Nous vous écoutons, **allez-y** !
ça y est (langage parlé) = c'est fait ou accompli	**Ça y est,** j'ai fini.
s'y connaitre en (sans article) = être un expert en quelque chose Employez **être bon en** pour un sens moins fort.	Je **m'y connais** en art. **Êtes-vous bon en** français ? — Hum, mes notes ne sont pas formidables.
y tenir = être attaché à quelqu'un ou à quelque chose, vouloir fortement	Il a une bonne réputation et il **y tient.** Je veux lui parler. **J'y tiens.**
s'y faire = s'habituer à, s'accoutumer à une situation	Les changements ne le dérangent pas : il **s'y fait** rapidement.
s'y prendre bien (mal) = savoir (ne pas savoir) comment s'organiser pour faire un travail, être adroit (maladroit); **s'y prendre** s'emploie aussi après le verbe **savoir (savoir s'y prendre, ne pas savoir s'y prendre)** et après **comment (comment s'y prendre)**	Tu **t'y prends mal ;** il ne faut pas commencer comme ça. Il peut peindre votre maison ; il **sait s'y prendre.** Comment va-t-il **s'y prendre** ?
y compris (invariable) = inclusivement, ≠ excepté	Il a tout vendu, **y compris** sa maison.

(Page suivante)

LOCUTIONS CONTENANT *Y* *(Suite)*	
y être = être prêt, avoir compris	Vous **y êtes** ? Si oui, nous pouvons commencer. Vous n'**y êtes** pas du tout ; vous n'avez pas suivi notre discussion.

1re partie : Le groupe nominal

A

APPLICATION IMMÉDIATE

I. Remplacez les mots soulignés par une expression idiomatique contenant **y**.

1. Nous aimons toutes les variétés de champignons, celle-ci aussi. ______
2. Il est expert en hip-hop. ______
3. L'hiver est long à Iqaluit, mais on s'y habitue. ______
4. Commençons par l'exercice numéro 2. Vous êtes prêts ? ______
5. Comment allez-vous faire pour lui annoncer la nouvelle ? ______

Groupe E : en Le pronom **en** est un pronom *complément* habituellement employé pour les choses ou les animaux. Pour les personnes, on utilise plutôt les pronoms disjoints en conservant la préposition **de.** Il est toujours en *dernière position* s'il y a plusieurs pronoms de suite (voir tableau p. 85).

- **En** remplace **de, d', du, de la, de l', des** + *nom de chose.*

  Avez-vous besoin **de votre bicyclette** ?
  Oui, j'**en** ai besoin.
  Te sers-tu **de ton ordinateur** en ce moment ?
  Non, je ne m'**en** sers pas.

- **En** est *un pronom partitif* (« some, any ») quand il remplace *l'article partitif* + nom.

  J'ai **de la chance**, mais vous n'**en** avez pas beaucoup.
  Je n'ai pas **d'œufs** ; il faut que j'**en** achète.

- **En** remplace **de** + *nom de regroupement de personnes* (gens, monde, etc.) seulement quand le nom de personne a *un sens collectif* ou *indéfini.*

  Regardez les gens dans la rue : il y **en** a qui marchent vite et d'autres qui ne sont pas pressés. (Il y a **des gens** qui...)

- **En** est employé avec *les expressions de quantité* qui contiennent **de**: beaucoup de, assez de, peu de, etc.

    Les étudiants ont-ils trop **de travail**?
    — Oui, ils **en** ont trop au moment des examens et pas assez au début de l'année.
    Y a-t-il assez **d'étudiants** pour former une classe?
    — Oui, il y **en** a assez.

- **En** est aussi utilisé avec les nombres **un, deux, trois,** etc., et des mots de quantité comme **plusieurs, quelques, aucun**, etc.

    Il a deux pièces de deux dollars alors que moi j'**en** ai **quatre.**
    Votre devoir a quelques fautes et il y **en** a **plusieurs** qui sont graves.
    Avez-vous un stylo? — Oui, j'**en** ai **un.**
    mais: Non, je n'**en** ai pas. (le mot **un** disparait)
    ou: Non, je n'**en** ai pas **un seul.** (pour insister)

- Quand un adjectif se rapporte au pronom **en**, on garde **un, de** ou **des**.

    Avez-vous trouvé un tableau qui vous plait?
    — Oui, j'**en** ai trouvé **un** très **beau.**
    Je voulais des fleurs et j'**en** ai acheté **des rouges** à ce supermarché.
    Ce livre est plein d'histoires **courtes** et il y **en** a **de** très **intéressantes.**

- **En** remplace **de** + *nom de lieu.*

    Arrivez-vous **de Montréal**?
    — J'**en** arrive à la minute même.
    Il faudrait que tu passes chez Dominique.
    — Mais, j'**en** arrive à l'instant!

- **En** est employé à la place d'un *possessif* quand *le possesseur est un objet ou une abstraction* (voir chapitre 3, p. 48).

    C'est un objet d'art, mais la valeur n'**en** est pas évidente.

- **En** remplace aussi **de** + *proposition* si le verbe a la même construction **de** + *nom* (ou **cela**).

    Vous rendez-vous compte **de ce que vous faites**? (Vous rendez-vous compte **de vos actes** ou **de cela**?)
    — Oui, je m'**en** rends compte maintenant et je le regrette.
    mais: Oubliez-vous quelquefois **de fermer votre porte** à clé?
    — Oui, j'oublie de **le** faire.
    (On dit: **j'oublie cela**; on ne peut donc pas employer **en.**)

ATTENTION

La difficulté avec le pronom **en** est *qu'on oublie de l'employer* parce que, bien souvent, il n'y a pas de mot correspondant dans les expressions de quantité en anglais.

Combien de cours suivez-vous ?
— J'**en** suis quatre. (« I am taking four. » ; *cours* est implicite en anglais)

APPLICATION IMMÉDIATE

J. Remplacez les mots soulignés par **en,** quand c'est possible.

1. Elle a de la famille au Nunavut. ______
2. J'accepte de vous accompagner. ______
3. J'ai envie de faire un grand voyage. ______
4. Je suis revenu de Regina hier. ______
5. Maman, tu as besoin de ta voiture ? ______

LOCUTIONS CONTENANT *EN*	
en avoir assez (de) = être fatigué de quelque chose ou de quelqu'un	J'**en ai assez de** faire ce voyage tous les jours.
en être = être arrivé (rendu) à un certain point d'un travail, d'une étude, d'une occupation	Où **en sommes**-nous ? — Nous **en sommes** à l'exercice numéro 6.
en vouloir à = avoir de mauvais sentiments envers quelqu'un, avoir de la rancune contre quelqu'un	Pourquoi **m'en voulez-vous** ? Qu'est-ce que je vous ai fait ? — Je **vous en veux** de lui avoir dit mon secret.
ne plus en pouvoir = être à bout de forces ou de patience	J'ai conduit par une grande chaleur pendant quatre heures ; en arrivant, je **n'en pouvais plus.**
s'en faire = se faire du souci, s'inquiéter	Elle **s'en fait** tellement pour lui qu'un jour c'est elle qui sera malade. **Ne t'en fais pas** (*ou* : **Ne vous en faites pas**), ça ira mieux demain. (expression courante)

(Page suivante)

LOCUTIONS CONTENANT *EN* (*Suite*)	
s'en ficher (langage familier) = ne pas prendre au sérieux, ne pas s'inquiéter; ≠ **s'en faire**	Si je ne peux pas y aller, je **m'en fiche**; ça m'est égal.
s'en tirer = se sortir d'une affaire difficile, rester en vie (après un accident)	Vous êtes tellement débrouillard que vous **vous en tirerez** très bien. L'accident a été si grave qu'il est peu probable qu'elle **s'en tire.**

APPLICATION IMMÉDIATE

A

K. Remplacez les mots soulignés par une expression idiomatique contenant **en**.

1. Je suis perdu; je ne sais plus à quelle page je suis rendu. ______
2. Vous vous inquiétez trop à son sujet. ______
3. Depuis que je lui ai dit la vérité, elle a de mauvais sentiments envers moi. ______
4. Comment va-t-elle se sortir de ce pétrin? ______
5. Je suis fatiguée de ces chicannes. ______

B

L. Répondez à la question en remplaçant les mots soulignés par **y** ou **en**, lorsque c'est possible.

1. As-tu envie de boire un café? ______
2. Avez-vous pensé à éteindre les ronds? ______
3. Ont-ils oublié de mettre les accents sur les **e**? ______
4. Vous attendez-vous à ce qu'il échoue à cet examen? ______
5. Vous rappelez-vous ce qu'il a fait? ______

B

M. Remplacez les mots soulignés par une locution contenant **y** ou **en**, au temps convenable.

1. Il a eu un sentiment de rancune contre moi parce que Marielle m'aime. ______
2. Nous allons perdre de l'argent, mais ça m'est égal. ______
3. À quelle page êtes-vous rendue dans ce roman? ______
4. Il s'inquiète constamment pour ses enfants; c'est une maladie chez lui! ______
5. C'est fait! J'ai fini mon projet! Quel soulagement! ______

6. Après une semaine d'examens où elle a dû travailler jour et nuit, elle est à bout de forces.

 ____

7. Elle s'est habituée rapidement à la vie d'étudiante.

 ____

8. Regardez, vous prenez d'abord cet outil ; vous faites un trou ; puis vous... Voilà comment il faut que vous procédiez.

 ____

9. Nous sommes au milieu du désert ; nous n'avons ni eau ni nourriture ; comment allons-nous nous sortir de cette situation difficile ?

 ____

10. Vous pouvez avoir confiance en son jugement ; il est très fort en biologie.

 ____

Place

Le pronom personnel complément est placé :

- Devant un verbe conjugué et devant **voici, voilà** ;

  Je **vous** comprends. Il **lui** donne sa clé.
  Il **les** enverra demain. Vous en voulez ?
  Ah ! **Vous** voilà ! Vous voulez une gomme ? **En** voici une.

- Devant l'auxiliaire aux temps composés ;

  Cette pomme, elle **l'**a prise sur la table.
  Vous avait-il invités ?
  Elle **y** est arrivée.

- Immédiatement devant le verbe (ou l'auxiliaire) à la forme négative et à la forme interrogative ;

  Il ne **me** demandera jamais pourquoi.
  Lui parlera-t-il ?

- Après le verbe, avec un trait d'union, à l'impératif affirmatif ;

  Donne-**lui** son jouet. (voir chapitre 22, p. 297)

- Devant un infinitif dont il est le complément.

  Je suis content de **vous** voir.
  Il aime beaucoup **vous** recevoir.
  Il m'a dit de ne pas **te** déranger.

Dans une *série de verbes* qui ont le même pronom complément direct ou indirect, on répète ce pronom aux temps simples.

Je **les** vois et (je) **les** entends.

On le répète aussi aux *temps composés* si l'auxiliaire est répété.

Je **vous** ai vu et **vous** ai appelé.

Si l'auxiliaire n'est pas répété, on ne répète pas le pronom quand il a la même fonction pour les deux verbes.

Je **vous ai** vu et appelé.

APPLICATION IMMÉDIATE

A

N. Placez correctement les pronoms entre parenthèses dans les phrases suivantes.

1. (le) Je veux. ______
2. (lui) As-tu parlé ? ______
3. (leur) Il va dire. ______
4. (en) Du beurre, mettez. ______
5. (les) Je ne prends pas. ______
6. (y) Ils n'ont pas déjeuné. ______
7. (nous) Elle ennuie. ______

C

O. Complétez les phrases avec le pronom personnel qui convient. Considérez bien les constructions des différents verbes.

1. Elles sont célèbres ; c'est la raison pour laquelle beaucoup de gens ______ pensent belles.
2. Il devait écrire à son frère et je crois qu'il ______ a écrit hier.
3. Si tu as envie de ces chaussures, achète- ______.
4. Ton amie, tu ______ aimes ; mais est-ce qu'elle ______ aime aussi ?
5. Il faut que j'aille à la banque ; voulez-vous ______ aller avec moi ?
6. Où est votre dissertation ? Je voudrais ______ lire.
7. Dites à Mélissa et à Marc de venir me voir ; il faut que je ______ parle.
8. J'espère trouver des cours intéressants. J' ______ ai suivi un la session dernière et je ne ______ ai pas du tout aimé.
9. Quand le professeur parle, les étudiants doivent ______ écouter.
10. Je dois l'appeler aujourd'hui ; il faut que ______ pense.

C

P. Répondez aux questions qui suivent en remplaçant les mots soulignés par des pronoms, puis en complétant chaque phrase de façon convenable.

Modèle : Quand tu as rencontré <u>Anne</u>, lui as-tu dit que je voulais avoir <u>son numéro de téléphone</u> ?
→ Oui, quand je l'ai rencontrée, je lui ai dit que tu voudrais l'avoir.

1. Dans votre dictée, avez-vous fait attention <u>aux accents</u> ? ______
______

2. Est-ce que tu te souviens du voyage de fin d'année? ____________________
3. Avez-vous confiance en vos amis? ____________________
4. As-tu pensé à changer de tablette? ____________________
5. Allez-vous acheter une bicyclette neuve ou d'occasion? ____________________

1re partie : Le groupe nominal

PRÉCISIONS

La place des pronoms personnels compléments obéit à des règles particulières quand les verbes **faire**, **laisser** et *les verbes de perception* (**regarder, voir, apercevoir, écouter, entendre, sentir,** etc.) sont suivis d'un infinitif. (voir chapitre 27, p. 369 à 374).

Ordre de plusieurs pronoms compléments devant le verbe

Pour placer deux ou trois pronoms compléments devant le verbe, consultez le tableau à la p. 77.

Tu **nous les** as rendus.
Vous ne **lui en** avez pas parlé.
Les leur avez-vous donnés?
Je **vous le** dis.

APPLICATION IMMÉDIATE

A

Q. Remplacez les mots soulignés par un pronom personnel.

1. Vous cherchez vos lunettes. ____________________
2. Les enfants obéissent à leurs parents. ____________________
3. Je réponds à ta question. ____________________
4. Est-ce que le film a plu à Mélanie? ____________________
5. Lise aime cette plante. ____________________
6. On doit d'abord sauver les femmes et les enfants. ____________________
7. Vous avez trouvé les clés dans la neige. ____________________
8. Passe les légumes à Pierre, s'il te plait. ____________________
9. Ne parlez pas de cette histoire extraordinaire à M. Beaulieu. ____________________
10. Il y a des gens qui sont gentils et d'autres qui ne sont pas gentils. ____________________

B

R. Placez correctement les pronoms dans les phrases.

1. (lui, les) Avez-vous pris ? ______________________________
2. (la, vous) Je ne demande pas. ______________________________
3. (me, y) Tu forces toujours. ______________________________
4. (te, la) Je vais allumer. ______________________________

B

S. Posez les questions qui suivent à un de vos pairs en utilisant des noms à la place des pronoms en gras. Le verbe peut être différent dans la question.

Modèle : Oui, je vous **en** parlerai bientôt.
→ Allez-vous nous parler de votre projet ?
(*ou* : Avez-vous fait un bon voyage ?)

1. Non, je **l'**ai oubliée. ______________________________
2. Oui, il **y** pensera. ______________________________
3. Oui, nous **en** avons quelques-uns. ______________________________
4. Vous **le leur** avez donné. ______________________________

LES PRONOMS DISJOINTS

Formes

Les pronoms disjoints sont **moi, toi, lui, elle, soi, nous, vous, eux, elles** (voir aussi tableau p. 74). On remarque que **lui, elle, nous, vous, elles** sont des formes *conjointes* et *disjointes*. **Soi** correspond à un mot indéfini : **on, chacun,** etc. (« oneself, himself, herself »).

C'est **lui** qui a pris ton vélo.
On pense trop **à soi.**

APPLICATION IMMÉDIATE

A

T. Complétez les phrases avec le pronom disjoint qui convient.

1. Nous avons décidé ceci : __________ , tu partiras à deux heures, mais __________ , nous partirons un peu plus tard.
2. Quand on est satisfait de __________ , on se sent heureux.
3. Il n'y a que __________ qui puisse vous aider parce qu'il connait beaucoup de monde.
4. Le professeur est déçu ; il était important que tous ses étudiants viennent en classe aujourd'hui et pourtant quatre d'entre __________ sont absents.
5. Les égoïstes se croient seuls au monde ; ils ne pensent qu'à __________.
6. Lui et __________ irons au cinéma ce soir.

7. Chacun pour ________ et Dieu pour tous.
8. N'oublie pas la générosité de ton amie; c'est grâce à ________ que tu as pu t'en tirer.
9. Je sais que c'est ________ qui l'as demandé.
10. Quand vous vous adressez à ________ , employez le pronom **vous.** Avec vos camarades, c'est différent; employez le pronom **tu** quand vous parlez avec ________ , sauf s'ils sont beaucoup plus âgés que vous.

Emplois

La fonction principale des pronoms disjoints est de mettre l'accent sur la personne dont on parle. Ils sont surtout employés *pour des personnes* :

- Avec les prépositions

▶ **de** + *nom de personne.* On peut aussi utiliser **en** quand il s'agit de la 3e personne du singulier ou du pluriel.

Avez-vous parlé **de Manuel** ?
— Oui, nous avons beaucoup parlé **de lui.**
Elle s'est moquée **de moi.**

▶ **à** + *nom de personne*

Les enfants courent **à lui** quand il arrive à la maison.
Il pense **à elle.**
Ce livre est **à moi.**
Je tiens beaucoup **à vous.**
Faites attention **à eux.**
Il s'est adressé **à toi.**

▶ Quand le pronom complément direct du verbe est un des pronoms du Groupe **A** (**me, te, nous, vous, se,** voir tableau p. 77), on ne peut pas employer un des pronoms des Groupes **A** et **C** (**me, te, nous, vous, se, lui, leur**) comme complément indirect. Il faut employer **à** + *pronom disjoint.*

Il va **vous** présenter à **eux.**
↑ ↑
direct indirect
(On ne peut pas employer **leur** comme complément indirect.)

C'est un cas fréquent avec *les verbes pronominaux* qui sont toujours accompagnés de **me, te, se, nous** ou **vous.**

Nous **nous** intéressons **à lui.**
Il s'est adressé à **toi.**

APPLICATION IMMÉDIATE

A

U. Remplacez les mots soulignés par le pronom personnel qui convient.

1. Vous me recommanderez à M. Simard. ______________________
2. Adressez-vous à votre patronne. ______________________
3. Nous nous sommes fiés à nos amis. ______________________
4. On va s'intéresser à cette famille. ______________________
5. Faites attention aux brigands. ______________________

▶ avec les autres prépositions + *nom de personne*

J'irai au cinéma **avec lui.**
Il ne peut pas faire ce travail **sans moi.**
Il a écrit cette chanson **pour vous.**
Nous étions assis **en face d'elles.**
Vous passerez **chez moi** à trois heures, n'est-ce pas ?

- Après **c'est, ce sont** pour *mettre le pronom en relief.* Il y a souvent un pronom relatif après le pronom disjoint.

Qui a fait ça ? **C'est lui** qui a fait ça.
(**lui** est sujet de **a fait** ; on emploie donc le pronom relatif **qui**)
Ce sont eux que je veux voir, pas vous.
(**eux** est complément de **veux voir** ; on emploie donc le pronom relatif **que**)

APPLICATION IMMÉDIATE

A

V. Renforcez le pronom souligné avec **c'est... qui** ou **c'est... que.**

Modèle	Je vous ai vue.	→	C'est moi qui vous ai vue.
	Je veux vous voir.	→	C'est vous que je veux voir.

1. Vous y êtes allé, n'est-ce pas ? ______________________
2. Elle a répondu. ______________________
3. Elles nous l'ont demandé. ______________________
4. Ils seront responsables. ______________________
5. Je le vois là-bas. ______________________

- *Seul dans une réponse,* sans verbe.

Qui lui a répondu ? — **Moi.**
Qui veut y aller ? — Pas **moi, lui** peut-être.
Il a soif et **toi** aussi. Vous n'avez pas faim et **lui** non plus.

- Pour *mettre l'accent sur* un pronom personnel conjoint sujet ou complément du verbe.

    Vous, vous irez, mais **eux**, ils resteront. (sujets)
    Vas-tu te taire, **toi** ? (complément)

- Avec le mot **seul.**

    Lui seul peut le faire.

- Dans le cas de *pronoms sujets (ou compléments) multiples. On peut remplacer les pronoms par un pronom pluriel (pronoms de 1re* + 2e + 3e personnes = **nous,** car la 1re personne l'emporte ; pronoms de 2e + 3e personnes = **vous,** car la 2e personne l'emporte ; pronoms de 3e personne = **ils**, **elles**)

    Lui, vous et **moi** (nous) serons chargés de ce projet.
    Vous et **lui** (vous) irez le voir.
    Elle et **lui** (ils) ont eu une longue discussion.

▶ Ou dans le cas de *noms + pronoms multiples.*

    Le président et **vous** (vous) avez pris une décision. (sujets)
    J'ai vu Julie et **toi** à la partie de hockey. (compléments)
ou : Je **vous** ai vues à la partie de hockey.

- Avec **ni... ni....**

    Ni vous ni moi ne serons chargés de ce projet.
    Nous n'avons recommandé **ni toi ni lui** pour ce projet.

- Après **que** dans *une comparaison* et **que** dans **ne... que.**

    Il est plus grand qu'**elle.**
    Vous êtes plus jeune qu'**eux.**
    Il n'a que **moi** sur qui compter.

- On peut ajouter **-même** pour *renforcer* le pronom personnel.

Pronoms personnels	
moi-même	nous-même(s)
toi-même	vous-même(s)
lui-même, elle-même, soi-même	eux-mêmes, elles-mêmes

Pourriez-vous lui dire cela **vous-même**?

ATTENTION

- Dans les formules telles **C'est moi qui ai pris ton sac** ou **C'est moi qui suis parti avec ton sac**, l'auxiliaire s'accorde avec le pronom relatif qui remplace **moi**; il doit donc être à la 1re personne du singulier, bien qu'à l'oral, la forme à la 3e personne du singulier soit fréquente.
- **Lui-même** correspond à **il** *pronom personnel* seulement. Employez **soi-même** avec: **il** *pronom impersonnel*, **on, chacun, tout le monde.**

On fait ça **soi-même.** (**on**, indéfini)
Il est possible de faire ça **soi-même.** (**il**, impersonnel)
mais: Paul est adroit; **il** peut faire ça **lui-même.** (**il**, personnel)

- Avec un *impératif affirmatif.* Si le pronom disjoint est accompagné d'un pronom objet, ce dernier se place habituellement avant le pronom disjoint et ils sont unis par un trait d'union.

Donne-moi ce jouet. (Tu me donnes ce jouet.)
Donne-le-moi.

EN RÉSUMÉ...

- Les pronoms personnels sont des mots qui servent à faire référence à une personne, un objet ou un lieu évoqués ailleurs dans un énoncé sans avoir à répéter la référence.
- On distingue les pronoms personnels selon la fonction qu'ils remplissent dans la phrase. Ainsi, les pronoms conjoints sont placés près du verbe et comprennent les pronoms personnels qui sont sujets ou compléments du verbe. Les pronoms disjoints sont séparés du verbe et ne sont pas directement liés à ce dernier syntaxiquement.
- Les pronoms conjoints ont des fonctions syntaxiques spécifiques. Ainsi, les pronoms sujets ont évidemment la fonction de sujet. Les pronoms **me, te, se, nous** et **vous,** compléments directs ou indirects, sont notamment employés avec les verbes pronominaux. Mis à part **se,** ils ne peuvent s'employer que pour des personnes. Les pronoms **le, la** et **les** sont compléments directs et s'emploient pour des personnes, des animaux ou des choses. Ils renvoient à un article défini, un déterminant possessif ou un démonstratif suivi d'un nom. Les pronoms **lui** et **leur** remplacent **à** + le nom d'une personne ne participant pas à la conversation. Le pronom **y** renvoie normalement à une chose, un lieu ou un animal et est complément indirect. Le pronom **en** est complément et s'emploie pour les choses, les lieux et les animaux.
- Les pronoms disjoints **moi, toi, lui, elle, soi, nous, vous, eux** et **elles** servent à mettre l'accent sur la personne dont on parle.

EXERCICES RÉCAPITULATIFS

A. *Remplacez les mots soulignés par les pronoms personnels conjoints ou disjoints qui conviennent.*

1. Maxime est plus grand que Sébastien. ______________________________
2. J'ai un rendez-vous avec le dentiste. ______________________________
3. C'est Marc qui a l'argent. ______________________________
4. Marie pense à ses amis. ______________________________
5. J'ai entendu parler de votre professeur. ______________________________
6. Il a de la famille dans cette ville. ______________________________
7. J'ai raté mon examen à cause de la tempête. ______________________________
8. Mes amis et moi assistons à ce spectacle. ______________________________
9. Ni toi ni tes parents n'avez tort. ______________________________
10. Seule Hélène est venue. ______________________________
11. Jeanne, elle veut ceci et Jean veut cela. ______________________________
12. Il n'y a que M. Tremblay qui crie tout le temps. ______________________________

B. *Complétez le paragraphe suivant avec les pronoms personnels compléments qui conviennent.*

Simon et Guillaume sont deux bons amis. Simon parle souvent avec Guillaume. Il ________ téléphone le soir pour ________ parler de ses devoirs. Les deux amis ________ font d'ailleurs quelquefois ensemble ; ils ________ aident pour arriver à mieux ________ comprendre. Les réponses sont difficiles à trouver ; ils ________ cherchent.

Ils vont voir les films qui ________ plaisent. Comme il y a un petit café près du cinéma, ils ________ vont après le film. Une salle contient un billard ; ils ________ jouent pendant quelque temps. Simon a des disques compacts et il veut toujours ________ acheter d'autres. Il adore ________ écouter. Guillaume, lui, aime regarder la télévision ; Simon ________ regarde avec lui seulement pour ________ faire plaisir, seulement parce qu'il ________ veut.

Ce soir Audrey sort avec Guillaume et elle ________ attend. Il ________ a téléphoné pour ________ dire qu'il serait un peu en retard. Elle ________ a répondu que ça n'avait pas d'importance. Audrey a de la patience ; elle ________ a souvent besoin.

C. *Vous venez de trouver un travail pour l'été. Il vous permettra de gagner un peu d'argent, mais il n'est pas facile ni agréable. Expliquez en quelques lignes de quoi il s'agit. Employez des locutions avec* ***y*** *et* ***en*****:** ***s'y prendre, s'y faire, s'en tirer, ne plus en pouvoir, s'y connaitre en, en avoir assez,*** *etc.*

D. *Complétez les phrases suivantes, au gré de votre imagination, en utilisant autant de pronoms personnels que possible.*

1. À peine... ______________________________
2. Peut-être... ______________________________
3. Je suis très content que vous soyez venue... ______________________________
4. Voilà un cadeau qui vous... ______________________________
5. Je t'en veux... ______________________________

E. *Répondez brièvement aux questions suivantes, affirmativement ou négativement, en remplaçant les mots soulignés par des pronoms personnels.*

1. Est-ce que votre ami est à l'appartement ? ______________________________
2. Savez-vous jouer au hockey ? ______________________________
3. Aimes-tu la tourtière ? ______________________________
4. As-tu vu ces tableaux ? ______________________________
5. Crois-tu son histoire ? ______________________________
6. Sont-ils aimables avec tout le monde ? ______________________________
7. Êtes-vous trop occupé pour écrire ? ______________________________
8. Iras-tu en ville avec tes amis ? ______________________________
9. Vois-tu souvent ta cousine ? ______________________________
10. Écrit-elle de temps en temps à ses parents ? ______________________________

6 Les pronoms possessifs

OBJECTIFS DU CHAPITRE

À la fin de ce chapitre, vous serez en mesure :

- de distinguer adéquatement entre possesseur et objet possédé et d'appliquer cette distinction aux pronoms possessifs ;
- de faire les accords en genre et en nombre conséquemment au possesseur et à l'objet possédé.

Le pronom possessif sert à reprendre des mots évoquant une possession sans les répéter.

FORMES

LES PRONOMS POSSESSIFS

		OBJET(S) POSSÉDÉ(S)			
		un seul		*plusieurs*	
	personnes	*masc. sing.*	*fém. sing.*	*masc. plur.*	*fém. plur.*
un seul possesseur	je	**le mien**	**la mienne**	**les miens**	**les miennes**
	tu	**le tien**	**la tienne**	**les tiens**	**les tiennes**
	il, elle	**le sien**	**la sienne**	**les siens**	**les siennes**
		masc. sing.	*fém. sing.*	*masc. et fém. plur.*	
plusieurs possesseurs	nous	**le nôtre**	**la nôtre**	**les nôtres**	
	vous	**le vôtre**	**la vôtre**	**les vôtres**	
	ils, elles	**le leur**	**la leur**	**les leurs**	

- Le pronom possessif est formé de *deux mots*.

  le mien

  Le premier mot est *l'article défini,* qui se contracte avec les prépositions **à** et **de** au besoin. Le deuxième mot est un adjectif possessif qui ne s'emploie que pour former les pronoms possessifs.

singulier :	**au mien, du mien, au nôtre, du leur,** etc.
pluriel :	**aux tiens, des miennes, aux vôtres,** etc.

- Il y a *un accent circonflexe* sur le **o** des pronoms **le (la) nôtre, le (la) vôtre, les nôtres, les vôtres.** Il y a donc une différence de prononciation entre les déterminants possessifs **notre, votre** et les pronoms possessifs **le (la) nôtre, le (la) vôtre.**

Prononcez :	notre [nɔtʀ]	le nôtre [lə notʀ]
	votre [vɔtʀ]	le vôtre [lə votʀ]

APPLICATION IMMÉDIATE

A

A. Donnez le pronom possessif qui remplace les mots suivants. Attention aux contractions avec les prépositions.

1. ta composition ______
2. votre ami ______
3. mon problème ______
4. ses parents ______
5. son courage ______
6. de mon livre ______
7. de mes difficultés ______
8. à mon tour ______
9. celles de mon frère ______
10. celles de ma mère ______

B

B. Complétez les phrases avec les déterminants possessifs et les pronoms possessifs qui conviennent. Attention aux contractions avec les prépositions.

1. Tout le monde a ______ idées ; vous avez ______, j'ai ______ et mes amis ont ______ .
2. Racontez-nous ______ voyage et nous vous raconterons ______ .
3. Il faut que vous alliez à ______ entrainement et il faut que j'aille ______ .
4. Mon frère parle toujours de ______ réussites ; il ne mentionne pas souvent ______ .
5. J'ai parlé à ______ mère. Avez-vous parlé ______ ?

ACCORD

Considérons cette phrase :

Votre sac est bleu, mais **le mien** est jaune. (mon sac)

Le pronom possessif **le mien** s'accorde d'une part *en personne avec le possesseur* (1re personne du singulier) et, d'autre part, *en genre et en nombre avec l'objet possédé* (**sac,** masculin singulier). Le pronom possessif *n'indique pas le genre du possesseur.*

EMPLOI

Le pronom possessif remplace un déterminant possessif + un nom.

J'ai trouvé mon billet, mais pas **le vôtre.** (votre billet)
Vous avez reçu des nouvelles de vos parents, mais je n'en ai pas reçu **des miens.** (de mes parents)

APPLICATION IMMÉDIATE

C. Remplacez les déterminants possessifs et les noms par des pronoms possessifs. Attention aux contractions avec les prépositions. A

1. ma maison ______________________
2. leur livre ______________________
3. ton opinion ______________________
4. de leur jardin ______________________
5. à leurs parents ______________________

D. En groupe de deux ou trois, répondez brièvement aux questions en utilisant un ou plusieurs pronoms possessifs. B

1. À qui appartient ce crayon? ______________________
2. Est-ce ta ceinture? Non, ______________________
3. Est-ce que c'est ton portable? ______________________
4. Est-ce ma faute si c'est arrivé? Non, ______________________
5. À qui est l'auto qui est devant la maison? ______________________

LOCUTIONS : PRONOMS POSSESSIFS	
Y mettre du sien (masc. sing.) = y mettre de la bonne volonté	Pour que nous ayons de bons résultats, il faut que chacun **y mette du sien.** Il faudra **y mettre du vôtre.**
Les siens (masc. plur.) = les parents, la famille, un groupe auquel on appartient	Il parle d'une façon bizarre et **les siens** ne le comprennent pas. (sa famille) Serez-vous **des nôtres** demain soir ? (Serez-vous avec nous demain soir ?)
Faire des siennes (fém. plur.) = faire des bêtises, des mauvaises actions	Julie a été turbulente ; elle a encore fait **des siennes** cet après-midi.
À la vôtre ! À la bonne vôtre ! **À la tienne !** (fém. sing.) = À votre santé ! À ta santé ! Expressions employées quand on porte un « toast » à quelqu'un en levant son verre	**À la vôtre,** chers amis !

APPLICATION IMMÉDIATE

B

E. Complétez les phrases suivantes avec des expressions qui contiennent des pronoms possessifs.

1. Il s'ennuie de sa famille ; il aime vivre au milieu ______________________ .
2. Nous allons gouter ce vin ; ____ !
3. Il n'y a pas d'autre façon d'y arriver ; chacun doit ______________________ .
4. Quand il aura fini de __________ , nous pourrons peut-être partir !

B

F. Faites une phrase avec chacune des expressions suivantes.

1. les siens ____
2. y mettre du sien ____
3. à votre (ta) santé ____
4. faire des siennes ____

EN RÉSUMÉ...

- Les pronoms possessifs sont formés d'un article défini et d'un adjectif possessif.
- Le pronom possessif s'accorde en personne avec le possesseur, puis en genre et en nombre avec l'objet possédé.
- Il remplace un déterminant possessif + un nom.

EXERCICES RÉCAPITULATIFS

A. *Vous avez eu un accident et vous avez été blessé(e). Décrivez les circonstances à un de vos pairs. Employez des possessifs ou des articles.*

Modèle : Je suis tombé et je me suis fait mal à...

B. *À un de vos pairs, décrivez succinctement la maison où vous habitez et les personnes ou choses qui s'y trouvent. Employez beaucoup de possessifs.*

C. *Décrivez une personne intéressante que vous connaissez : aspect physique, habitudes, etc. Employez beaucoup de possessifs. (cinq lignes)*

7

Les pronoms démonstratifs

OBJECTIFS DU CHAPITRE

À la fin de ce chapitre, vous serez en mesure :

- de connaitre la distinction entre les formes simples et composées des pronoms démonstratifs variables et invariables ;
- d'utiliser adéquatement ces pronoms ;
- de comprendre les nuances de sens entre les formes composées du pronom démonstratif (*ici* et *là*).

Le pronom démonstratif sert à reprendre un nom spécifique et à le situer dans l'espace. Il sert à *montrer* la personne, l'animal ou la chose désignés par un nom. Certains prennent le genre et le nombre du nom, d'autres sont invariables.

> Je prépare mon repas et **celui** de Michel. (*pronom variable simple*)
> Prends **celui-ci**, je prends **celui-là.** (*pronoms variables composés*)
> **C'**est ta mère qui sera heureuse de te voir. (*pronom invariable*)

FORMES

LES PRONOMS DÉMONSTRATIFS

	Pronoms variables				Pronoms invariables
	singulier		*pluriel*		neutre
	masculin	*féminin*	*masculin*	*féminin*	
formes simples	**celui**	**celle**	**ceux**	**celles**	**ce (c', ç')**
formes composées	**celui-ci** **celui-là**	**celle-ci** **celle-là**	**ceux-ci** **ceux-là**	**celles-ci** **celles-là**	**ceci** **cela (ça)**

PRONOMS DÉMONSTRATIFS VARIABLES

Formes simples: *celui, celle, ceux, celles*

Ils *s'accordent en genre et en nombre avec le nom qu'ils remplacent*. Ils ne s'emploient généralement *pas seuls*; ils sont suivis de:

- *la préposition* **de** pour marquer la possession;

  Je préfère mon jardin à **celui de** mon voisin. (« my neighbour's »)

- *un pronom relatif:* **qui, que, dont, où, auquel.** (« the one, the ones »)

  Les meilleures notes reviennent à **ceux qui** travaillent le plus.
  J'ai vu **celui auquel** vous vous êtes adressé.

Formes composées avec *-ci* et *-là*

- Pour faire *la distinction entre deux pronoms démonstratifs*, on ajoute **-ci** après un des pronoms et **-là** après l'autre; **-ci** et **-là** sont unis aux pronoms par un trait d'union.

  Je m'occuperai de **ce problème-ci** et vous vous occuperez de **celui-là.** (de ce problème-là)

- **Celui-ci** et **celui-là** sont aussi employés dans une même phrase pour désigner respectivement ce qui est *proche* (ici) et ce qui est *loin* (là), ou ce dont il *sera* question (ici) et ce dont il *a été* question (là).

  Elle aime le jazz et le hip-hop; elle danse sur **celui-ci** (le hip-hop) et elle relaxe sur **celui-là** (le jazz).

- **Celui-ci** et **celle-ci** peuvent servir à préciser *une possession* lorsque le possesseur a été évoqué récemment, à la place d'un déterminant possessif.

  La maison de **celui-ci.**

- Le pronom démonstratif avec **là** a quelquefois un sens *péjoratif* en parlant de personnes (il faut se rappeler que **-là** indique une certaine distance).

    Oh ! **celui-là,** il me fatigue !
    Celle-là, elle m'énerve !

APPLICATION IMMÉDIATE

A

A. Complétez en utilisant un pronom démonstratif simple ou composé.

1. La Porsche et la Ferrari sont des voitures de sport ; __________ est d'origine italienne et __________ d'origine allemande.
2. Apportez-moi les légumes ; oui, __________ au bout de la table.
3. De ces deux théories, préférez-vous __________ ou __________ ?
4. Ce ne sont pas mes affaires, ce sont __________ Pierre.

B

B. Traduisez les mots entre parenthèses pour compléter les phrases suivantes.

1. J'avais le choix entre aller au bar ou au café ; je suis allé à (« the latter ») ________ pour m'y reposer.
2. Je ne veux pas cette feuille ; donnez-moi (« the one which ») ________ est là-bas.
3. J'ai perdu mon stylo ; alors j'ai emprunté (« my brother's ») ________ .
4. Il y avait de nombreuses personnes à la réunion ; j'ai parlé à (« the ones whom ») ________ je connaissais.

PRONOMS DÉMONSTRATIFS INVARIABLES

Forme simple : *ce* (*ça*, *c'* devant *e* et *ç'* devant *a*)

C'est un pronom *neutre.*

- **Ce** est employé comme sujet du verbe **être.** Il peut être suivi :

    ► *d'un nom* (ou *adjectif* + *nom*) ;

    C'est un mur. **C'**est un grand mur.

    Exception :

    Avec un nom de *profession* ou de *nationalité* sans article, on emploie plutôt **il** ou **elle.**

Il est secrétaire.	*mais :* **C'**est un bon secrétaire.
Il est congolais.	*mais :* **C'**est un Congolais.

- ▶ *d'un nom propre ;*

  C'est Mme Morin. C'est Pierre.

- ▶ *d'un pronom* placé directement après le verbe **être** ;

  C'est moi qui ai téléphoné.
  C'est celui-là que je veux.

- ▶ *d'un superlatif.*

  Ce sont les moins chères.
  C'est la plus jolie.

- Certains usages du pronom **ce** (ou **c'**) se retrouvent surtout à l'oral :

  - ▶ pour *reprendre un mot, un groupe de mots ou une proposition* qui précède (voir aussi chapitre 24, p. 336). Notez que le verbe est alors toujours singulier ;

    Ces couchers de soleil, **c'**était splendide !
    Prenez ceci, **c'**est pour vous.
    Ça, **c'**est vraiment dommage.

  - ▶ pour *annoncer un mot, un groupe de mots ou une proposition qui suit.*

    Écoutez. **C'**est beau, cette musique !
    Ce serait bizarre, ça.
    C'est intéressant de visiter des musées.

- On l'emploie aussi comme *antécédent du pronom relatif* : **ce** qui, **ce** que, **ce** dont, **ce** à quoi (voir chapitre 8, p. 112). Il est parfois répété devant le verbe **être** qui suit.

  Ce qu'il veut, **c'**est pouvoir vous parler.
  Prenez **ce** que vous voulez.

PRÉCISIONS

Quand *l'attribut du verbe* **être** (le nom qui suit le verbe **être**) est *pluriel*, on emploie **ce sont**. On emploie aussi **c'est** dans la langue parlée.

Ce sont (à l'écrit, *ou* **C'est** à l'oral) des gens sympathiques.

Avec *un temps composé* du verbe **être** ou les verbes semi-auxiliaires **devoir** et **pouvoir,** on emploie **ce** ; mais **ça** est employé dans la langue populaire, familière ou informelle.

Ce (Ça) doit être intéressant de travailler avec lui.

Quand il y a *un pronom objet devant le verbe* **être,** employez **ça** à la place de **ce.**

Ça m'est égal.

ATTENTION

Çà (notez l'accent grave sur le **a**) est un adverbe de lieu, employé uniquement dans l'expression **çà et là.** Ne le confondez pas avec le pronom **ça**, sans accent. La forme **ç'** s'utilise parfois lorsque le pronom précède un verbe qui commence par la lettre **a**.

> **Ç'**allait mieux depuis une semaine.

Formes composées : *ceci, cela (ça)*

Ce sont des pronoms *neutres,* c'est-à-dire sans distinction entre le masculin et le féminin. Ils sont formés de **ce** + **ci** (« ce qui est ici ») et **ce** + **là** (« ce qui est là »). Ils se rapportent à des idées ou à des faits.

- En principe, **ceci** s'applique à une chose plus proche ou à ce qu'on va dire, alors que **cela** renvoie à une chose plus éloignée ou à ce qu'on vient de dire. La plupart du temps, ils sont employés pour mettre en contraste toute paire *de choses* ou *d'idées.*

> **Ceci** est bien, mais **cela** ne l'est pas (« This... that »). Je refuse le contrat. **Cela** dit, je suis ouvert aux discussions si vous le modifiez. Dites-lui **ceci** : il est toujours facile de donner des conseils.

On emploie plus souvent **cela** ou **ça** pour désigner *une chose* ou *un évènement* qu'on ne veut pas préciser au moment de l'énonciation. **Cela** est plus fréquent à l'écrit, alors que **ça** est plus fréquent à l'oral, mais les deux sont interchangeables.

> Comment **ça** va ?
> **Ça** ne fait rien.
> Les nouvelles, **ça** intéresse tout le monde.
> On m'a donné cent dollars; **cela** ne suffira pas.
> Venez-vous avec nous ce soir ? — **Ça** dépend.

- Le pronom **ça** peut avoir un sens *péjoratif* en parlant d'une personne.

> **Ça** veut faire croire que **ça** sait tout !

APPLICATION IMMÉDIATE

C. Complétez les phrases avec **ce (c', ç')** ou **ça.** **B**

1. D'un océan à l'autre, __________ est la devise du Canada.
2. Si tu avais pu venir, __________ m'aurait fait plaisir.
3. __________ n'a l'air de rien, mais __________ n'est pas si facile à faire.

4. Comment __________ va? __________ va généralement bien, mais __________ dépend des jours.
5. Est-ce que ton projet avance? __________ Oui, __________ marche bien, mais __________ a été dur.

B

D. Complétez les phrases avec **ce, c', ceci, cela, ça.**

1. __________ qui m'étonne, __________ est que je ne puisse pas trouver ce papier.
2. Bon, __________ m'arrange que tu viennes ce soir plutôt que demain.
3. __________ est surtout pour vous qu'il a fait __________ .
4. Mettez __________ dans ma serviette.
5. Expliquez-moi __________ que __________ veut dire.
6. Un rhume, __________ passe en sept jours sans médicaments et en une semaine avec des médicaments.
7. __________ lui fait peur, ce test?

B

E. Soulignez les pronoms démonstratifs qui se trouvent dans ces maximes de La Rochefoucauld et donnez leur genre et leur nombre.

1. Ceux qui s'appliquent trop aux petites choses deviennent ordinairement incapables des grandes.
2. La parfaite valeur est de faire sans témoins ce qu'on serait capable de faire devant tout le monde.
3. La véritable éloquence consiste à dire tout ce qu'il faut et à ne dire que ce qu'il faut.
4. Nous pardonnons souvent à ceux qui nous ennuient, mais nous ne pouvons pardonner à ceux que nous ennuyons.
5. Le plus grand effort de l'amitié n'est pas de montrer nos défauts à un ami, c'est de lui faire voir les siens.

B

F. Complétez les phrases en utilisant un déterminant démonstratif ou un pronom démonstratif, accompagné d'un autre mot si nécessaire.

1. Le temps, __________ est de l'argent.
2. __________ est lui qui m'en a parlé et __________ pourrait être grave.
3. Est- __________ ma faute si personne n'est venu?
4. J'ai imprimé des photos et je t'envoie __________ nous sommes ensemble.
5. Quel couple! __________ dit qu'il voudrait un chat, __________ dit qu'elle voudrait une perruche.
6. Le nouveau jouet de Sacha est brisé; alors elle prend __________ son frère.
7. Le Canada et le Brésil sont deux pays d'Amérique. __________ est en Amérique du Sud et __________ est en Amérique du Nord.
8. Le 24 juin, __________ est la Saint-Jean-Baptiste, la fête « nationale » du Québec.
9. Avec __________ , madame, vous faut-il autre chose?

10. __________ qui est dommage, __________ est que __________ ne vous intéresse pas.
11. Dites-lui __________ : je ne pourrai pas venir avant dix heures demain.
12. Je ne sais pas exactement __________ qu'il faut faire.
13. Je vous présenterai à __________ seront présents.
14. __________ exercices- __________ sont faciles, mais __________ sont très durs.
15. Le pire, __________ est quand on ne peut pas faire __________ on veut.
16. Je vous ai insulté ? — Non, ce n'est pas __________ .
17. __________ n'est pas la peine de s'acharner ; __________ ne marchera pas.
18. __________ lumière au bout du tunnel, __________ celle d'un train qui vient vers nous.
19. __________ après-midi-__________ , il s'était disputé avec son ami.
20. Je voudrais __________ pointe- __________, mais pas __________ .

G. Complétez les phrases suivantes en employant des pronoms démonstratifs.

Modèle : Quand vous ne répondez pas au téléphone,
→ ça me fâche.

1. Ce journal-ci est bon, ______________________________.
2. Venez me voir, ______________________________.
3. Quand vous êtes impatient avec lui, ______________________________.
4. Ce qui est dommage, ______________________________.
5. Si vous me l'aviez dit, ______________________________.

1re partie : Le groupe nominal

C

EN RÉSUMÉ...

- Les pronoms démonstratifs servent à montrer la personne, l'animal ou la chose désignés par un nom. Certains prennent la marque du genre et le nombre? du nom, alors que d'autres sont invariables.
- Parmi les démonstratifs variables, les formes simples sont généralement suivies de la préposition **de** ou d'un pronom relatif, alors que les formes composées sont utilisées pour faire référence à ce qui est proche ou qui suit dans un texte (**-ci**), ou à ce qui est loin ou qui précède dans un texte (**-là**).
- Parmi les démonstratifs invariables, **ce** (**c'** devant **e**) est surtout utilisé devant le verbe **être** ou un pronom relatif, alors que **ça** peut être utilisé devant n'importe quel verbe. **Ceci** et **cela** sont utilisés soit pour mettre en contraste les paires de choses ou d'idées, soit pour renvoyer à une chose ou un évènement qu'on ne veut pas préciser au moment de l'énonciation.

EXERCICES RÉCAPITULATIFS

A. *Rédigez une phrase avec chacune des expressions suivantes.*

1. ceux de ______________________________

____

2. celui qui ______________________________

____

3. ça ______________________________

____

4. ce + *être* + article + *nom* ______________________________

____

5. ce que ______________________________

____

6. ceux-ci… ceux-là ______________________________

____

B. *Vous écrivez une carte postale à un(e) ami(e) en lui indiquant les différentes personnes ou choses qui s'y trouvent et en expliquant les circonstances. « Cet été, je suis allé à… et nous avons vu… » (Écrivez cinq ou six lignes et employez beaucoup de démonstratifs.)*

C. *Vous faites visiter un bâtiment neuf à quelqu'un et vous lui expliquez à quoi servent les différentes salles. (Employez beaucoup de démonstratifs.)*

8

Les pronoms relatifs

OBJECTIFS DU CHAPITRE

À la fin de ce chapitre, vous serez en mesure :

- de comprendre la fonction des pronoms relatifs dans la phrase complexe ;
- de connaitre les différents pronoms relatifs et leur usage respectif.

FONCTION

Un pronom relatif sert à joindre deux phrases simples, appelées propositions (voir chapitre 1, p. 8) pour créer une phrase complexe dans une relation de subordination.

Proposition 1 :	J'ai besoin du livre.
Proposition 2 :	*Ce livre est sur mon bureau.*
Phrase complexe :	J'ai besoin du livre ***qui*** *est sur mon bureau.*

Pour éviter qu'une partie de la proposition 1 soit reprise dans la proposition 2, on remplace cette partie qu'on appelle l'antécédent (*du livre*), par un pronom (*qui*), puis on joint les deux propositions pour former une phrase complexe. Ainsi, le pronom relatif permet d'intégrer une proposition (qui devient subordonnée) après ou à l'intérieur d'une autre proposition (qu'on nomme la principale).

Les pronoms relatifs peuvent remplir plusieurs fonctions syntaxiques. Certains ne portent pas les marques du genre et du nombre (**qui, que, quoi, dont** et **où**), alors que d'autres, comme **lequel**, (**laquelle, lesquels,** etc.), les portent. Cependant, tous les pronoms relatifs prennent le genre et le nombre de leur antécédent, ce qui peut influencer l'accord de certains mots de la relative (verbe, participe passé, adjectif attribut).

Voici les *fleurs* **que** je lui avais donnés, mais **qu**'elle a oubliées sur le comptoir.

Lorsqu'un pronom relatif autre que **lequel** a pour antécédent une proposition ou n'a pas d'antécédent, il doit être précédé du pronom démonstratif **ce**. La fonction syntaxique du pronom relatif demeure toutefois la même.

Donne-moi **ce que** tu veux.
Vous ne l'avez pas appelée, **ce qui** m'étonne beaucoup.
Je ne crois rien de **ce dont** tu parles.
Il a raté son entrevue, **ce à quoi** nous nous attendions.

Il faut éviter de confondre les pronoms relatifs et les pronoms interrogatifs, qui sont souvent identiques, mais dont les fonctions sont complètement différentes.

Pronoms relatifs	Pronoms interrogatifs
Il y a quelqu'un **qui** viendra ce soir.	**Qui** vient ce soir ?
La femme **que** j'aime m'a embrassé !	**Que** veux-tu ?
Voici la maison **où** je suis née.	**Où** êtes-vous ?
C'est le chemin par **lequel** ils passent.	**Lequel** voulez-vous ?

APPLICATION IMMÉDIATE

A

A. Divisez les phrases suivantes en propositions, puis indiquez le pronom relatif et son antécédent.

Modèle : C'est une personne que j'aime beaucoup.
→ C'est une personne / que j'aime beaucoup.
pronom relatif : que
antécédent : une personne

1. L'étudiant qui est absent est malade. __________ __________
2. Je l'ai vu hier, ce qui m'a permis de lui parler longuement. __________ __________
3. Aimez-vous le vêtement que je porte ? __________ __________
4. Voilà une réponse dont elle n'est pas certaine. __________ __________

B

B. Identifiez les pronoms relatifs et leur antécédent dans les phrases suivantes.

1. En tournant le coin, cette femme a reconnu la maison où elle avait été élevée.
2. Les idées sur lesquelles vous basez votre décision ne sont que des superstitions.

3. S'il vient, ce dont je doute, il aura une mauvaise surprise.
4. Apportez votre paiement, sans quoi je ne peux vous laisser partir avec la voiture.

C. Trouvez les propositions relatives contenues dans ce texte et identifiez l'antécédent des pronoms relatifs.

C

Mais, s'il est difficile de fixer l'instant précis, la démarche subtile où l'esprit a parié pour la mort, il est plus aisé de tirer du geste lui-même les conséquences qu'il suppose. Se tuer, dans un sens, et comme au mélodrame, c'est avouer. C'est avouer qu'on est dépassé par la vie ou qu'on ne la comprend pas. N'allons pas trop loin cependant dans ces analogies et revenons aux mots courants. C'est seulement avouer que cela « ne vaut pas la peine ». Vivre, naturellement, n'est jamais facile. On continue à faire les gestes que l'existence commande, pour beaucoup de raisons dont la première est l'habitude. Mourir volontairement suppose qu'on a reconnu, même instinctivement, le caractère dérisoire de cette habitude, l'absence de toute raison profonde de vivre, le caractère insensé de cette agitation quotidienne et l'inutilité de la souffrance.

Le mythe de Sisyphe. Essai sur l'absurde, Albert Camus.

EMPLOIS

Qui

Le pronom relatif **qui** peut être sujet ou complément direct du verbe de la relative. S'il ne prend pas les marques du genre et du nombre, le verbe et l'adjectif attribut de la relative s'accordent avec lui, selon son antécédent.

Comme sujet de la relative, il remplace un nom de personne ou de chose, ou un pronom. On le rencontre parfois sans antécédent dans les maximes, les proverbes et les affirmations générales où il renvoie alors à une personne indéfinie (voir le dernier exemple ci-dessous) ; on l'appelle dans ce cas pronom relatif indéfini.

Parlez à la personne **qui** est assise à côté de vous.
Soyez toujours poli avec la personne **qui** prépare votre repas.
On m'a donné celui **qui** se trouvait sur l'étagère.
Qui dort dine. (proverbe)

PRÉCISIONS

Pour éviter une confusion entre deux antécédents de genres différents, on doit quelquefois employer une forme de **lequel** à la place de **qui**, lorsqu'il est sujet.

Elle était avec son mari et sa fille, **laquelle** semblait s'ennuyer. (sa fille)

Qui peut aussi être complément indirect du verbe de la relative; il est alors introduit par une préposition. Il ne peut normalement remplacer qu'un être. On le retrouve aussi dans la locution **qui que ce soit.**

L'homme **à qui** elle parlait lui semblait étrange. (complément indirect)
La vendeuse **sur qui** elle était tombée ne lui inspirait pas confiance. (complément indirect)

APPLICATION IMMÉDIATE

B

D. Mettez le verbe au temps indiqué et à la bonne personne d'après l'antécédent du pronom relatif **qui**.

1. C'est toi qui __________ ce travail. (faire, *futur*)
2. C'est Jeremy et toi qui __________ cela. (dire, *passé composé*)
3. Ce n'est pas moi qui __________ tort. (avoir, *présent*)
4. C'est toi et moi qui __________ impatients. (être, *imparfait*)

Que

Le pronom relatif **que** est habituellement complément direct et parfois sujet ou attribut du sujet. **Que** devient **qu'** devant une voyelle ou un **h** muet (voir appendice en troisième de couverture). Il peut remplacer un être, une chose ou même parfois un lieu et il prend le genre et le nombre de son antécédent. Le participe passé d'un verbe à un temps composé s'accorde avec **que,** qui précède toujours le verbe (voir chapitre 16, p. 228).

Que est le plus souvent complément direct du verbe de la relative.

C'est le sujet **que** nous présentons.
Je lui ai donné une fleur **qu'**elle a appréciée. (Notez l'accord.)
La maison **qu'**habite mon père tombe en ruine.

Que peut aussi être attribut du sujet de la relative.

Étourdi **que** je suis!

Que est parfois sujet dans les expressions figées.

Advienne **que** pourra!
Coute **que** coute.

APPLICATION IMMÉDIATE

A

E. Identifiez la nature de **que** dans les phrases suivantes (pronom relatif, conjonction, adverbe ou pronom interrogatif).

1. Que c'est donc compliqué ! ______________________
2. Elle s'est aperçue que j'étais là. ______________________
3. Avez-vous vu la feuille que je cherche ? ______________________
4. Que désirez-vous ? ______________________

B

F. Complétez la phrase avec **qui** ou **que (qu').** Avant de répondre, vérifiez si le verbe de la proposition relative a déjà un sujet.

1. Voilà une question __________ intéresse tout le monde.
2. L'exercice __________ il effectue est difficile.
3. Vous avez acheté des boucles d'oreilles __________ vous vont bien.
4. La dictée __________ le professeur vous a donnée est courte.
5. Je connais la personne __________ passe dans cette émission de télévision.

C

G. Écrivez le passé composé du verbe entre parenthèses à la forme correcte.

1. Voulez-vous lire la dissertation que j' __________ (écrire) ?
2. Vous n'avez pas répondu à la question qu'il vous __________ (poser).
3. Je n'ai pas parlé de celles que vous __________ (choisir).
4. Regarde les souliers qu'il __________ (acheter) aujourd'hui.

Dont

Le pronom relatif **dont** peut désigner un être ou une chose. Il sert à remplacer un complément introduit par la préposition **de.** Il peut donc être complément indirect du verbe, complément de l'adjectif ou complément du nom.

Elle vous a parlé **d'**un homme.	→	Voilà l'homme **dont** elle a parlé. (complément indirect)
Ils sont fiers **de** leur fille.	→	Ils ont une fille **dont** ils sont fiers. (complément de l'adjectif)
J'ai deviné la fin **de** ce roman.	→	C'est un roman **dont** j'ai deviné la fin. (complément du nom)

APPLICATION IMMÉDIATE

B

H. Complétez les phrases avec le pronom relatif qui convient.

1. C'est un plat __________ elle avait envie depuis longtemps.
2. Le lac __________ nous avons traversé était calme.

3. Ce monsieur dans le jardin ________ je me trouvais est mon ancien voisin.
4. Présentez-lui à la personne ________ vous m'avez parlé.

B

I. Complétez la phrase en traduisant l'expression entre parenthèses.

Votre manuscrit ________ sera publié. (« whose quality everyone admires »)

PRÉCISIONS

On ne peut utiliser le déterminant possessif renvoyant à l'antécédent de **dont,** car **dont** implique déjà la notion de possession.

Voici la cycliste **dont** la force des jambes impressionne tant de gens. (et non « **dont** la force de ses jambes… »)

Où

Le pronom relatif **où** peut être complément indirect du verbe ou complément prépositionnel. Il remplace une chose. **Où** sert à indiquer un lieu, un moment dans le temps et parfois une situation. On peut habituellement remplacer **où** par **lequel** précédé d'une préposition.

La semaine **où (pendant laquelle)** il était tellement fatigué.
Le banc **où (sur lequel)** je suis assis.
Au moment **où** Véronique sortait, Sabine est arrivée.

Où peut être utilisé à la place de **quand**. Pour représenter un mot, il faut un pronom. Or, **quand** est employé comme conjonction ou adverbe, mais jamais comme pronom relatif. Il ne peut donc pas avoir d'antécédent. En revanche, **où** est employé comme adverbe ou pronom relatif ou interrogatif.

APPLICATION IMMÉDIATE

A

J. Complétez les phrases avec **où, d'où** ou **par où.**

1. C'est le village ________ je viens.
2. Dès l'instant ________ il l'a vu, il a voulu lui parler.
3. Voilà le restaurant ________ nous allons diner.
4. Je me réveille à l'heure ________ tu reviens du travail.
5. Je reconnais la rue ________ nous sommes passés hier.

K. Complétez les phrases avec le pronom relatif approprié.

1. La jeune fille avec __________ j'ai parlé était charmante.
2. La semaine __________ j'ai été malade m'a semblé longue.
3. Il y a quatre personnes entre __________ il faut partager la récompense.
4. Les policiers fouillent l'endroit __________ ils ont trouvé le butin.

Lequel et ses dérivés

Le pronom relatif **lequel** peut être sujet ou complément prépositionnel. Ce pronom complexe est formé de l'article défini **le** + **quel**. Il s'accorde donc en genre et en nombre avec son antécédent. De plus, quand il est utilisé avec les prépositions **à** et **de**, il prend la forme contractée, sauf s'il est féminin singulier.

	Singulier		Pluriel	
	Masculin	*Féminin*	*Masculin*	*Féminin*
lequel	lequel	laquelle	lesquels	lesquelles
de + lequel	duquel	de laquelle	desquels	desquelles
à + lequel	auquel	à laquelle	auxquels	auxquelles

Comme complément indirect du verbe de la relative, **lequel** (et ses dérivés) est toujours précédé d'une préposition, mais s'il s'agit de la préposition **à** ou **de**, la préposition et le pronom se contractent en **auquel** ou **duquel** et leurs dérivés.

C'est une idée à **laquelle** je n'avais jamais pensé.
Les gens pour **lesquels** elle travaille sont très gentils.
C'est l'exemple **auquel** je pensais. (penser à quelque chose)
Il commençait à détester son travail, **duquel** il avait pourtant tiré beaucoup de satisfaction. (tirer de la satisfaction de quelque chose)

Lequel ne prend la fonction de sujet de la relative que dans la langue juridique ou administrative, ou pour remplacer **qui** pour éviter les ambigüités.

Il se promenait avec son chien et son amie, **laquelle** l'attirait énormément.

Quoi

Le pronom relatif **quoi** ne s'applique qu'à des choses et il est presque toujours précédé d'une préposition. Il a habituellement comme antécédent un mot vague **(ce, rien, chose)** ou une proposition complète. Il peut aussi être employé sans antécédent. Il a toujours la fonction de complément prépositionnel.

Les signataires doivent être présents, sans **quoi** l'entente ne peut être légale.
Il m'a fait ses excuses, sans **quoi** il ne rentrait pas.
Nous avons de **quoi** vivre pendant plusieurs jours.
Ce contre **quoi** il proteste ne le concerne même pas.

APPLICATION IMMÉDIATE

A

L. Complétez les phrases avec **ce qui, ce que (qu'), ce dont** ou **ce à quoi.**

1. _____ je comprends, c'est que vous n'avez pas lu ce texte.
2. Il faut que j'aille à l'hôpital, _____ je n'ai pas du tout envie.
3. Il est venu seul à la fête, _____ est triste.
4. Voilà _____ vous devez réfléchir.
5. J'apporterai tout _____ vous voulez.

A

M. Complétez les phrases avec **ce que, ce qui, ce dont** ou **ce à quoi.**

1. _______ j'ai fait hier te surprendra.
2. Il a réussi son examen de français, _______ il est très fier.
3. Vous déciderez _______ vous voulez; _______ je vais faire ne regarde que moi.
4. Je vais vous expliquer _______ est arrivé.
5. Je lui ai demandé son âge, _______ elle n'a pas voulu répondre.

B

N. Complétez avec le pronom relatif qui convient. L'antécédent est un nom de personne ou de chose.

1. J'ai hâte de recevoir la tablette _____ j'ai commandée.
2. Voilà la ligne au-dessus de _____ il faut écrire.
3. Il y avait de nombreux manifestants, parmi _____ se trouvaient quelques casseurs.
4. C'est une visite _____ je ne pensais plus.
5. J'ai reçu une note _____ je suis très heureuse.
6. Vous m'avez envoyé un fichier, mais ce n'est pas celui _____ je voulais.
7. J'ai oublié le nom de l'endroit _____ je dois aller cet après-midi.
8. La tour en face de _____ je me trouve est impressionnante.
9. La raison pour _____ ils se sont disputés n'est pas si simple.
10. L'enseignant _____ vous parlez est ennuyeux comme la mort.

B

O. Reliez les deux phrases par un pronom relatif. Le mot souligné dans la deuxième phrase sera remplacé par le pronom relatif. Il faudra changer ou déplacer certains mots.

Modèle : C'est mon frère./<u>Il</u> vous dit bonjour.
→ C'est mon frère qui vous dit bonjour.

1. Je reçois un magazine./<u>Il</u> est hebdomadaire. ______________________________
____
2. Vous lui avez prêté les 10 dollars./Il <u>en</u> avait besoin. ______________________________
____

3. Vous aimerez ces gens./Nous allons chez eux cet après-midi. ____________
____

4. Il y avait un trait de crayon./Il l'a effacé. ____________
____

5. J'ai pris un abonnement à une revue./Cet abonnement coute cher. (attention à l'ambigüité) ____________
____

P. Remplacez les mots soulignés de la proposition relative par les mots donnés et changez le pronom relatif d'après la construction.

Modèle : Voilà un tableau **qui** est cher.
a. j'ai peint.
b. le cadre est endommagé.
→ Voilà un tableau que j'ai peint.
→ Voilà un tableau dont le cadre est endommagé.

1. Voilà le livre **que** je veux.
   a. j'ai envie. ____________
   b. figure mon personnage préféré. ____________
   c. je suis en train de lire. ____________
   e. je pensais. ____________
   d. me plait. ____________
   f. il a écrit. ____________
2. Je fais un travail **qui** est difficile.
   a. je déteste. ____________
   b. est trop long. ____________
   c. je suis satisfait. ____________
   d. est pour demain. ____________
   e. le professeur a donné hier. ____________
   f. m'intéresse. ____________
3. C'est une recherche **qui** est dangereuse.
   a. j'ai honte. ____________
   b. je ne peux pas expliquer les résultats. ____________
   c. est intéressante. ____________
   d. je suis fier. ____________

1re partie : Le groupe nominal

C

e. je ne referais pas. ____________________

f. les résultats m'étonnent. ____________________

4. C'est l'endroit **que** je préfère.

a. nous fait peur. ____________________

b. je suis né. ____________________

c. vous avez parlé. ____________________

d. je dois aller. ____________________

e. j'aime l'atmosphère. ____________________

f. elle l'a rencontré. ____________________

5. Vous avez fait une erreur **qui** n'est pas grave.

a. me dérange. ____________________

b. je n'avais pas vue. ____________________

c. je n'avais pas fait attention. ____________________

d. je ne m'inquiète pas. ____________________

e. vous vouliez absolument éviter. ____________________

f. lui cause du chagrin. ____________________

EN RÉSUMÉ...

- Les pronoms relatifs servent à joindre deux propositions dans une relation de subordination pour produire une phrase complexe.
- Il existe plusieurs pronoms relatifs qui ont des fonctions syntaxiques distinctes et qui remplacent des éléments spécifiques de la proposition principale.

EXERCICES RÉCAPITULATIFS

A. *Rédigez une phrase avec chacun des pronoms relatifs suivants.*

1. qui (sujet) ____________________
2. que ____________________
3. dont ____________________
4. auxquelles ____________________
5. où ____________________
6. ce à quoi ____________________

7. avec qui ______________________________

8. laquelle (sujet) ______________________________

B. *Complétez les phrases suivantes en employant des propositions relatives.*

1. Avez-vous vu le costume ______________________________?
2. Je vois une personne là-bas ______________________________.
3. Soyez gentils envers ceux ______________________________.
4. Méfiez-vous de ce ______________________________.
5. C'est encore nous ______________________________.
6. ______________________________, c'est que vous ayez pris froid chez moi.
7. Voilà une question difficile ______________________________.
8. ______________________________ vient d'entrer dans la salle.
9. Ce qui m'étonne, ______________________________.
10. J'ai parlé à un de mes amis ______________________________.

C. *Composez une phrase avec chacune des expressions données en utilisant après la préposition un pronom relatif qui s'applique à une personne.*

Modèle : téléphoner (à)
→ La personne à **qui** j'ai téléphoné n'était pas chez elle.

1. aller (chez) ______________________________
2. se disputer (avec) ______________________________
3. parler (à, de) ______________________________
4. dire (à) ______________________________
5. obéir (à) ______________________________

D. *Décrivez l'endroit où vous habitez à un de vos pairs : la rue où se trouve votre maison, ou un lieu spécial de votre ville.*

9

L'adverbe

OBJECTIFS DU CHAPITRE

À la fin de ce chapitre, vous serez en mesure :

- de connaitre les différentes catégories d'adverbes ;
- de maitriser les mécanismes de formation des adverbes en **-ment** ;
- de savoir placer les adverbes.

Les adverbes sont des mots invariables dont la fonction est de *modifier le sens* d'*un verbe*, d'*un adjectif* ou d'*un autre adverbe*.

> Le professeur parle **clairement.** (**clairement** modifie le verbe **parle**)
> Elle est **très** gentille. (**très** modifie l'adjectif **gentille**)
> Il n'est **pas** souvent en retard. (**pas** modifie l'adverbe **souvent**)

Un adverbe peut aussi modifier *une préposition, un pronom, un déterminant ou une proposition.*

> Le mot se place **immédiatement** après le verbe. (préposition)
> Il n'y avait **presque** personne. (pronom)
> Il y a **environ** treize jolies femmes autour de lui. (déterminant numéral)
> Elle m'a dit qu'elle viendrait **demain.** (proposition)

CATÉGORIES

On distingue les adverbes :	
de manière :	**bien, mal, ensemble, constamment, convenablement, aisément**, etc.
de temps :	**aujourd'hui, tard, tôt, longtemps, quelquefois, souvent, toujours**, etc.
de lieu :	**devant, derrière, près, loin, dedans, dehors, ici, là**, etc.
de quantité :	**beaucoup, trop, aussi, assez, tout, très, moins, si**, etc.
d'affirmation et *de doute :*	**oui, si, naturellement, probablement, peut-être**, etc.
de negation :	**non, pas, ne… pas, ne… plus, ne… jamais, ne… guère** (voir chapitre 28)
d'interrogation :	**combien, comment, où, pourquoi, quand** (voir chapitre 29)
des locutions adverbiales :	**en attendant, petit à petit, à la longue, à peu près, à propos, en même temps, quelque part, par hasard, bien sûr, tout de suite, sans doute, à moitié**, etc.

Notre scène est vaste, elle s'étend **de loin en loin** comme un cri qui se répand dans la vibration d'un ailleurs **pourtant si** proche. (*Herménégilde Chiasson*)

PRÉCISIONS

À la place d'un adverbe, on peut aussi employer des expressions comme : **d'un air content, d'un ton méchant, d'une façon bizarre, d'une manière spéciale,** ou **avec joie, avec résolution, sans pitié,** etc., qui remplissent alors la fonction de l'adverbe et qu'on nomme locutions adverbiales.

APPLICATION IMMÉDIATE

B

A. Pour chaque phrase, dites à quelle catégorie (adjectif, verbe, adverbe, etc.) appartient le mot modifié par l'adverbe souligné.

1. On pensait qu'il était malade parce qu'il était tout pâle. ____________
2. Son parfum est toujours si capiteux ! ____________
3. Il raconte toujours des histoires incroyables. ____________

4. Vous n'êtes même pas allés jusqu'en haut ? ____________
5. J'ai trop peu de temps pour y penser. ____________

B. Dites si chacun des mots soulignés est un adverbe, un adjectif, un adjectif employé comme adverbe, une préposition ou une conjonction.

B

1. Allez-y avant moi. J'irai après. ____________
2. Si je le savais si bien, je n'aurais pas besoin de le relire. ____________
3. Elle s'est présentée devant la classe ; elle était fort courageuse. ____________
____
4. Faites-le avant qu'il ne vous le demande. ____________
5. Parlez plus fort. On ne vous entend pas. ____________

FORMATION

1. Les adverbes de manière

- Ils se forment en ajoutant **-ment** au féminin de l'adjectif.

heureux, heureuse	→	**heureusement**
vif, vive	→	**vivement**
naturel, naturelle	→	**naturellement**
facile, facile	→	**facilement**
fou, folle	→	**follement**
premier, première	→	**premièrement**

- Plusieurs adverbes sont formés avec **é** plutôt que **e.**

profond, profonde	→	**profondément**
aveugle, aveugle	→	**aveuglément**
précis, précise	→	**précisément**
énorme, énorme	→	**énormément**

- On ajoute **-ment** au masculin d'un adjectif qui se termine par les voyelles **ai, é, i, u.**

vrai	→	**vraiment**
poli	→	**poliment**
résolu	→	**résolument**
aisé	→	**aisément**
Exception : gai	→	**gaiement**

2e partie : Les invariables et les mots indéfinis

APPLICATION IMMÉDIATE

A

C. Écrivez les adverbes formés avec les adjectifs suivants.

1. rare ______
2. entier ______
3. frais ______
4. réel ______
5. relatif ______
6. poli ______
7. profond ______
8. chaleureux ______
9. léger ______
10. mou ______

A

D. Donnez l'adjectif à partir duquel l'adverbe est formé.

1. suffisamment ______
2. élégamment ______
3. apparemment ______
4. bruyamment ______
5. patiemment ______

B

E. Substituez à l'adverbe de manière une expression équivalente en utilisant le nom ou l'adjectif approprié, et les mots **avec, sans, d'une façon, d'une manière, d'un air** ou **d'un ton.** Notez qu'il existe plusieurs possibilités pour certains adverbes.

Modèle : soigneusement → avec soin

1. brusquement ______
2. chaleureusement ______
3. bizarrement ______
4. aisément ______
5. impitoyablement ______

- La terminaison **-ant** d'un adjectif se change en **-amment** et la terminaison **-ent** en **-emment.** (Les deux terminaisons se prononcent [amã].)

	savant	→	**savamment**
	prudent	→	**prudemment**
Exception :	lent, lente	→	**lentement** (formation régulière)

- Certains adverbes se forment irrégulièrement.

gentil	→	**gentiment**
bref	→	**brièvement**

2. D'autres adverbes sont *vaguement reliés à des adjectifs.*

bon	→	**bien**
meilleur	→	**mieux**
mauvais	→	**mal**
petit	→	**peu**

3. Beaucoup d'autres adverbes ne sont pas formés à partir d'adjectifs.

ainsi	maintenant	tard	loin	d'abord	ensuite

4. Certains adjectifs sont employés adverbialement mais ne nécessitent aucun changement : parler **fort**, chanter **faux**, couter **cher**, etc. (voir chapitre 4, p. 61).

APPLICATION IMMÉDIATE

A

F. Écrivez les adverbes formés avec les adjectifs suivants et prononcez-les.

1. constant ______________________________
2. méchant ______________________________
3. évident ______________________________
4. récent ______________________________

B

G. Écrivez les adverbes de manière qui correspondent aux adjectifs suivants.

1. long ______________________________
2. sot ______________________________
3. patient ______________________________
4. docile ______________________________
5. absolu ______________________________
6. particulier ______________________________
7. faux ______________________________
8. gentil ______________________________
9. sec ______________________________
10. élégant ______________________________
11. naïf ______________________________

12. lent ______________________________
13. extrême ______________________________
14. courageux ______________________________
15. franc ______________________________

PLACE

1. Un adverbe qui modifie *un adjectif* ou *un autre adverbe* se place habituellement *devant ce mot.*

Vous êtes **bien** habillé. (devant un adjectif)
Il va **probablement** mieux. (devant un adverbe)

2. Les adverbes *de temps* et *de lieu* se placent *au commencement* ou *à la fin de la phrase* s'ils portent sur *l'ensemble de l'énoncé,* ou *après le participe passé* s'ils portent *seulement sur le verbe.*

Demain, je pars en vacances!
Je l'ai rencontrée **là-bas.**
Je n'ai pas fait grand-chose **hier.**
Tu t'es levé **tard** ce matin.

3. Un adverbe qui modifie *un verbe conjugué ne se trouve jamais devant* ce verbe:

- S'il modifie un verbe à *un temps simple,* il suit le verbe.

Je la crois **habituellement.**
Parlez-moi **franchement.**
Il mange **peu.**

- S'il modifie un verbe à *un temps composé,* l'adverbe se place *entre l'auxiliaire et le participe passé.* Cependant, les adverbes en **-ment** peuvent se placer *après le participe passé.*

Vous avez **mal** jugé la situation.
J'ai **presque** fini.
On sait que vous avez **déjà** choisi les gagnants.
Il vous a parlé **gentiment.** (*Ou:* Il vous a **gentiment** parlé.)
Elle a agi **généreusement.** (*Ou:* Elle a **généreusement** agi.)

- S'ils modifient *un verbe à l'infinitif,* les adverbes courts se placent habituellement *avant,* alors que ceux qui ont plus d'une syllabe se placent généralement *après.*

Je vous demande de parler **souvent** et aussi de **bien** écouter.

4. On peut placer des adverbes au commencement ou à la fin de la phrase *pour les mettre en relief.*

Très lentement, il a levé sa canne pour montrer quelque chose au loin.

5. Certains adverbes placés au début de la phrase peuvent entrainer l'inversion du pronom sujet et du verbe qui suivent : **peut-être, aussi, à peine, sans doute, encore** (voir chapitre 5, page 76, et tableau page 131).

APPLICATION IMMÉDIATE

A

H. Placez l'adverbe dans la phrase donnée.

1. Il lui a répondu. (abruptement) ____________________
2. Vous avez compris. (bien) ____________________
3. Ils sont venus me voir. (avant-hier) ____________________
4. Tu as mangé. (trop) ____________________
5. Nous avons parlé de vous. (souvent) ____________________

B

I. Placez les adverbes soulignés au début de la phrase et faites les changements nécessaires.

1. Elle va <u>peut-être</u> subir une opération. (deux possibilités)
____
2. Vous voudrez <u>sans doute</u> laver le chandail neuf avant de le porter.
____
3. Tu étais <u>à peine</u> parti qu'il a téléphoné.
____

B

J. Placez correctement l'adverbe (ou les adverbes) dans la phrase.

1. Vous lui avez donné du travail. (aussi) ____________________
____
2. N'oubliez pas de vérifier vos réponses. (bien) ____________________
____
3. Ils ont insisté sur ce point. (toujours) ____________________
____
4. Il parle trois langues. (couramment) ____________________
____
5. Tu es revenue de ton voyage. (hier) ____________________
____
6. Il m'est impossible de le sauver. (malheureusement) ____________________
____
7. La vie était-elle plus facile ? (autrefois) ____________________
____
8. Ils feront un voyage à l'été. (probablement) ____________________
____

9. On vient de sortir. (tout juste) ____________________

____

10. La conférencière a parlé et elle est fatiguée. (beaucoup, très) ____________________

____

Adverbes et locutions adverbiales utiles	
à la longue (« in the long run »)	**À la longue**, on s'en lasse.
à plusieurs reprises = plusieurs fois	Je l'ai vu **à plusieurs reprises**.
Alors introduit une conséquence et traduit « so ».	J'avais nagé tout l'après-midi et j'étais fatigué, **alors** je me suis reposé.
auparavant = avant, d'abord	J'allais lui donner ce présent, mais je voulais vous en parler **auparavant**.
Aussi = « also » • Se place après le verbe qu'il modifie, comme les autres adverbes. • Si **aussi** modifie le sujet, il se place après le sujet. • Exprime ou renforce une idée d'addition, d'association.	J'ai besoin de mon livre et j'ai **aussi** besoin d'un stylo. Pierre **aussi** est grand. (On compare le fait que Pierre soit grand, tout comme d'autres personnes.) Moi **aussi**, j'ai faim.
autrement = d'une autre façon ou sinon (« otherwise »)	Si vous n'y arrivez pas de cette façon, faites-le **autrement** (d'une autre façon). Aidez-moi, **autrement** je ne pourrai pas y arriver (sinon).
beaucoup plus, beaucoup moins + *adjectif* On peut employer **bien plus** ou **bien moins** au lieu de **beaucoup plus** ou **beaucoup moins** devant un adjectif. On emploie **bien** devant **meilleur** (au lieu de **beaucoup plus**).	Tu es **beaucoup plus grande** qu'elle. *Ou:* Tu es **bien plus grande** qu'elle.
bien + *adjectif* = tout à fait, très **être bien** = être à l'aise, être mieux	Tu es **bien** gentille. Mettez-vous là, vous **serez bien.**
comme il faut = bien, convenablement	Allons! Travaillez **comme il faut.**

(Page suivante)

Adverbes et locutions adverbiales utiles (*Suite*)	
Doucement peut signifier **lentement.**	Roulez plus **doucement** !
en même temps = ensemble, à la fois, au même moment, simultanément	Nous sommes arrivés **en même temps.**
en ce moment = maintenant	Pour qui travaillez-vous **en ce moment** ?
fort bien = **très** bien (voir aussi chapitre 4, page 70)	Ils s'entendent **fort** bien.
L'emplacement de **même** (« even ») varie selon qu'il modifie un verbe, un adjectif, un adverbe, un nom ou un pronom.	**Même** malade, elle pense encore aux autres. (adjectif) (*Ou*: Malade **même,** elle pense aux autres.) Il a **même** refusé de lui répondre. (verbe) Il n'est **même** pas allé jusqu'au bout. (adverbe) **Même** sa mère ne le comprend pas. (nom)
par moments (« at times »)	**Par moments,** il est très découragé.
peut-être a quatre positions possibles (voir aussi chapitre 5, page 76) ; quand il commence la phrase, notez l'addition possible de **que**.	**Peut-être** es-tu fatigué. **Peut-être que** tu es fatigué. Tu es **peut-être** fatigué. Tu es fatigué **peut-être.**
plutôt = de préférence **plus tôt** (deux mots) ≠ plus tard	Marie aime les documentaires ; moi, je regarde **plutôt** des dessins animés. Il ne reste plus de dessert ; il fallait arriver **plus tôt.**
seul, en début de phrase devant un nom, a le sens d'un adverbe (il signifie seulement, uniquement) ; cependant, il s'accorde avec le nom qu'il qualifie.	**Seules** vos sœurs sont venues me rendre visite. **Seuls** les chiens s'y attaqueraient. **Seule** une abondance de pluie pourrait aider les fermiers.
si, tant, tellement **Si** s'emploie avec *un adjectif ou un adverbe.* **Tant** s'emploie avec *un verbe.* **Tellement** s'emploie *dans tous les cas.* Cependant, **tellement** ne s'utilise jamais seul comme on peut le faire en anglais.	Je suis **si** content de vous voir. (adjectif) *Ou :* Je suis **tellement** content de vous voir. Vous travaillez **si** bien. (adverbe) *Ou :* Vous travaillez **tellement** bien. Il a **tant** travaillé. (verbe) *Ou :* Il a **tellement** travaillé.

(Page suivante)

Adverbes et locutions adverbiales utiles (*Suite*)	
Sinon, contraire de **si oui,** s'écrit habituellement en un seul mot. Il est généralement suivi d'une virgule.	Avez-vous un emploi ? Si oui, indiquez lequel. **Sinon,** passez à la question suivante.
souvent = fréquemment (« many times »)	Vous êtes **souvent** en retard.
surtout = principalement (traduisez « more importantly » par **surtout** quand c'est un adverbe)	Il faut être naturel avec lui et **surtout** être calme.
Tôt = de bonne heure	Il se lève **tôt** tous les matins.
tout = entièrement, complètement **Tout** est *invariable* si on l'emploie *adverbialement,* excepté devant un adjectif féminin singulier **(toute)** ou pluriel **(toutes)** qui commence par une consonne ou un **h** aspiré, pour des raisons d'euphonie.	Il est **tout** petit. Ils sont **tout** petits. **Toute** captivante qu'elle soit, la musique classique n'est pas populaire auprès des adolescents. *Mais :* **Tout** intéressante qu'elle soit, la musique classique n'est pas populaire auprès des adolescents. Les pensées, les émotions **toutes** nues sont aussi faibles que les hommes **tout** nus. (Valéry)
vite (= rapidement) est un adverbe ; **rapide** est l'adjectif correspondant.	Partez **vite.** Il n'est pas plus **rapide** que moi.
volontiers = avec plaisir, de bon gré	Pouvez-vous m'aider ? — **Volontiers.**

EN RÉSUMÉ...

- L'adverbe a pour fonction d'enrichir le texte en précisant le sens d'un verbe, d'un adjectif ou d'un autre adverbe.
- Bon nombre d'adverbes entrent dans une catégorie spécifique : adverbe de manière, de temps, de lieu, de quantité, d'affirmation, de doute, de négation ou d'interrogation. Cependant, on peut former des adverbes en ajoutant la terminaison **-ment** à certains adjectifs. Cela implique parfois des modifications mineures. Finalement, quelques adjectifs peuvent être pris adverbialement.
- L'adverbe se place généralement près du mot qu'il modifie, mais selon la nature de ces mots, l'adverbe peut se placer avant ou après.

EXERCICES RÉCAPITULATIFS

A. *Faites une phrase en employant l'adverbe* **doucement** *au sens de* **lentement.**

____

B. *Faites une phrase avec les locutions adverbiales ou les adverbes suivants.*

1. par hasard ____

2. pas mal de ____

3. autrement (dans le sens de **sinon**) ______________________________

4. peut-être ____

5. beaucoup plus (+ *adjectif*) ______________________________

6. en même temps ____

7. tout de suite ____

8. beaucoup de ____

C. *Écrivez une phrase pour chaque paire de mots.*

1. mauvais, mal ____

2. rapide, vite ____

3. bon, bien ____

2e partie : Les invariables et les mots indéfinis

D. *Composez une phrase avec chacune des expressions suivantes pour montrer la différence de sens et de construction entre elles.*

1. un peu de (+ *nom singulier*) ______________________________

   ____

2. quelques (+ *nom pluriel*) ______________________________

   ____

3. peu de (+ *nom singulier ou pluriel*) ______________________________

   ____

E. *Faites une phrase en choisissant un des deux adverbes de temps.*

1. autrefois, jadis ______________________________

   ____

2. désormais, dorénavant ______________________________

   ____

10

Les comparatifs et les superlatifs

OBJECTIF DU CHAPITRE

À la fin de ce chapitre, vous serez en mesure :

- de maitriser les structures du comparatif et du superlatif.

COMPARATIFS

Règles générales

Le comparatif est un groupe de mots *formé à partir d'un adverbe de quantité* (**plus, moins, aussi** ou **autant**) *et d'un adjectif, d'un adverbe, d'un nom ou d'un verbe.* L'adverbe de quantité marque alors *une intensité supérieure, égale ou inférieure.*

Adjectif et adverbe

- Les comparatifs de l'adjectif et de l'adverbe se forment de la même façon :

Supériorité :	**plus**	+	*adjectif / adverbe*	+	**que**	+	*complément*
Égalité :	**aussi**	+	*adjectif / adverbe*	+	**que**	+	*complément*
Infériorité :	**moins**	+	*adjectif / adverbe*	+	**que**	+	*complément*

Notez que *l'adjectif s'accorde en nombre et en genre* avec le premier terme de la comparaison, alors que *l'adverbe est invariable.*

Une montagne est **plus** haute **qu'**un arbre.
Ma nièce est **aussi** grande **que** moi.
Ma bicyclette est **moins** lourde **que** ton cartable.
Elle a agi **plus** sagement que son frère.

APPLICATION IMMÉDIATE

A

A. Complétez les comparaisons avec les adjectifs entre parenthèses. N'oubliez pas de faire les accords au besoin.

1. La confiture est ________ les fruits. (sucré)
2. Une tortue est ________ un cheval. (rapide)
3. Une personne de quarante ans est ________ une personne de trente ans. (âgé)

A

B. Faites des comparaisons avec les adjectifs entre parenthèses.

1. En juillet, les jours sont ________ les nuits. (long)
2. Les chats sont habituellement ________ les chiens. (gros)
3. Le climat du Canada est ________ celui de la Thaïlande. (froid)
4. Le Mexique est ________ que le Canada. (peuplé)
5. Une tonne de fer est ________ qu'une tonne de plume. (lourd)

- Quelques adjectifs ont un comparatif de supériorité particulier :

bon	→	**meilleur**
mauvais	→	**plus mauvais** (*ou* **pire**)
petit	→	**plus petit** (*ou* **moindre**)

Les autres comparatifs de ces adjectifs sont réguliers :

infériorité :	**moins bon**	**moins mauvais**	**moins petit**
égalité :	**aussi bon**	**aussi mauvais**	**aussi petit**

- Quelques adverbes ont un comparatif irrégulier :

beaucoup	→	**plus, davantage**
bien	→	**mieux**
mal	→	**plus mal**
peu	→	**moins**

PRÉCISIONS

- **Plus mauvais** et **pire** peuvent parfois s'employer de façon interchangeable, mais on peut presque toujours utiliser **pire**, alors que **plus mauvais** est de moins en moins utilisé. Il faut noter qu'on ne dit jamais « **plus pire** », mais on peut dire **moins pire** et **aussi pire.**

  Sa vue est **pire** (ou parfois **plus mauvaise**) qu'avant.
  La douleur est **moins pire** qu'hier.
  Les difficultés sont **pires** qu'hier.

- **Plus petit** s'emploie dans un sens concret, et **moindre** dans un sens abstrait.

  Elle est **plus petite** que son frère.
  De deux maux, il faut choisir le **moindre.** (proverbe)

- **Davantage** = plus (à ne pas confondre avec **d'avantage**, qui signifie bénéfice)

  Il est aussi intelligent que son frère, et même **davantage.**
  J'aimerais avoir **davantage** d'amis sur Facebook.
  mais: Tu tirerais beaucoup **d'avantages** à consulter un expert.

- **Pis** est employé en littérature et dans certaines expressions: **de mal en pis** et **tant mieux, tant pis. Pis** utilisé seul a le même sens que **pire,** mais se retrouve surtout dans quelques expressions figées.

  Ça va **de mal en pis.** (ça va de plus en plus mal)
  Si tu peux arriver à lui parler, **tant mieux**! Sinon, **tant pis**!

APPLICATION IMMÉDIATE

C. Faites des comparaisons avec les adverbes entre parenthèses. **A**

1. Une personne impatiente se fâche ______ qu'une personne calme. (rapidement)
2. Il pleut ______ en Alberta qu'à Terre-Neuve-et-Labrador. (peu)
3. Le prof vous l'expliquera ______ que moi. (bien)
4. Il faut travailler ______ pour un exercice que pour une composition. (longtemps)
5. On peut rentrer à la maison ______ à seize ans qu'à huit ans. (tard)

D. Complétez les phrases avec **plus, moins, bien, mieux, mal, pire** ou **pis.** **B**

1. ______ vous êtes aimable, ______ les gens apprécient votre compagnie.
2. Sa personnalité est devenue de ______ en ______ énigmatique.
3. Ça va vraiment mal; en fait, ça va de ______ en ______.

4. Il a ________ parlé ; tout le monde l'a applaudi.
5. Faites de votre ________ ; c'est tout ce que l'on vous demande.
6. Vous avez oublié mon livre ! Tant ________ , je me débrouillerai autrement.
7. Le patient va de ________ en ________ ; sa température a baissé.
8. Il vaut ________ que vous partiez tout de suite.
9. De toutes ces voitures, voici celle que j'aime le ________ .
10. Ce n'est pas la peine que je vous l'explique. Vous le savez ________ que moi.

Nom

supériorité :	**plus de**	+	*nom*	+	**que**	+	*complément*
égalité :	**autant de**	+	*nom*	+	**que**	+	*complément*
infériorité :	**moins de**	+	*nom*	+	**que**	+	*complément*

J'ai eu **plus de** chance **que** vous.
Elle a **autant de** travail **que** Régine.
Robert a **moins de** problèmes **que** Marc.

APPLICATION IMMÉDIATE

A

E. Faites des comparaisons avec les noms entre parenthèses en employant les expressions **plus de, moins de, autant de.**

1. On a ________ dans un cours d'éducation physique que dans un cours de biologie. (travail)
2. Il y a ________ à Edmonton qu'à Londres. (soleil)
3. On a ________ le matin qu'à minuit. (énergie)
4. Travailler donne ________ que regarder la télévision. (satisfaction)
5. Le Cambodge compte ________ que la Chine. (habitants)

B

F. a) Complétez les phrases avec le comparatif de supériorité de l'adjectif ou du nom et ajoutez **que** quand c'est nécessaire.

1. J'aime le gout de cette soupe-ci, mais je trouve celle-là ________. (appétissant)
2. Les cèdres de la Colombie-Britannique sont ________ ceux des autres provinces. (haut)

3. Il suit __________ moi cette session. (des cours)
4. Cet enfant est __________ je ne pensais. (drôle)
5. Vous avez une température __________ la normale. (haut – 2 possibilités)

b) Même exercice avec le comparatif d'infériorité.

1. Votre examen final était __________ vos résultats habituels. (bon)
2. La dernière partie de votre composition est __________ . (intéressant)
3. Vous avez __________ lui dans ce projet. (intérêt)
4. Je n'ai pas beaucoup travaillé; j'ai donc __________ vous. (succès)

c) Même exercice avec le comparatif d'égalité.

1. Vos problèmes sont __________ les miens. (compliqué)
2. Cette jeune fille a __________ son frère. (charme)
3. Mathieu aime la __________ Samuel. (planche à roulettes)
4. Je ne suis pas __________ vous. (vulnérable)

Verbe

supériorité :	*verbe*	+	**plus**	+	**que**	+	*complément*
égalité :	*verbe*	+	**autant**	+	**que**	+	*complément*
infériorité :	*verbe*	+	**moins**	+	**que**	+	*complément*

Je textais **plus que** toi.
Je textais **autant que** toi.
Je textais **moins que** toi.

Cependant, si le verbe est à un temps composé, une autre formule est aussi acceptée :

auxiliaire	+	**plus, autant** ou **moins**	+	*verbe*	+	**que**	+	*complément*

J'ai **plus** texté **que** toi.
J'ai **autant** texté **que** toi.
J'ai **moins** texté **que** toi.

Règles particulières

- Quand la comparaison *n'a pas de complément,* on supprime le **que.**

Cette route est **plus** rapide.
Il y **a moins de** soleil maintenant.

- *Après un nombre ou une quantité,* employez **de plus que, de moins que.**

  J'ai vingt dollars **de plus que** vous.
  Je gagne mille dollars **de moins que** lui par an.

- Quand la comparaison implique *une grande différence,* on peut ajouter **bien, beaucoup, tellement, de loin, infiniment.** Notez que **beaucoup** ne s'emploie pas avec **meilleur.**

  Camille est **bien plus** travaillante qu'Anne.
  Vous avez **beaucoup moins d'**ennuis que votre ami.
  Vous êtes **bien meilleur** que lui, **de loin.**
  Elle est **tellement plus** douée que la gagnante !
  Tu as **infiniment plus** de naturel que lui.

- Les *comparatifs* **supérieur, inférieur, antérieur, postérieur, pareil, semblable** et **identique** sont suivis de **à,** alors que **différent** est suivi de **de.**

  Ce travail est infiniment **supérieur à** celui-ci.
  Cette période de l'histoire est **antérieure à** celle-là.

- On doit *répéter le comparatif devant chaque adjectif.*

  Tu es **plus sérieux** et **plus modeste** que Pierre.

- Quand la deuxième partie d'une comparaison d'inégalité (supériorité ou infériorité) est *une proposition,* il faut employer un **ne** explétif, **le** ou **ne le** devant le verbe de cette proposition. Avec la comparaison d'égalité, on emploie seulement **le**. Notez qu'en français oral, **ne** et **le** sont souvent omis.

  Il est **plus** méchant que je **ne le** croyais.
  ou : Il est **plus** méchant que je **ne** croyais.
  ou : Il est **plus** méchant que je **le** croyais.
  mais : Il est **aussi** méchant que je **le** croyais.

- Les comparatifs en corrélation servent à indiquer un rapport proportionnel ou inversement proportionnel.

  Plus vous mangez, **plus** vous grossissez. (« The more… the more »)
  Plus on fait d'exercice, **mieux** on se porte. (« The more… the better »)
  Moins tu mentiras, **plus** tu seras respecté. (« The less… the more »)

APPLICATION IMMÉDIATE

A

G. Complétez les comparaisons suivantes.

1. Si j'ai vingt dollars et que vous en avez vingt-cinq, vous avez cinq dollars ________ moi.
2. S'il pèse cinquante kilos et que vous en pesez soixante-cinq, il pèse quinze kilos ________ vous.

H. Complétez en employant **que, de** ou **à,** ou l'article contracté si nécessaire.

1. C'est le plus beau parc national ________ pays.
2. C'est le moindre ________ mes soucis.
3. Les gens sont plus occupés ________ avant.
4. Ton travail est meilleur ________ le mien.
5. Vos résultats sont-ils supérieurs ________ miens ?

SUPERLATIFS

Règles générales

Le superlatif sert à comparer plus de deux personnes, choses ou groupes en marquant des différences extrêmes.

Adjectif

supériorité :	**le/la/les plus**	+	*adjectif*	+	**de**	+	*complément*
infériorité :	**le/la/les moins**	+	*adjectif*	+	**de**	+	*complément*

Notez que **de le** se contracte en **du.**

Voilà **la plus** grande **de** la classe.
Anne-Sophie est **la plus** belle petite fille **du** monde.
De tous les sujets, c'est **le moins** intéressant.

Pour le superlatif d'adjectif, **le, la** et **les** sont des articles définis qui s'accordent avec le nom modifié par l'adjectif. De plus, quand l'adjectif mis au superlatif est *précédé du déterminant possessif,* il n'y a *pas d'article.* Par ailleurs, on doit répéter le superlatif *devant chaque adjectif.*

J'ai mis **ma plus jolie** robe.
C'est la fleur **la plus** grosse et **la plus** jolie du jardin.

- Le *superlatif absolu* est exprimé avec **très, extrêmement.**

Vous êtes **très** gentil et **extrêmement** indulgent !

- Les *superlatifs de supériorité irréguliers* sont les mêmes que les *comparatifs irréguliers* correspondants mais précédés de *l'article défini.*

bon	→	**le meilleur**
mauvais	→	**le plus mauvais** (*ou* **le pire**)
petit	→	**le plus petit** (*ou* **le moindre**)

Les superlatifs d'infériorité de ces adjectifs sont réguliers comme pour les comparatifs : **le moins bon, le moins mauvais, le moins petit.**

APPLICATION IMMÉDIATE

A

I. Dans chaque cas, faites une phrase contenant un superlatif d'infériorité.

1. un enfant (sage)/la famille ______________________________
____
2. un film (bon)/la saison ______________________________
____
3. des poires (mûr)/le sac ______________________________
____
4. un exercice (fatigant)/l'entrainement ______________________________
____

B

J. Complétez avec une construction superlative en employant l'adjectif ou le nom indiqué.

1. Que vous réussissiez ou non est __________ mes soucis. (petit)
2. Les émissions de sport à la télévision sont __________ toutes pour ce jeune homme pantouflard. (intéressant)
3. Vous êtes la personne __________ groupe, car vous ne vous plaignez jamais. (patient)
4. La Chine est le pays qui a __________. (habitant)

B

K. Dans chaque cas, faites une phrase contenant un superlatif de supériorité.

Modèle : un élève (bon)/la classe
→ C'est **le meilleur** élève **de** la classe.

1. une pièce (grand)/la maison ______________________________
____
2. des maisons (joli)/le quartier ______________________________
____
3. un vêtement (beau)/le magasin ______________________________
____
4. une réunion (ennuyante)/l'année ______________________________
____

B

L. Complétez les phrases avec le superlatif qui convient en employant les mots indiqués.

1. Le gagnant est celui qui court __________. (vite)
2. Le meilleur élève est celui qui a __________ note. (bon)
3. C'est juste avant les examens que les étudiants ont __________. (travail)

Nom

supériorité :	**le plus de**	+	*nom*	+	**de**	+	*complément*
infériorité :	**le moins de**	+	*nom*	+	**de**	+	*complément*

Notez que **le** est invariable dans **le plus de, le moins de.**

C'est lui qui a eu **le plus de** points **de** toute l'équipe.
C'est à la session d'été que j'ai **le moins de** travail **de** l'année.
Il a gagné **le plus de** courses. (sans complément)

PRÉCISIONS

Si le superlatif *porte sur un nom et un adjectif,* il *précède* toujours *l'adjectif* (= adjectif *antéposé*). S'il *porte sur un nom seulement,* il *le suit* (= adjectif *postposé*) ; il y a donc deux articles si l'adjectif est postposé.

C'est **la** plus belle pelouse du parc. (adjectif antéposé)
C'est **l'**étudiant **le** plus intelligent de la classe. (adjectif postposé)

Verbe

supériorité :	*verbe*	+	**le plus**	+	**de**	+	*complément*
infériorité :	*verbe*	+	**le moins**	+	**de**	+	*complément*

Allison est celle qui gagne **le plus de** courses.
Allison est celle qui gagne **le moins de** courses.

Cependant, si le verbe est à un temps composé, une autre formule est aussi acceptée :

supériorité :	*auxiliaire*	+	**le plus**	+	*verbe*	+	**de**	+	*complément*
infériorité :	*auxiliaire*	+	**le moins**	+	*verbe*	+	**de**	+	*complément*

Allison est celle qui a gagné **le plus** de courses.
ou : Allison est celle qui a **le plus** gagné de courses.
Allison est celle qui a gagné **le moins** de courses.
ou : Allison est celle qui a **le moins** gagné de courses.

Adverbe

supériorité :	**le plus**	+	*adverbe*	+	**de**	+	*complément*
infériorité :	**le moins**	+	*adverbe*	+	**de**	+	*complément*

C'est elle qui voyage **le plus** souvent **de** la famille.
Il court le **moins** vite **de** tous.
Le plus souvent (sans complément), je reste seul chez moi.

- Voici quelques adverbes dont le superlatif est irrégulier:

beaucoup	→	**le plus**
bien	→	**le mieux**
mal	→	**le plus mal**
peu	→	**le moins**

PRÉCISIONS

Notez que dans cette situation, **le** est invariable. Par ailleurs, si la comparaison n'implique pas de complément, il ne faut pas maintenir le **de** du complément.

LOCUTIONS UTILES	
D'autant plus... que exprime une proportion (« all the more ») ou une cause (surtout avec **parce que**).	Je suis **d'autant plus** contente que vous soyez venu **que** j'avais besoin de vous parler. Je suis partie **parce que** j'étais fatiguée. **D'autant plus qu'**on prévoyait une tempête. (cause)
De plus en plus (« more and more ») et **de moins en moins** indiquent le progrès en bien ou en mal.	Je suis **de plus en plus** convaincu qu'il fallait le lui dire. Elle entend **de moins en moins** bien.
De mieux en mieux et **de mal en pis** signifient que la situation s'améliore ou s'empire.	Mes études vont **de mieux en mieux** et je crois même recevoir un prix d'excellence. Son état de santé va **de mal en pis.**

(Page suivante)

LOCUTIONS UTILES (*Suite*)	
Encore plus, encore moins, encore mieux (« even more... less... better »).	Quand on lui dit de ne pas mentir, il ment **encore plus.** Vous avez peu de chance et j'en ai **encore moins.**
Faire de son mieux = faire tout son possible	Êtes-vous certain que vous **avez fait de votre mieux**?
Plus... plus, moins... moins, plus... mieux, moins... plus, etc. (« The more... the more »).	**Plus** vous mangerez, **plus** vous grossirez.
Valoir mieux = être préférable	Il **vaudrait mieux** partir maintenant.

EN RÉSUMÉ...

- Le comparatif et le superlatif sont formés d'un adverbe de quantité **(plus, autant, aussi** ou **moins)**, d'un élément de comparaison et d'un complément. L'élément de comparaison peut être un adjectif, un nom, un adverbe ou un verbe et est essentiel à la structure. Cependant, le complément n'est pas obligatoire.
- La structure des comparatifs et des superlatifs varie selon l'élément de comparaison.

EXERCICES RÉCAPITULATIFS

A. *Faites deux phrases contenant chacune une comparaison d'inégalité (une avec un adjectif et l'autre avec un nom) et dont la deuxième partie est une proposition.*

Modèle: Vous êtes moins vieux que je ne le croyais.

____

____

____

____

B. *Comparez deux personnes qui vous semblent très différentes. Employez des adjectifs et des noms dans les comparaisons.*

____

____

____

____

C. *Quelle est l'occupation la plus intéressante à votre avis ? Employez le plus de superlatifs possible.*

____

____

____

____

11

Les prépositions

OBJECTIF DU CHAPITRE

À la fin de ce chapitre, vous serez en mesure :

- de faire bon usage des principales prépositions, notamment les plus courantes : **à, de, pour, par, sans, depuis, avant, après, dans, en.**

La préposition est un mot ou une locution qui sert à établir un rapport de sens spécifique entre les mots ou les parties de phrases. C'est un mot invariable qui sert à marquer le rapport d'un mot avec un autre en formant un groupe syntaxique appelé groupe prépositionnel (voir chapitre 1, Survol de la phrase). Le rapport établi par la préposition peut être entre :

un verbe et un nom	Je travaille **pour** cette compagnie.
un nom et un autre nom	Le livre **de** l'étudiant.
un nom et un verbe à l'infinitif	Une salle **à** manger.
un adjectif et un nom	Le bureau est couvert **de** papiers.
un verbe et un autre verbe à l'infinitif	Vous avez décidé **de** partir.

CATÉGORIES

- La préposition peut exprimer certains rapports entre les parties liées par :

la manière	Elle part **sans** lui.
le temps	Je le connais **depuis** deux ans.
le lieu	Retourne **chez** toi.
le but	La lionne chasse **pour** survivre.
la cause	Nous avons un beau jardin **grâce à** toi.
l'opposition	Nous vous appuyons **malgré** les doutes qui subsistent.

- Il y a des *prépositions courantes* comme :

à	**après**	**avant**	**avec**	**chez**	**contre**
dans	**de**	**depuis**	**derrière**	**dès**	**devant**
durant	**en**	**entre**	**envers**	**excepté**	**jusque**
malgré	**outre**	**par**	**parmi**	**pendant**	**pour**
sans	**selon**	**sous**	**sur**	**vers**	**voici**
voilà	**etc.**				

et des *locutions prépositives :*

à cause de	**à côté de**	**au-dessous de**	**au-dessus de**	**au lieu de**
autour de	**d'après**	**en dépit de**	**en face de**	**grâce à**
hors de	**jusqu'à**	**le long de**	**loin de**	**près de**
quant à	**etc.**			

- Certains *adjectifs, participes passés et participes présents* sont employés comme prépositions (voir chapitre 23, p. 313).

sauf	*adjectif*
y compris, vu	*participes passés*
durant, suivant	*participes présents*

PRÉCISIONS

Les mots comme **après, avant, dessus, dessous** et **depuis** peuvent appartenir à la classe de l'adverbe ou à celle de la préposition. *Sans complément, ce sont des adverbes ; suivis d'un complément, ce sont des prépositions.*

Je vous parlerai **après** la classe. (préposition)
Je vais d'abord parler à Jean et je vous parlerai **après.** (adverbe)

APPLICATION IMMÉDIATE

A

A. Indiquez si le mot en gras est une préposition ou un adverbe.

1. Je suis triste **depuis** ton départ. ______
2. Le portatif est **derrière** vous. ______
3. Il s'est mis **devant** pour partir avant les autres. ______
4. Place-t-on ce mot (a) **avant** le verbe ou (b) **après** ? (a) ______
(b) ______

EMPLOIS

Préposition + verbe

- Après toutes les prépositions, excepté **en,** *le verbe est à l'infinitif* présent ou passé (en anglais, il est le plus souvent au participe présent).

à faire　**de** voir　**pour (afin de)** travailler
sans avoir regardé　**avant de** visiter　**au lieu d'**insister

- La préposition **en** est *toujours suivie du participe présent* (remarquez les deux sons [ã] ; voir gérondif, chapitre 23, p. 307).

en attend**ant**　**en** fais**ant**　**en** se promen**ant**

- Lorsque la préposition **après** est suivi d'un infinitif, c'est toujours un infinitif passé.

après avoir écrit　**après** être parti　**après** s'être installé

- La préposition **pour** peut exprimer :
  - ▶ un but, un dessein (« to, in order to »).

Pour terminer mon histoire, je dois ajouter que...
Il faut manger **pour** vivre et non vivre **pour** manger. (proverbe)

▶ la cause d'une action.

Il a été arrêté **pour** avoir blessé quelqu'un.

- Les prépositions **à** et **de** précèdent un infinitif dans des constructions *verbe* + *verbe*.

chercher **à** courir   tenter **de** s'enfuir

APPLICATION IMMÉDIATE

B

B. Traduisez :

1. « without hesitating » ______
2. « before beginning » ______
3. « after arriving » ______
4. « in order to understand » ______
5. « by persevering » ______ , vous réussirez.

Préposition + nom

Voici les emplois de quelques prépositions :

Préposition à *(se contracte en* au *ou* aux *avec* le *ou* les*)*

- *introduit un nom qui est complément indirect* d'un verbe.

Il va parler **à** son ami.

- indique soit *le lieu où l'on est*, soit *le lieu où l'on va* (destination, direction) :

▶ devant les noms de villes.

Je suis arrivé **à** Québec.

▶ devant les noms de pays, d'États, de provinces ou de régions masculins (ces noms sont accompagnés de l'article défini). Notez qu'on utilise **en** devant les noms de pays et de régions féminins.

au Canada   **aux** États-Unis   **au** Texas   **au** Québec
au Nunavut   **au** Yukon   **au** Manitoba   **en** Alberta
aux Territoires-du-Nord-Ouest   **à** Terre-Neuve-et-Labrador

▶ devant les noms de certaines grandes iles.

à Madagascar   **à** Hawaii
à l'Ile-du-Prince-Édouard   **à** Cuba

- devant les noms d'autres endroits.

à table	**au** cinéma	**à** la bibliothèque
à la campagne	**au** soleil	**à** l'ombre

- indique *le temps*, l'heure précise.

  Arrivez **à** l'heure.
  Arrivez **à** temps pour le commencement du film.
  Je vous verrai **à** deux heures.

On dit aussi :

à demain	**à** ce soir	**au** vingtième siècle
à bientôt	cent kilomètres **à** l'heure	**au** mois de juillet

- indique *une caractéristique* (= avec).

  une fille **aux** cheveux roux.
  un homme **à** la barbe drue.
  l'homme **au** gros bedon.

- indique à quel *usage* un objet est destiné.

une tasse **à** café	des patins **à** glace
une brosse **à** cheveux	une machine **à** laver

- est employée pour indiquer *un moyen de locomotion,* quand *on se place sur* le véhicule ou l'animal en question.

à bicyclette	**à** motocyclette	**à** vélo
à cheval	**à** dos d'éléphant	**à** pied

- indique *la possession* avec les expressions **être à** et **appartenir à** (voir chapitre 3, p. 49).

  Je suis **à** toi dans deux minutes.

- est employée dans des *expressions adverbiales de manière ou de moyen.*

Expressions adverbiales de manière ou de moyen :

tomber goutte **à** goutte	**à** toute vitesse
parler **à** voix basse	marcher **au** pas
(**à** haute voix, **à** l'oreille)	(**au** trot, **au** galop)
être **à** jeun	jouer **au** ballon
Ces tricots sont faits **à** la main	Ma cuisinière fonctionne
(**à** la machine).	**à** l'électricité (**au** gaz).

- est employée pour *un appel, un souhait.*

  À moi ! **Au** secours ! **À** table ! **À** la soupe !
  À vos (tes) souhaits ! (quand on éternue)

2e partie : Les invariables et les mots indéfinis

Préposition de (d', du, des)

- introduit *un nom :*
  - ▶ après certains verbes.

    Il s'est aperçu **de** son erreur. (s'apercevoir de)

  - ▶ quand il est *complément d'un autre nom* (complément déterminatif, voir chapitre 3, p. 39).

    un tremblement **de** terre
    des grincements **de** dents

- indique *le lieu d'où l'on vient* (origine, provenance) :
  - ▶ devant un nom de ville.

    Je viens **de** Natashquan.
    Elle arrive **de** la Colombie-Britannique.

  - ▶ devant un nom de pays, d'État, de province ou de région (au sens de « from »).

    Je repars **des** États-Unis demain.
    Je viens **de** la Saskatchewan.

  - ▶ devant d'autres noms indiquant un lieu, un endroit.

    Ils sortent **de** la classe.
    J'ai sorti mon mouchoir **de** ma poche.
    Chambly est à une trentaine de kilomètres **de** Montréal.

- indique la *possession*, la *dépendance*.

  C'est le livre **de** Zacharie ; celui **de** Charles est là-bas.
  C'est le dernier vers **d'**un poème **d'**Anne Hébert.
  Nous avons acheté une peinture **de** Pierre Lussier.

- est employée dans *des expressions de temps.*

  De nos jours, tout va très vite.
  C'est un travail **de** longue haleine.

- indique *la cause.*

  Je meurs **de** soif.
  Elle s'est évanouie **d'**émotion.

- indique *la manière*, à la place d'un adverbe de manière.

  Vous marchiez **d'**un pas pressé.
  Il m'a parlé **d'**un air sévère et **d'**un ton grave.

- est employée *après* **quelqu'un, personne, quelque chose, rien,** suivis d'un *adjectif alors invariable* (voir chapitre 4, p. 62 et chapitre 28, p. 385).

  C'est quelqu'un **de** très gentil.

- est employée après un superlatif.

  La personne la plus aimable **du** groupe, c'est toi.

- est employée avec *les adverbes et expressions de quantité* et dans la construction du *partitif* (voir chapitre 3, p. 36 et 37).

  beaucoup **de** travail **du** pain **de** la crème
  une tasse **de** café (comparez avec : une tasse **à** café)

APPLICATION IMMÉDIATE

B

C. Ajoutez **à** ou **de,** ou une forme contractée si c'est nécessaire.

1. C'est une vieille machine ________ vapeur qui appartient ________ cet homme.
2. Il vient ________ Londres et se rend ________ Vancouver.
3. Je meurs ________ faim ; je vais aller prendre une tasse ________ café et un sandwich ________ restaurant.
4. ________ la fin du cours, il m'a parlé ________ vive voix.
5. Nous buvons de l'eau filtrée parce que nous avons mal ________ reins.
6. Je travaillerai ________ huit heures ________ midi.

DISTINCTIONS DE SENS

penser à / penser de	
penser à quelqu'un, à quelque chose (« to think of »)	Laurent **pense à** ses vacances. Paul **pense à** Julie.
penser de (avoir une opinion sur)	Que pensez-vous **de** ce film ? Que pensez-vous **d'**aller en ville ?
partir (de), quitter (+ *complément direct*) et s'en aller	
partir = s'en aller. Employez **partir** dans les temps composés.	Je **pars** à trois heures. (Je **m'en vais** à trois heures.)
partir d'un endroit = **quitter** un endroit **Quitter** doit toujours être accompagné d'un complément direct.	Il **est parti** tôt **de** la réunion. Je **pars de** l'école à six heures. Je **quitte** cet emploi sans regrets. Je vous **quitte** maintenant.

(Suite)

manquer, manquer à et manquer de	
manquer une chose (rater, « to miss »)	Je **manque** parfois mon autobus.
manquer = être absent	Trois étudiants **manquent** aujourd'hui.
manquer à (ne pas se conformer)	On **manque à** son devoir, **à** sa parole.
manquer à (pour des sentiments). La construction est différente de la construction anglaise : le complément direct devient le sujet du verbe et le sujet devient le complément indirect.	Je **manque à** mes parents. (« My parents miss me. ») Son chien **lui manque.** (« He misses his dog. »)
manquer de (ne pas avoir en quantité suffisante) : sens général, sans article ; quantité spécifique avec article.	Nous ne **manquons de** rien. Ils **manquent d'**argent. *Mais :* Il **manque de** l'argent dans mon sac.
manquer de + *infinitif* (faillir, être sur le point de, courir le risque de)	J'ai **manqué de** tomber dans l'escalier. (J'ai failli tomber...)

APPLICATION IMMÉDIATE

B

D. Ajoutez la préposition **à** ou **de** si nécessaire.

1. Que pensez-vous __________ mon idée ?
2. Vous ne manquez pas __________ imagination.
3. Je vais penser __________ vous réveiller demain matin, car il ne faut pas que vous manquiez __________ votre train.
4. Descends __________ là ; vous avez déjà manqué __________ vous blesser tout à l'heure.
5. On est toujours triste quand il faut quitter __________ son pays.
6. Il manque __________ son devoir.

B

E. Traduisez les phrases qui suivent.

1. « They miss their children. » __________
2. « You have to leave right now ! » __________
3. « All I can think of is you. » __________

Préposition en

Elle est employée :

- devant les noms de continents, de pays, d'États, de provinces ou de régions féminins. Ces noms *se terminent souvent par* **e.** La préposition indique alors *un lieu.*

en Europe	**en** Asie	**en** Afrique	**en** France
en Italie	**en** Espagne	**en** Thaïlande	**en** Bretagne
en Normandie	**en** Floride	**en** Virginie	**en** Californie
en Gaspésie	**en** Nouvelle-Écosse	**en** Saskatchewan	**en** Alberta
en Colombie-Britannique			

mais :

le Mexique	le Zaïre	le Cambodge
↓	↓	↓
au Mexique	**au** Zaïre	**au** Cambodge

- devant les noms de pays, d'États ou de provinces masculins qui commencent par une voyelle.

en Israël **en** Iran **en** Iowa **en** Ontario

- devant les noms de quelques grandes iles.

en Corse **en** Sardaigne

2e partie : Les invariables et les mots indéfinis

APPLICATION IMMÉDIATE

B

F. Donnez la préposition qui précède chaque nom de lieu.

_____ Amérique	_____ Liban	_____ Gabon
_____ Beauce	_____ Gaspésie	_____ Arizona
_____ Costa Rica	_____ la Nouvelle-Calédonie	_____ Groenland
_____ Cuba	_____ Vietnam	_____ Alaska

- avec *les mois, les années.*

en mars **en** 1968

- avec *un participe présent pour former le gérondif* (voir chapitre 23, p. 307).
- devant un nom sans article défini, *à la place de* **dans** :

en classe **en** prison

- pour indiquer *le moyen de locomotion* quand *on se place dans le véhicule* en question.

en train	**en** voiture	**en** bateau
en hélicoptère	**en** autobus	**en** avion

mais : On envoie une lettre **par** avion.

- pour indiquer *le temps qu'il faut pour accomplir une action.*

J'ai fait ce travail **en** trois jours.

- pour indiquer *la matière dont un objet est fait* (**de** est aussi employé quelquefois).

Son sac est-il **en** cuir ? — Non, il est **en** plastique.
Mon bureau est **en** bois et la chaise est **en** fer forgé.

- pour indiquer *une condition, un état physique ou émotif.*

Je suis **en** colère. L'arbre est **en** fleurs.

- dans de nombreuses *expressions et locutions adverbiales et prépositives.*

en un mot	en ce temps-là	en retour	en même temps
en route	en face de	en train de	

Préposition pour

Elle est employée :

- pour indiquer *la destination.*
  Voilà le train **pour** Toronto.
  C'est un vol **pour** Hong Kong.
- à la place de **pendant, durant,** avec les verbes **partir, (s'en) aller** et **venir** (voir aussi chapitre 15, p. 218).
  Je pars **pour** trois jours.
- au sens de **à la place de, en échange de, en faveur de.**
  Pour toute récompense, on ne m'a donné que ceci.
  Tu me donnes deux dollars **pour** ma barre de chocolat ?
  Je l'avais pris **pour** le directeur.

Préposition dans

- signifie le plus souvent **à l'intérieur de.**
  La lettre est **dans** la boite.
  Il est **dans** la maison.
- Par extension, elle indique la situation d'une personne ou d'une chose.
  Nous sommes **dans** notre jardin.
  Ils vivent **dans** la misère absolue.
  Il s'est perdu **dans** Montréal.
  Dans le doute, abstiens-toi. (proverbe)
  Dans la vie, il faut savoir rire.

- suivie d'une *indication de temps,* signifie **au bout de, après** (dans le futur) et *s'oppose à* **il y a** (dans le passé).

Revenez me voir **dans** cinq jours. (futur)
Il est venu me voir **il y a** cinq jours. (passé)

Préposition par

Elle est employée :

- pour indiquer *le lieu par où l'on passe.*

Le train passe **par** Montréal.
Il l'a jeté **par** la fenêtre.
Je suis passé **par** une période difficile.

- pour indiquer *un moyen.*

Je l'ai trouvé **par** hasard.
C'est **par** lui que j'ai eu cela.

- pour indiquer *une cause, une raison.*

Il l'a fait **par** gentillesse.

- pour indiquer *l'agent d'un verbe au passif* (voir chapitre 30, p. 405 et 406).

Il a été attaqué **par** un voleur.

- dans un sens *distributif.*

Je gagne deux mille dollars **par** mois.
Il boit six verres de jus d'orange **par** jour.

- dans *certaines expressions.*

un **par** un, **par** terre, **par** hasard, **par**-ci, **par**-là, etc.

APPLICATION IMMÉDIATE

G. Complétez les phrases avec une des prépositions **en, pour, dans, par, à, de.**

1. J'irai __________ Belgique et __________ Italie __________ voir des amis.
2. On écrit généralement nos compositions __________ trois heures. Nous en faisons une __________ semaine.
3. J'étais __________ classe ; un étudiant m'a demandé si __________ hasard je savais la date __________ l'examen. Je lui ai répondu qu'il aurait lieu __________ la fin __________ la deuxième semaine __________ décembre.
4. J'ai perdu ma montre __________ or pendant que je voyageais __________ avion. Quand j'étais __________ mon fauteuil, j'ai dû la laisser tomber __________ regardant __________ le hublot.
5. Elle fera un gâteau __________ vous __________ quatre jours, quand ce sera votre anniversaire. Elle a su la date __________ une de vos amies.
6. Je suis __________ colère quand j'entends des gens de cette ville dire qu'il pleut souvent __________ la mienne. __________ tous renseignements, ils n'ont que ceux des brochures.

Observations sur quelques autres prépositions

à cause de

- s'emploie avec *un nom* ou *un pronom* (*avec un verbe,* employez **parce que** ou **car,** qui sont des *conjonctions*).

Nous n'avons pas pu partir **à cause de** la tempête de neige.

Nous n'avons pas pu partir, **car** il y avait une tempête de neige.

avant, devant

- Généralement, **avant** est employé pour le *temps* et **devant** pour le *lieu.*

Je lui parlerai **avant** le cours.
L'étudiant récitera son poème **devant** la classe.

- **Avant de** s'emploie devant un infinitif.

Elle se réchauffe **avant de** courir.

avec ≠ sans

- Quand **avec** et **sans** indiquent *la manière,* il n'y a *pas d'article* après ces prépositions. L'expression équivaut à *un adverbe de manière.*

Vous écrivez **avec** soin. (soigneusement)
Vous le traitez **sans** pitié. (impitoyablement)

chez

- **chez = à la maison de, dans le pays de** (+ *nom de personne ou pronom personnel*).

Je retourne **chez** moi pour les fêtes.
Tu vas **chez** le dentiste à trois heures.
Ça arrive en Europe, mais ça n'arrive pas **chez** nous. (dans notre pays)

- Au sens figuré, **chez** signifie **dans la personne de, dans l'œuvre de, dans la société de**.

C'est une réaction normale **chez** lui.
On retrouve cette formulation **chez** Réjean Ducharme.

jusque

- **Jusque** est suivi *d'une préposition* : **à** (le plus fréquemment), **vers, chez,** etc. ; ou *d'un adverbe* : **là, ici,** etc.

Vous attendez **jusqu'à** la dernière minute pour faire votre travail.
Il est allé **jusqu'à** dire des mensonges.
J'irai **jusqu'au** bout du monde pour vous.
Nous y resterons **jusque vers** dix heures.
Jusque-là, la musique était belle.

sur et au-dessus de

- **Sur** signifie **en haut de** et implique le contact direct (on le traduit souvent par « on »).

Le livre est **sur** la table.

- **Au-dessus de** a le même sens, mais sans l'idée de contact (on le traduit par « above »).

L'avion vole **au-dessus de** la ville.

sous et **au-dessous**

- **sous** (= **plus bas**; peut être en contact; « under »)

La bateau passe **sous** le pont.

- **au-dessous de** (= **plus bas que,** inférieur à; « below »)

Il fait 20 °C **au-dessous** de zéro.

vers et envers

- **Vers** indique *la direction physique* ou *une approximation du temps.*

Je me dirigeai **vers** la porte.
Elle viendra **vers** midi.

- **Envers** signifie **à l'égard de** (pour des sentiments, des attitudes).

Elle est patiente **envers** son petit frère.
Vous avez réalisé votre rêve **envers et contre tous.** (= malgré les obstacles)

APPLICATION IMMÉDIATE

H. Complétez les phrases avec la préposition qui convient.

1. Hier, je suis allée ________ ville et je me suis rendue ________ un ami.
2. Il faut avoir de la compassion ________ les gens qui souffrent.
3. Quand le bateau est tombé ________ panne au milieu de l'océan, il ne leur restait de l'eau que ________ deux jours; ils ont survécu une semaine ________.
4. ________ s'être installé confortablement, il a commencé ________ lire son livre.
5. Je me dirigeais ________ l'épicerie ________ acheter du pain quand je l'ai croisée.
6. Vous y êtes arrivé ________ maintenant vos efforts.
7. Nous sortons ________ un examen de chimie et nous sommes très fatigués.
8. Quand elle a été arrêtée, elle roulait ________ cent kilomètres ________ l'heure.
9. Demain, nous allons partir ________ deux semaines.
10. Cette voiture consomme six litres ________ cent kilomètres, ce qui équivaut ________ près ________ 40 milles ________ gallon.
11. Il l'a regardé ________ un air impatient.
12. J'arrive ________ Victoria, je repars demain ________ Seattle et je vais ________ Vancouver le lendemain; j'ai très hâte de rentrer ________ moi.
13. Le soleil était si chaud qu'il a fallu se mettre ________ l'ombre d'un arbre.

14. Il jette son argent ________ les fenêtres. Bientôt, il manquera ________ argent.
15. Vous préférez travailler ________ jour ou ________ nuit ?
16. Elle se trouve ________ une situation peu enviable.
17. Es-tu passé ________ le chemin le plus court ?
18. La maison a été peinte ________ trois jours.
19. On l'a puni ________ son mensonge.
20. Tu n'as rien ________ autre ________ me dire ?
21. Elle se lève très tôt et elle est très active ________ le lever.
22. ________ mener à bien ce projet, il faudra de la patience.
23. Tous les passagers, ________ deux, ont péri ________ l'accident d'avion.
24. ________ la feuille que vous désirez.
25. Vous vous levez généralement ________ bonne heure.
26. C'est à vous ________ lui pardonner.
27. Découpez l'image ________ les pointillés.
28. Son attitude n'est plus la même ________ son échec.
29. Vous avez agi ________ réfléchir.
30. ________ une grande fatigue, ils ont continué leur chemin.

B

I. Employez **vers** ou **envers.**

1. Comme je me dirigeais ________ la porte, il a compris que je partais.
2. On peut dire que vous êtes loyal ________ vos amis.
3. Ils s'en sont tirés ________ et contre tous.
4. Ce sera fini ________ midi.
5. Il a couru ________ la rive.

B

J. Complétez les phrases avec une des prépositions suivantes : **sur, sous, au-dessus de, au-dessous de.**

1. Il lui a coupé l'herbe ________ le pied.
2. Le chef a l'habitude de se mettre les pieds ________ le bureau.
3. Ses notes sont excellentes. Elles sont bien ________ la moyenne.
4. Il conduisait ________ l'effet de l'alcool.
5. Il faut aller ________ le moteur pour atteindre la couroie brisée.
6. Le chien est en train de dormir ________ la table.

EN RÉSUMÉ...

- Les prépositions sont des mots généralement courts, fréquents et invariables qui établissent des rapports entre les mots. Leur usage varie grandement et est toujours intimement lié au sens.
- Les prépositions les plus courantes expriment la manière, le temps, le lieu, le but, la cause ou l'opposition.

EXERCICES RÉCAPITULATIFS

A. *Composez une phrase avec chacune des expressions suivantes.*

1. penser à ______________________________

____

2. manquer à (*sens d'un sentiment*) ______________________________

____

3. quitter ______________________________

____

4. passer par ______________________________

____

5. être en (+ *lieu*) ______________________________

____

6. s'apercevoir de ______________________________

____

7. arriver à ______________________________

____

8. s'agir de ______________________________

____

9. chez ______________________________

____

10. avant de ______________________________

____

B. *Traduisez les phrases qui suivent.*

1. « Louise arrived in Winnipeg on Monday. »

____

2. « She got on the bus in Minneapolis and got off in Montreal. »

____

3. « We stayed at Michel's place until midnight. »

____

4. « François commuted by bike until five days ago, when the snow became too thick. »

____

5. « In three days, Line built this wooden table and sold it to a rich client. »

____

12

Les conjonctions

OBJECTIFS DU CHAPITRE

À la fin de ce chapitre, vous serez en mesure :

- de comprendre les types de conjonctions et leurs fonctions respectives ;
- de distinguer les conjonctions qui exigent un subjonctif et celles qui exigent un indicatif, et de les utiliser adéquatement ;
- de maitriser l'usage des conjonctions les plus fréquentes.

Les conjonctions joignent les parties de phrases (ou propositions) et les groupes de mots. Certaines, comme **quand** ou **pendant que,** indiquent une relation temporelle ; d'autres, comme **néanmoins,** sont des articulateurs logiques ; d'autres encore servent simplement à joindre des mots, des groupes de mots ou des phrases indépendantes. Les conjonctions constituent un groupe vaste qui apporte au texte des nuances et une richesse qu'on ne peut contourner.

La conjonction est un mot *invariable* qui sert à *joindre deux mots* ou *deux propositions indépendantes* (conjonction de coordination) ou encore *une proposition subordonnée à une principale* (conjonction de subordination).

CATÉGORIES

Conjonctions de coordination

ainsi	alors	après tout	à savoir	aussi
bref	car	cependant	c'est-à-dire	c'est pourquoi
comme	d'ailleurs	de plus	donc	du reste
effectivement	en effet	en outre	en somme	ensuite
et	mais	mais aussi	même	néanmoins
ni… ni	or	ou	ou bien	par exemple
par conséquent	par contre	pourtant	puis	sinon
soit… soit	tantôt… tantôt	toutefois	etc.	

- Elles joignent *des mots de même fonction.*

  Je veux être heureux, **comme** tout le monde.
  Il ne pourra pas venir aujourd'hui, **ni** demain d'ailleurs.

- Elles joignent *des propositions de même nature.*

  Elle est allée au restaurant, **puis** elle est retournée chez elle seule.
  Vous étiez fatigué, **alors** je ne vous ai pas demandé de venir avec nous.

- Les conjonctions de coordination sont des organisateurs logiques. Elles servent de charnières et peuvent ainsi joindre non seulement deux propositions, deux phrases ou deux paragraphes, mais surtout, elles servent à joindre des idées. Leur fonction est résumée dans le tableau qui suit, mais l'emploi des conjonctions est riche et complexe ; seule la lecture de bons textes et la pratique permettent d'en maitriser l'étendue.

LES CONJONCTIONS DE COORDINATION

Cause			
car	en effet		
effectivement			
Restriction			
cependant	du moins		
mais	néanmoins		
or	pourtant		
toutefois			

(Page suivante)

(Suite)

Lien et suite			
alors	aussi	comme	de même que
de plus	enfin	en outre	ensuite
et	mais aussi	ni… ni	puis
Transition			
après tout	bref		
d'ailleurs	en somme		
or			
Choix ou alternance			
ou	ou bien		
ou… ou	soit… soit		
tantôt… tantôt			
Conséquence ou explication			
ainsi	alors		
aussi	c'est pourquoi		
donc	en conséquence		
par conséquent			
Explication			
à savoir	c'est-à-dire		
par exemple	soit		
Opposition			
au contraire	par contre		
sinon			

APPLICATION IMMÉDIATE

B

A. Complétez les phrases par une conjonction de coordination.

1. Vous n'avez pas terminé votre travail, __________ je vous avais dit de le finir.
2. Thomas est habituellement sage, __________ son frère, c'est une autre histoire !
3. Je pense, __________ je suis. (Descartes)
4. Il fait de l'exercice régulièrement ; __________ il est toujours en forme.
5. Elle est venue aussitôt, __________ elle avait hâte de voir ses amis.
6. Voulez- vous un thé __________ un café ? Non merci, je ne bois __________ thé __________ café.

Conjonctions de subordination

Elles établissent *une dépendance* entre les propositions qu'elles unissent. Beaucoup de conjonctions de subordination sont composées avec **que.** Une proposition est une partie de phrase qui s'articule autour d'un verbe. La proposition la plus importante est nommée *proposition principale* et celle ou celles qui en dépendent s'appellent des *propositions subordonnées.* Dans l'exemple ci-dessous, **Venez me voir** est la proposition principale, **avant que les cours finissent** est la proposition subordonnée introduite par la conjonction de subordination **avant que.**

Venez me voir **avant que** <u>les cours finissent</u>.

- Certaines conjonctions de subordination sont *suivies du subjonctif.* Elles indiquent :
  - ▶ le but : **pour que, afin que, de peur que (+ ne), de crainte que (+ ne), de manière que, de façon que, de sorte que**
  - ▶ la restriction : **à moins que (+ ne), sans que**
  - ▶ la condition : **à condition que, à supposer que, pourvu que**
  - ▶ le temps : **avant que (+ ne), jusqu'à ce que, en attendant que**
  - ▶ la concession : **bien que, quoique, malgré que, soit que... soit que**

- D'autres sont *suivies de l'indicatif.* Elles indiquent :
  - ▶ la cause : **comme, parce que, puisque, étant donné que, etc.**
  - ▶ l'opposition : **tandis que, alors que, etc.**
  - ▶ la condition : **si, au cas où, etc.**

- la conséquence : **que, de sorte que, en sorte que, de façon que, de manière que, etc.**
- le temps : **quand, lorsque, aussitôt que, dès que, à peine... que, après que, depuis que, pendant que, etc.**
- la comparaison : **plus que, moins que, autant que, de même que, selon que, suivant que, comme, comme si, etc.**

APPLICATION IMMÉDIATE

A

B. Identifiez les propositions principales et subordonnées dans les phrases suivantes.

1. J'ai des cheveux blancs depuis que je suis marié.
2. Elles ont dû partir avant que vous n'arriviez.
3. Votre sœur est rigide avec vous de sorte vous deveniez plus mature.
4. Samuel est parti aussitôt que le départ a été donné.

B

C. Complétez les phrases avec la conjonction de subordination qui convient.

1. Vérifiez-le avec lui __________ vous ne voulez pas me croire.
2. __________ le soleil brille, il fait assez froid.
3. Il faudra lui parler __________ il apprenne la vérité dans les journaux.
4. Je vous le dis __________ vous voudriez lui en parler.
5. __________ elle est en colère, je la laisse tranquille.

PRÉCISIONS

- Quand deux propositions consécutives commencent par la même conjonction, ne la répétez pas ; employez **que** avec le même mode.

  Quand je suis fatigué et **qu**'il est tard, je vais me coucher.
  Afin que vous puissiez la voir et **que** vous ayez la possibilité de discuter, nous irons chez elle.

- Certaines conjonctions de subordination correspondent à des prépositions, qui sont employées devant un infinitif, un nom ou un pronom.

  Parlez-lui **avant que** je parte. (conjonction)
  Parlez **avant** lui. (préposition)
  Parlez-lui **avant de** décider. (préposition)
  Vous êtes parti **sans que** je vous voie. (conjonction)
  Vous êtes parti **sans** elle. (préposition)
  Vous êtes parti **sans** me le dire. (préposition)

CONJONCTIONS ET PRÉPOSITIONS CORRESPONDANTES

Conjonction (+ *proposition*)		Préposition (+ *infinitif*)	Préposition (+ *nom ou pronom*)
après que	(+ ind.)	après (+ inf. passé)	après
avant que	(+ subj.)	avant de	avant
c'est-à-dire que	(+ ind.)		c'est-à-dire
depuis que	(+ ind.)		depuis
jusqu'à ce que	(+ subj.)	jusqu'à	jusqu'à
malgré que	(+ subj.)		malgré
sans que	(+ subj.)	sans	sans

(Voir autre tableau de conjonctions et prépositions correspondantes, chapitre 24, p. 339.)

- Les conjonctions **parce que** et **car** ont des sens proches, mais **car** ne s'emploie pas au début d'une phrase ni après une autre conjonction de coordination, alors que **parce que** s'emploie dans tous les cas.

  Vous êtes content **parce que (car)** vous avez passé la journée au grand air.
  Parce que tu es gentil, je vais te donner un bonbon.
  Jules m'a raconté ce qui le tracasse, **mais parce que** c'est personnel, ça restera entre nous.

APPLICATION IMMÉDIATE

A

D. Mettez les verbes entre parenthèses au mode et au temps qui conviennent après la conjonction de subordination ou la préposition.

1. Lorsqu'elle __________ (finir) son travail, elle sera contente.
2. Vous avez traversé la rue sans __________ (faire attention).
3. Puisque tu __________ (être) plus petit, tu passes en premier.
4. Comme l'orage __________ (approcher), nous avons rentré le linge.
5. Nous aimerions vous aider, à condition que vous le __________ (vouloir) bien.
6. Vous m'en reparlerez après __________ (discuter) du problème avec eux.
7. Si nous vous le __________ (dire) et que vous le __________ (répéter), ce serait terrible.
8. Depuis qu'elle __________ (être) malade et qu'elle ne __________ (pouvoir) plus sortir, son moral baisse à vue d'œil.
9. Il gagne moins d'argent que vous ne le __________ (penser).
10. Bien que ce __________ (être) faisable et que vous en __________ (être) capable, le projet ne sera jamais accepté par l'administration.

EN RÉSUMÉ...

- Les conjonctions servent à joindre des mots ou des propositions.
- Il en existe deux types: les conjonctions de coordination, qui joignent des mots ou des propositions indépendantes, et les conjonctions de subordination, qui lient la proposition principale et sa subordonnée.
- Certaines conjonctions de subordination exigent que le verbe de la subordonnée soit au subjonctif, d'autres exigent qu'il soit à l'indicatif.

EXERCICES RÉCAPITULATIFS

A. *Faites une phrase avec chacune des conjonctions suivantes.*

a. conjonctions de coordination

1. et ____________________

____

2. alors ____________________

____

3. par contre ____________________

____

4. sinon ____________________

____

5. mais ____________________

____

6. or ____________________

____

b. conjonctions de subordination

1. comme (la cause) ____________________

____

2. de sorte que (+ *indicatif*) ____________________

____

3. dès que ____________________

____

4. si ____

____

5. alors que ____

____

6. pendant que ____

____

B. *Écrivez un texte avec l'organisation logique qui entoure la liste de faits qui suivent en ajoutant les conjonctions nécessaires. Vous pouvez enrichir le texte autour de ces propositions. Faites les accords nécessaires et conjuguez les verbes au mode et au temps appropriés.*

- j'ai perdu mon cellulaire
- mes amis sont sortis sans m'inviter
- j'ai échoué à mon examen de français
- je suis triste
- je me sens délaissé
- j'ai trouvé une solution
- je vais sortir seul
- je vais essayer de m'amuser
- je ne serai pas avec mes amis
- vive la liberté

13

Les mots indéfinis

OBJECTIFS DU CHAPITRE

À la fin de ce chapitre, vous serez en mesure :

- de comprendre l'usage des principaux mots indéfinis et d'en faire l'application ;
- d'établir la distinction entre les mots indéfinis et leurs homonymes qui ont un sens plus défini.

Certains mots veulent tout dire et rien dire à la fois. Le français, comme presque toutes les langues, comporte un bon nombre de ces mots qu'on appelle indéfinis. Le pronom **personne**, par exemple, signifie « nobody, no one ». **Chacun**, pour sa part, veut dire « each one » et **quelqu'un** est rendu par « someone ». Ainsi, ces mots sont importants par les nuances qu'ils peuvent apporter. Nous les présentons ici de façon aussi systématique que possible.

Les mots indéfinis désignent ou représentent les noms d'une manière vague, indéterminée. On distingue *les déterminants, les pronoms* et *les adverbes indéfinis*.

FORMES

LES MOTS INDÉFINIS

Déterminants + noms		Pronoms (variables et invariables)		Adverbes
Singulier	*Pluriel*	*Singulier*	*Pluriel*	
aucun(e)	aucun(e)s	aucun(e)	—	—
autre	autres	autre	autres	—
—	—	autre chose	—	—
—	—	autrui	—	—
certain(e)	certain(e)s	—	certain(e)s	—
chaque	—	chacun(e)	—	—
—	différent(e)s	—	—	—
—	divers(es)	—	—	—
maint(e)	maint(e)s	—	—	—
même	mêmes	le (la) même	les mêmes	—
n'importe quel(le)	n'importe quel(le)s	n'importe lequel (laquelle)	n'importe lesquel(le)s	n'importe où, n'importe quand, n'importe comment
nul(le)	nul(le)s	nul(le)	—	—
—	—	on	—	—
—	—	—	—	où que
—	—	personne	—	—
—	plusieurs	—	plusieurs	—
quel(le) que...	quel(le)s que...	—	—	—
quelconque	quelconques	—	—	—
quelque, quelque… que	quelques, quelques… que	quelqu'un	quelques-uns (unes)	quelque, quelque… que
—	—	quelque chose	—	—
—	—	—	—	quelque part
—	—	qui que ce soit (qui), quoi que ce soit (qui), qui que, quoi que	—	—

(Page suivante)

LES MOTS INDÉFINIS *(Suite)*

Déterminants + noms		Pronoms (variables et invariables)		Adverbes
—	—	quiconque	—	—
—	—	rien	—	—
tel(le)	tel(le)s	tel(le)	—	—
tout, toute	tous, toutes	tout	tous, toutes	—
—	—	un(e), l'un(e)	les un(e)s	—

EMPLOIS

aucun(e)
déterminant et pronom négatifs (voir chapitre 28, p. 384 et 385)

autre(s)
déterminant Il est placé devant le nom.

Julien est resté en classe, mais les **autres** étudiants sont partis.
Voilà un **autre** exemple. Voilà d'**autres** exemples.

pronom Il est précédé d'un article et remplace un nom.

Je n'ai qu'une des feuilles. Vous devez avoir l'**autre**.
Si vous avez besoin d'un crayon supplémentaire, **en** voici un **autre** (« another one »).

Expressions :

- **Nous autres, vous autres** indiquent des groupes distincts :

 Vous autres vous avez eu de la chance. (« All of you ... ; You people ... »)

- **L'un l'autre** indique la réciprocité (voir chapitre 25, p. 345).
- **D'un côté** (« on one hand »), **d'un autre côté** (« on the other hand »)

autre chose **(« something else »)**

À distinguer de **une autre chose** (« another thing »).

pronom Il est invariable et sans article. Il se construit avec **de** + *adjectif* (invariable).

Y a-t-il **autre chose** de nouveau ?
J'ai **autre chose** à vous dire.

autrui **(tous les autres, en opposition à moi)**
pronom Il est invariable. Il est généralement l'objet d'une préposition ou objet direct, mais jamais sujet.

Ne fais pas à **autrui** ce que tu ne voudrais pas qu'on te fît. (proverbe)
Ne touche pas au bien d'**autrui.**

certain(e)(s)

déterminant Il est placé devant le nom ; il n'a pas d'article au pluriel. Il signifie **un, quelque** (au singulier), **quelques** (au pluriel). Il est souvent accompagné de **d'autres** pour contraster deux groupes.

Certains champignons sont toxiques, **d'autres** sont comestibles.

pronom Seulement au pluriel. **Certains** = quelques-uns.

Beaucoup de gens ont cessé de fumer, mais **certains** persistent.

ATTENTION

Placé après le nom, **certain** n'est pas un mot indéfini, mais un adjectif signifiant « sûr » (voir chapitre 4, p. 67).

APPLICATION IMMÉDIATE

B

A. Complétez les phrases avec une forme de **autre, autre chose, autrui** ou une forme de **certain.** Ajoutez le pronom **en** s'il est nécessaire, ou un article.

1. Avez-vous __________ à me dire à ce sujet ?
2. __________ personnes aiment la campagne, __________ préfèrent la ville.
3. Il faut gagner le respect d' __________ .
4. Une cinquantaine de passagers ont pu être sauvés, mais __________ ont péri.
5. Parlons d' __________ . Comme il fait beau aujourd'hui !
6. C'est bizarre ; __________ personne m'a déjà dit ce que vous me dites.
7. Dans __________ cas, il vaut mieux ne pas intervenir et laisser le corps se soigner lui-même.
8. J'ai perdu la clé de ma voiture ; heureusement que j' __________ ai __________ .
9. __________ jour, j'ai visité un musée très intéressant.
10. __________ appuient encore la royauté.

chaque, chacun(e)

déterminant **Chaque** est toujours singulier.

Entre **chaque** cours, il y a une pause de dix minutes.

pronom **Chacun(e)** s'emploie pour une personne ou une chose considérée en elle-même, mais qui appartient à un tout.

Ces lampes coutent cent dollars **chacune.**
Chacun pour soi et Dieu pour tous. (proverbe)

différent(e)s, divers(es) = quelques, certains

déterminants Ils sont employés au pluriel et précèdent le nom, sans article.

J'ai vu **différents** endroits et j'ai rencontré **diverses** personnes.

ATTENTION

Placé après le nom, **différent** n'est pas un déterminant indéfini, mais un adjectif (voir chapitre 4, p. 67).

maint(e)(s)

adjectif C'est un mot vieilli, surtout employé au pluriel et qui signifie un grand nombre indéterminé.

Je l'ai vu **maintes** fois. (beaucoup de)

même(s)

déterminant Placé devant le nom, il exprime l'identité, la ressemblance.

Pierre et moi avons les **mêmes** gouts alimentaires.

adjectif Placé après le nom, il renforce la personne ou l'objet dont on parle, met le nom en relief. Il est alors adjectif indéfini. Il s'accorde en nombre s'il est placé après plusieurs noms coordonnés et porte sur chacun d'eux.

C'est la vérité **même.**
Vous le dites bien vous-**même.** (voir chapitre 4, p. 67 et chapitre 5, p. 93)

pronom Il est précédé de **le, la, les.**

Ce sont toujours les **mêmes.**

ATTENTION

L'adverbe **même** n'est pas un mot indéfini (voir aussi chapitre 9, p. 131).

Elle n'y croyait **même** plus.

---

n'importe quel(le)(s)

n'importe lequel, laquelle, lesquel(le)s

n'importe qui, quoi, où, quand, comment

déterminant **n'importe quel(le)(s)** (« any »)

N'importe quel indique un choix libre entre plusieurs personnes ou plusieurs choses.

Achetez **n'importe quelle** marque.

pronoms **n'importe lequel, laquelle, lesquel(le)**s, **n'importe qui** (pour une personne), **n'importe quoi** (pour une chose)

Ils peuvent être sujets, objets directs ou objets indirects du verbe.

De quel sujet faut-il traiter? — **N'importe lequel.** (N'importe quel sujet.)

N'importe qui est capable de faire cela. (« Anyone »)

Vous dites **n'importe quoi** et ça ne veut rien dire!

adverbes **n'importe où, n'importe quand, n'importe comment**

Déposez-le **n'importe où.**

Venez **n'importe quand.**

Il faut recommencer ce travail parce qu'il est fait **n'importe comment.**

APPLICATION IMMÉDIATE

B

B. Complétez les phrases avec une forme de **chaque, chacun, différents, divers, même, n'importe quel** (ou **n'importe lequel, n'importe qui,** etc.).

1. __________ jour, je médite en me levant.
2. Quelle place faut-il prendre? __________, ça n'a pas d'importance.
3. Ne venez pas tous au __________ moment.

4. En faisant ________, on devient ________ . (Rémi Gaillard)
5. Vous êtes le courage ________ .
6. C'est très facile à préparer; ________ peut le faire.
7. Si vous ________ ne pouvez pas le croire, alors comment le croirai-je?
8. Après le film, ________ resta assis bouche bée.
9. Je suis presque toujours à la maison; vous pouvez venir me voir ________ .
10. Je déteste le travail fait ________ .

C. Complétez les phrases avec **n'importe quel** (**lequel, qui, quoi, où, quand** ou **comment**).

B

1. Venez vite. Habillez-vous ________, c'est-à-dire portez ________ .
2. Apportez ________ disque et amenez ________ . Nous irons ________ et nous ferons ________ .
3. Nous rentrerons ________ et ________ d'entre nous nous ramènera en voiture.

2e partie : Les invariables et les mots indéfinis

nul(le)

déterminant et pronom négatifs — Ils signifient **aucun(e)** (voir chapitre 28, p. 384 et 385).

ATTENTION

Placé après le nom, **nul** n'est pas un mot indéfini, mais un adjectif. Il indique l'absence de valeur.

Le résultat de ce calcul est une valeur **nulle.**

on

pronom — **On** est un pronom personnel indéfini de la 3e personne du singulier. Il est toujours sujet, généralement masculin singulier. Il peut désigner quelqu'un, un groupe de gens, l'humain en général ou même des personnes déterminées; dans ce dernier cas, le participe passé s'accorde avec le nom que **on** remplace. Le pronom **on** est parfois accompagné de **l'** si le mot précédent se termine par une voyelle.

On vient de m'avertir de son décès. (une personne)
Alors, **on** marche dans les fleurs! (un policier à un enfant)
On dit que l'été sera très sec. (des gens)

On a souvent besoin d'un plus petit que soi. (l'humain en général ; maxime de La Fontaine)
Si **l'on** allait se promener cet après-midi ! (nous)
Stéphane et moi, **on** rit tout le temps ensemble.

où que **(« wherever »)**
adverbe indéfini Il est suivi du subjonctif.

Où que vous soyez, soyez heureux.

personne **(« nobody, no one » ou « anybody, anyone »)**
pronom négatif Au sens négatif, il s'emploie avec une particule de négation (**ne, ni, plus, jamais,** etc.)

Personne ne m'aime !
Il **n'**y a **personne** dans la maison.

pronom Dans un sens positif, il se retrouve habituellement dans une formule de comparaison et signifie « qui que ce soit ».

Il sait mieux que **personne** ce qui arrive.

plusieurs **(« several »)**
déterminant Il indique un nombre indéterminé — peu élevé, mais supérieur à deux. Ne mettez pas **de** entre **plusieurs** et le nom qui suit.

J'ai vu **plusieurs** volées d'outardes traverser le ciel.

pronom **Plusieurs** disent qu'il va y avoir une tempête. (Plusieurs personnes)
Avez-vous des fautes dans votre dictée ? — Oui, j'en ai **plusieurs.** (avec **en**)

Plusieurs et **quelques** ont des sens proches. **Plusieurs** donne une impression de quantité plus grande que **quelques,** même si les quantités peuvent être en réalité de proportions variées. Considérez l'exemple suivant :

J'ai écrit **quelques** articles, dont **plusieurs** sont importants.

quel(le)(s) que **(« whoever, whatever, whichever »)**
déterminant Il est suivi du verbe **être** au subjonctif et s'accorde avec le sujet du verbe.

Quelles que soient vos excuses, je dois les accepter.

quelconque
déterminant Il est placé après le nom. Il signifie « n'importe quel ».

Il s'excuse toujours pour une raison **quelconque.** (pour n'importe quelle raison)

ATTENTION

Quand **quelconque** n'est pas un mot indéfini, il est adjectif et signifie **de valeur médiocre, insignifiant.** Il se place toujours après le nom.

C'est un livre **quelconque.**
Elle a vu un film très **quelconque.**

---

quelque(s), quelqu'un

déterminant

Quelque(s) indique un certain nombre (voir **plusieurs,** p. 178). Il peut être précédé d'un article.

Puis-je vous demander **quelques** conseils ?
Corrigez les **quelques** fautes que vous avez faites.
J'y resterai **quelque** temps.

Il signifie aussi **n'importe quel(le),** au singulier seulement.

Il cherche **quelque** occupation.

Dans la construction **quelque(s)** + *nom* + **que...** + *verbe* (*subjonctif*), il signifie « whatever, whichever ».
Quelque(s) s'accorde alors avec le nom qui le suit. Cette construction est équivalente à **quel que** + **être** (subjonctif) (voir ci-dessus).

Quelque talent que vous ayez... (Quel que soit votre talent)
Quelques difficultés que vous rencontriez, vous y arriverez. (Quelles que soient vos difficultés...)

pronom

Quelqu'un s'applique à une personne. Il peut être sujet du verbe, complément direct ou indirect. Il peut se construire avec **de** + *adjectif.* Celui-ci est alors *invariable.* Notez que le **e** de **quelque** s'élide seulement devant **un(e)** pour former le pronom **quelqu'un.**

Quelqu'un est venu pendant votre absence.
J'ai rencontré **quelqu'un** de très drôle dans le train.

Les mots pluriels **quelques-uns, quelques-unes** s'appliquent à des personnes ou à des choses et remplacent **quelques** + *nom.*

J'ai trop d'oranges ; prends-en **quelques-unes.** (quelques oranges)
J'ai parlé à **quelques-uns** de tes amis.

adverbe

Quelque signifie « à peu près, environ ».

Il y a **quelque** cent personnes dans cette salle.

Dans la construction **quelque** + *adjectif ou adverbe* + **que...** + *verbe* (*subjonctif*), il est équivalent à **tout... que, si... que, aussi... que** (« however »). Cette formule est rare.

Quelque gentiment qu'elle parle, je sais qu'elle est sournoise. (adverbe)
Quelque forts qu'ils soient, ils feront face à une compétition féroce. (adjectif)

PRÉCISIONS

Distinguez bien les différences de sens entre les mots suivants:

quelqu'un, personne, peuple, habitant, gens

- **Quelqu'un** (« someone »)

S'il vous plait, trouvez **quelqu'un** pour nous sortir du fossé.

- Le nom **personne** (toujours féminin) désigne un nombre déterminé (trois, cent, un millier de, etc.). Employez ce mot avec **quelques, plusieurs** ou un nombre.
- Le nom **peuple** s'emploie seulement pour l'ensemble des gens qui forment une nation.

un **peuple** autochtone, un **peuple** décimé, le **peuple** américain

- Le nom **habitant** désigne une personne qui réside en un lieu déterminé: une ville, un village, un pays.
- Le nom **gens** (toujours pluriel) s'emploie dans le sens général de « people », et désigne un nombre indéterminé de personnes. (Ne l'employez pas avec **quelques, plusieurs** ou avec un nombre.)

APPLICATION IMMÉDIATE

B

D. Complétez les phrases avec la forme correcte d'un des mots suivants: **peuple, habitant, gens, personne, quelqu'un.**

1. L'Airbus A380 peut transporter 555 __________ .
2. __________ m'a dit que vous aviez été malade.
3. En démocratie, les élections expriment la volonté du __________ .
4. Il y a des __________ qui n'auraient jamais été amoureux s'ils n'avaient jamais entendu parler de l'amour. (La Rochefoucauld)
5. J'apprécie les __________ qui sont directs.

quelque chose

pronom Il est invariable. C'est l'équivalent de quelqu'un, mais pour une chose. Il se construit avec **de + adjectif invariable** (voir chapitre 4, p. 62).

J'ai trouvé **quelque chose** de très intéressant.

quelque part **(« somewhere »)**

adverbe Il signifie un endroit indéfini.

J'ai entendu votre nom **quelque part**, mais je ne sais plus où.

APPLICATION IMMÉDIATE

B

E. Complétez les phrases avec **on, plusieurs, quelconque, quelque, quelqu'un, quelque chose** ou **quelque part**. Ajoutez le pronom **en** s'il est nécessaire.

1. __________ frappe à la porte.
2. Quand __________ veut, __________ peut. (proverbe)
3. Il y a __________ qui cloche dans votre histoire. Pourriez-vous nous donner __________ détails supplémentaires ?
4. Il peut vous prêter une gomme à effacer, car il __________ a __________ .
5. Je connais cette dame ; je sais que je l'ai déjà vue __________ .
6. Nous avons visité __________ villages en chemin.
7. Choisissez au hasard une revue __________ et partez tout de suite.
8. Nous avons beaucoup de poires ; __________ voulez-vous __________ ?

qui que ce soit **qui que ce soit qui**
quoi que ce soit **quoi que ce soit qui**
qui que
quoi que

pronoms **Qui que ce soit** (« anyone at all, whoever it may be ») et **quoi que ce soit** (« anything at all, whatever it may be ») ont à peu près le même sens que **n'importe qui** et **n'importe quoi,** mais sont plus emphatiques.

Vous pouvez le demander à **qui que ce soit.**
Si vous lui dites **quoi que ce soit**, elle le répète immédiatement.
Ne répondez à **qui que ce soit** le soir. (Ne répondez à personne…)
N'acceptez **quoi que ce soit** d'un étranger. (N'acceptez rien…)

Qui que ce soit qui, pronom indéfini sujet pour une personne (« anyone, whatever, whoever »), et **quoi que ce soit qui** pour une chose (« anything, whatever ») sont suivis du subjonctif.

> **Qui que ce soit qui** parle dans votre cours, je l'écouterai attentivement.
> Achète **quoi que ce soit qui** te fasse plaisir.

Qui que, pronom complément pour une personne (« whoever »), et **quoi que,** pronom complément pour une chose (« whatever, no matter what »), sont également suivis du subjonctif.

> **Qui que** vous soyez, je n'ai pas peur de vous.
> **Quoi que** vous décidiez, les cartes sont déjà jouées.

APPLICATION IMMÉDIATE

B

F. Traduisez les mots entre guillemets pour compléter les phrases.

1. __________ cela soit, je n'y comprends rien. (« However clear »)
2. __________ vous soyez, faites attention. (« Wherever »)
3. __________ frappe à la porte le soir, n'ouvrez pas. (« Whoever »)
4. __________ il dise, elle ne l'écoute pas. (« No matter what »)
5. __________ soit la situation, nous irons là-bas. (« Whatever »)

quiconque
pronom relatif

Il est invariable et signifie **celui qui, toute personne qui.** Il unit deux propositions et a une double function : **quiconque** est le sujet du verbe de la proposition relative qu'il introduit (verbe à l'indicatif), et il est le sujet ou le complément du verbe de la proposition principale.

> **Quiconque** mentira sera puni. (sujet de **mentira** et de **sera**)
> Il parlera à **quiconque** voudra écouter. (complément indirect de **parlera** et sujet de **voudra**)
> Demandez à **quiconque** vous connait. (complément indirect de **demandez** et sujet de **connait**)

APPLICATION IMMÉDIATE

B

G. Complétez avec le mot relatif indéfini qui convient :

quel (quelle) que ou **quelque(s)... que**
qui (quoi) que ce soit

qui que ce soit qui	ou	**quoi que ce soit qui**
qui que ou **quoi que**	ou	**où que**

1. ________ soient leurs secrets, ils ne devraient pas les divulguer.
2. Surtout ne dites rien à ________ se trouve là.
3. ________ opinions ________ vous ayez, elles seront acceptées.
4. ________ vous alliez, pensez à moi.
5. ________ vous en pensiez, la situation n'est pas très grave.
6. Vous devez voter, ________ votre allégeance politique.
7. ________ vous désiriez rencontrer, je vous le présenterai.
8. Ne lui dites ________ parce qu'elle le répètera.

---

rien
pronom négatif (voir chapitre 28, p. 385)

tel(le) **(« such (a) »), tel(le) que (« such as, like »)**

déterminant Il renvoie à une personne ou à une chose qu'on ne veut pas ou ne peut pas désigner avec précision.

Il parle toujours de **telle** et **telle** personne qu'il connait.

adjectif Il est indéfini quand il indique l'indétermination.

Les choses, **telles qu'**elles sont, deviennent insoutenables.

pronom Il s'emploie au singulier. Il signifie : **un certain, quelqu'un, celui qui.**

Tel est pris qui croyait prendre. (proverbe)

Un tel s'emploie à la place d'un nom propre quand on ne veut pas ou ne peut pas nommer une personne.

Monsieur **Un Tel**, Madame **Une Telle**.

tout (toute, tous, toutes)

déterminant défini **Tout** et **toute** sont déterminants définis lorsqu'ils signifient « entier, complet », « unique » ou « au plus haut point ». Ils sont alors toujours singuliers.

Tu as étudié **toute** la fin de semaine ?
Pour **tout** sommeil, elle a dormi deux heures.
Cette fleur est de **toute** beauté.

déterminant indéfini Les déterminants indéfinis **tout, toute, tous** et **toutes** ont le sens de « chaque », « sans exception », « n'importe quel » ou « n'importe quoi ».

Voici **toutes** les clés que nous avons trouvées.

Mon épouse est partie avec **tous** les meubles.

Tout ceci est bien intéressant.
Toute chose étant par ailleurs égale, celle-ci est meilleure.

pronom **Tous, toutes** sont pronoms indéfinis lorsqu'ils remplacent un ensemble de personnes ou de choses. Ils sont alors pluriels et prennent le genre de ce qu'ils remplacent.

Tous et toutes étaient motivés.

Tout, masculin singulier, est un pronom neutre et signifie « toutes les choses ».

C'est **tout** ou rien. Il a **tout** acheté. Cet enfant mange de **tout.**

nom **Tout** et **touts** sont des noms qui signifient un ou des ensembles indivisibles.

Brassez jusqu'à ce que la pâte forme un **tout** homogène.
Ces groupes sont des **touts** distincts.

ATTENTION

Tout peut aussi être *adverbe* dans le sens de « complètement, entièrement », ou *nom* dans le sens de « totalité » ; **tout** n'est alors pas un mot indéfini. (Voir chapitre 9, p. 132.)

Elle **tout** émue. (adverbe)
Je risque le **tout** pour le **tout.** (nom)

APPLICATION IMMÉDIATE

B

H. Complétez avec une forme de **tout**: adjectif, pronom ou adverbe. (Revoir chapitre 9, p. 132.)

1. Parlez-lui __________ doucement.
2. __________ mes amis sont pacifistes.
3. Mes photos sont __________ ratées.
4. __________ cette région est française.
5. J'ai été __________ étonnée quand j'ai appris cela.
6. Quand vas-tu faire tes devoirs ? — Mais, je les ai __________ faits.
7. __________ en marchant, il réfléchit à son problème.
8. Connaissez-vous __________ le texte par cœur ?
9. Nous voyageons __________ les étés.
10. Vous devez __________ vérifier.
11. Il y a une composition à écrire ; je les veux __________ pour demain, a dit le professeur.
12. Je n'ai pas compris __________ ce qu'elle a dit.

I. Lisez les phrases suivantes à haute voix. Attention à la prononciation du pronom **tous.**

B

1. Tous [tu] les chemins mènent à Rome.
2. Tous [tus] m'ont dit cela et ils me l'ont même tous répété.
3. Tous [tu] vos livres sont dans votre chambre.
4. Les prisonniers ont tous [tus] été libérés.
5. C'est entendu ; cet après-midi nous irons en ville, tous [tus] ensemble.

---

un(e)

pronom

Il remplace **un(e)** + *nom.*

As-tu fait des fautes dans ta dictée ? — Non, pas **une** (seule). (Voir aussi chapitre 5, p. 84.)

On peut employer **l'un** quand il est suivi de **de** + *nom ou pronom.*

L'un de nous doit se sacrifier.

Il s'emploie souvent avec **autre** : **l'un et l'autre, l'un... l'autre ; l'un ou l'autre, ni l'un ni l'autre ;** etc.

Les **uns** sont satisfaits, les **autres** ne le sont pas.

Il peut s'employer avec un adjectif.

J'ai des roses. En voilà **une** belle pour vous. (« a beautiful one »)

APPLICATION IMMÉDIATE

J. Complétez avec **qui/quoi que ce soit (qui), quiconque, tel, un, nul** (nos 1 à 5) ou une forme de **tout** (nos 6 à 10).

B

1. Personne ne doit dire __________ à __________ .
2. À l'impossible __________ n'est tenu. (proverbe)
3. __________ vit par l'épée périra par l'épée. (la Bible)
4. C'est ainsi que je le veux ; __________ est ma volonté.
5. __________ des professeurs du département est malade.
6. __________ les étudiants sont présents aujourd'hui.
7. Nous sommes __________ très heureux de vous recevoir.
8. __________ travail mérite salaire. (proverbe)
9. J'ai __________ compris de ce film.
10. Nous y allons __________ les deux semaines.

B

K. Complétez les phrases avec le mot indéfini qui convient. Consultez le tableau aux p. 172 et 173.

1. ________ les jours, à la ________ heure, il fait une petite promenade.
2. Depuis ________ années, ils ne vont plus à la montagne.
3. Le soleil vient de se coucher, et on voit déjà ________ étoiles.
4. ________ serpents sont venimeux, ________ ne le sont pas.
5. Ne vous inquiétez pas ; vous ne m'avez fait ________ mal.
6. Les deux coureurs ont atteint le fil d'arrivée en ________ temps.
7. À ________ fin d'hiver, la marmotte prédit la météo du printemps.
8. Je ne sais pas du tout ce que je pourrai faire ; alors ne promettez rien à ________ .
9. Votre chien n'a pas arrêté d'aboyer pendant ________ la matinée.
10. ________ de nous a ses opinions.
11. La couleur m'importe peu, alors donne-moi ________ .
12. ________ stationnera sa voiture ici aura une contravention.
13. Vous lui avez ________ dit, même le prix de notre hôtel ?
14. Il faut donner un prétexte.________ ; mais il faut en donner un.
15. ________ qu'entendu, je vous envoie mon curriculum vitæ.
16. Ils étaient ________ très contents d'avoir réussi. C'était si important pour eux !
17. Vous faites les ________ fautes pour les ________ raisons.
18. Il devrait être ________ dans la bibliothèque.
19. J'ai fini mon travail ; je ne veux pas commencer ________ avant de partir.
20. ________ ne me comprend.
21. Mettez ça ________ ; le principal est de pouvoir le retrouver aisément.
22. J'aimerais aller au restaurant. En as-tu ________ à me suggérer ?
23. ________ s'est trompé de route, alors il a fallu revenir sur nos pas.
24. ________ est bien qui finit bien. (proverbe)

B

L. Remplacez les mots soulignés par les pronoms indéfinis qui conviennent et faites les changements nécessaires. N'oubliez pas d'ajouter **en** avec le pronom objet.

1. Plusieurs pages restent à taper.

   ____

2. Les gens partent pour la mer.

   ____

3. Chaque invité était satisfait.

   ____

4. N'importe quelle place conviendra.

   ____

5. Chaque homme a ses gouts.

   ____

6. Il y a <u>d'autres photos</u> ici.

____

7. Il ne faut oublier <u>aucune correction</u>.

____

8. <u>Aucune personne</u> n'est admise sans casque dans ce chantier. (deux réponses possibles)

____

M. Répondez aux questions suivantes en employant des mots indéfinis. Consultez le tableau aux p. 172 et 173 pour vous aider.

B

Modèle : Faut-il que j'achète un vin spécial pour ce soir ?
→ Non, **n'importe lequel** conviendra.

1. Recevez-vous le journal le dimanche ?

____

2. Où faut-il que je mette ton sac ?

____

3. Est-ce que ces images te semblent différentes ?

____

4. Êtes-vous libre pour sortir ce soir ?

____

5. Qui est à la porte ?

____

6. Quand êtes-vous heureux (heureuse) ?

____

7. Est-ce que les étudiants sont allés à la danse ?

____

8. Qu'est-ce que vous regardez ?

____

9. Est-ce que les insectes sont utiles ou nuisibles ?

____

10. Avez-vous vu le spectacle ? Avez-vous aimé la musique, les danses, les chansons ?

____

EN RÉSUMÉ...

- Les mots indéfinis se classent en trois catégories : les déterminants, les pronoms et les adverbes.
- Ils ont des sens spécifiques, mais ont habituellement des référents vagues. Il faut donc bien les comprendre pour les utiliser à bon escient.

EXERCICES RÉCAPITULATIFS

A. *Faites une phrase avec chacun des mots suivants.*

1. une personne
____
2. des gens
____
3. un peuple
____
4. n'importe lequel
____
5. autre chose
____
6. plusieurs
____
7. quiconque
____
8. quelconque
____
9. tel
____
10. certains... d'autres
____

B. *Décrivez en quelques lignes la routine de la vie de famille : repas, indépendance des différents membres de la famille, travail, distractions, etc. Employez beaucoup de mots indéfinis : on, chacun, plusieurs, quelques, tout, etc.*

C. *Expliquez en quelques lignes comment se pratique votre sport préféré. Employez beaucoup de mots indéfinis et de verbes impersonnels.*

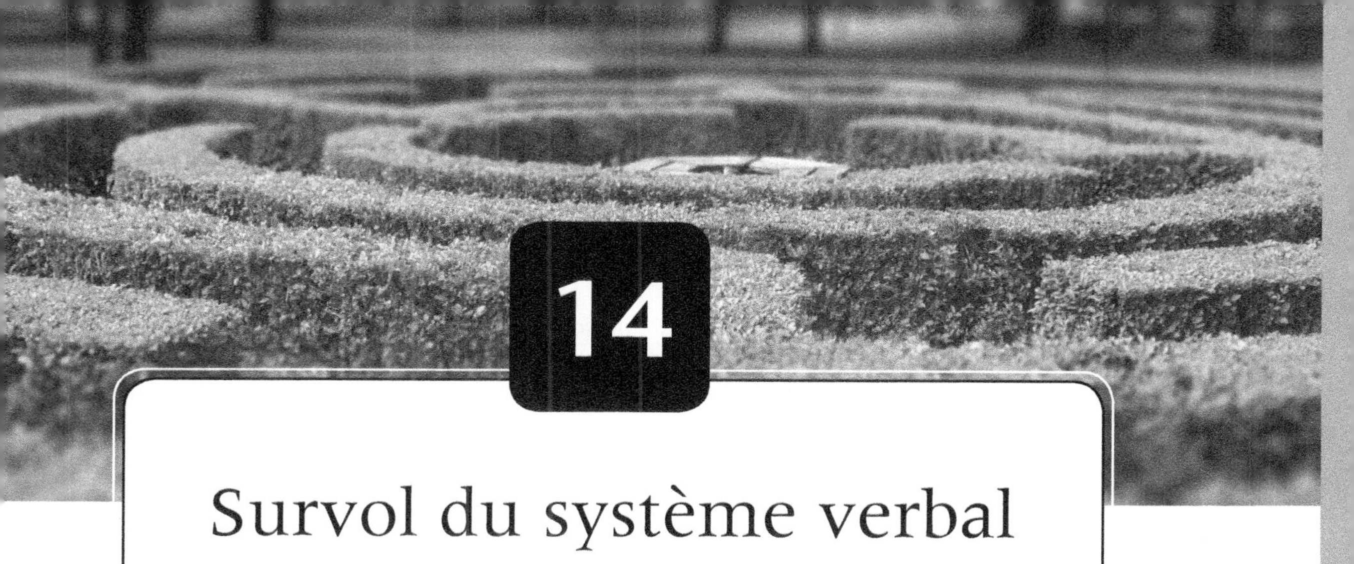

14

Survol du système verbal

OBJECTIFS DU CHAPITRE

À la fin de ce chapitre, vous serez en mesure :

- de comprendre ce qu'est un verbe ;
- de connaitre les différents types et les différentes catégories de verbes et d'auxiliaires ;
- d'identifier les modes et les temps verbaux ;
- de savoir comment conjuguer les verbes, sans pour autant maitriser toutes les conjugaisons qui seront étudiées dans les chapitres suivants.

Le verbe est central en français, car c'est autour de lui que se structure la phrase. Certains, comme **buter**, **choisir**, **enseigner**, etc., dénotent des actions alors que d'autres, tel **être** ou **se mettre**, renvoient à des états ou n'ont simplement qu'un sens accessoire. Le présent chapitre offre un survol du système verbal avant d'en étudier les aspects spécifiques dans les chapitres qui suivent.

DÉFINITIONS

Le verbe a été défini de diverses façons. Nous pouvons regrouper ces définitions sous deux catégories :

Définition traditionnelle (fondée sur le sens)

« Le verbe est un mot qui exprime, soit l'action faite ou subie par le sujet, soit l'existence ou l'état du sujet, soit l'union de l'attribut au sujet... » (Maurice Grevisse, 1980)

Définition moderne (fondée sur la forme)
« Le verbe est un mot qui se conjugue, c'est-à-dire qui varie en mode, en temps, en voix, en personne et en nombre. (Au participe, il varie parfois en genre.) » (André Goosse, 2001)

La définition moderne est plus juste, puisque plusieurs autres mots (notamment certains noms et certains adjectifs) expriment aussi une action ou un état. Pensons par exemple au nom « chute » de l'exemple qui suit.

La chute du mur de Berlin **était** imminente.

CATÉGORIES DE VERBES

Il existe plusieurs catégories de verbes. Elles ne sont pas mutuellement exclusives (un verbe peut très bien être transitif direct et pronominal, par exemple).

Transitif direct

Verbe qui est accompagné d'un complément direct, c'est-à-dire qui n'est pas introduit par une préposition.

Le chien **mange** son os.

Transitif indirect

Verbe qui est accompagné d'un complément indirect, c'est-à-dire un complément introduit par une préposition.

Le chien **pense** à son os.
Je **travaille** pour cette compagnie.

Intransitif

Verbe qui n'est pas accompagné d'un complément direct ou indirect.

Le chien **jappe**.
Le chien **jappe** devant la maison.

Copule (ou attributif)

Verbe qui relie un attribut au sujet, c'est-à-dire qui donne une caractéristique d'un évènement, d'un concept, d'une chose ou d'une personne. Le verbe **être** est le verbe le plus fréquemment utilisé à cette fin. D'ailleurs, comme test, on peut toujours remplacer le verbe attributif par le verbe **être** tout en gardant une phrase sémantiquement et syntaxiquement correcte bien que certaines nuances se perdent.

Le roi **est** mort.
L'histoire **semblait** vraie. (L'histoire était vraie.)
L'Internet **est devenu** le passe-temps favori de la population. (L'Internet est le passe-temps favori de la population.)

Pronominal

Verbe toujours accompagné d'un pronom personnel désignant la même personne ou le même objet que le sujet. Il existe trois types de verbes pronominaux : les verbes pronominaux réfléchis, les verbes pronominaux réciproques et les verbes essentiellement pronominaux. Il faut ajouter à ceux-ci les verbes qui peuvent s'employer pronominalement pour exprimer le passif.

Le chat **s'est lavé** soigneusement. (réfléchi)
Ils **se sont laissés** la semaine dernière. (réciproque)
Elle **s'est enfuie** de la prison. (essentiellement pronominal)
Cette maison **s'est vendue** rapidement. (à sens passif)

Impersonnel

Verbe dont le sujet n'est pas identifiable et qui ne se conjugue qu'à la troisième personne du singulier. On l'emploie notamment pour décrire les conditions climatiques.

Il pleut depuis cinq jours et **il se pourrait** qu'**il neige** ce soir.
Il parait que Mackenzie King parlait aux morts.

Auxiliaire

Verbe servant à la conjugaison d'un autre verbe. L'auxiliaire le plus fréquent est **avoir** : 97 % des verbes non pronominaux se conjuguent avec **avoir.** L'auxiliaire **être** est utilisé pour seulement une vingtaine de verbes non pronominaux et pour tous les verbes pronominaux. Par ailleurs, le verbe **aller** est utilisé pour former le futur proche et peut ainsi être considéré comme auxiliaire. Quelques verbes peuvent agir comme semi-auxiliaires parce qu'ils ne peuvent être suivis que de l'infinitif : **devoir, pouvoir, faire, laisser, se mettre à,** etc.

Ricky **a** terminé ses études. (auxiliaire **avoir**)
Vous **êtes** arrivés à Donnelly après six heures de route. (auxiliaire **être**)
Nous **devons** partir dès que possible. (semi-auxiliaire **devoir**)

APPLICATION IMMÉDIATE

A

A. Identifiez la catégorie du verbe dans les phrases qui suivent.

1. Mes enfants sont espiègles. ____________________
2. La voisine tond son gazon. ____________________
3. Joe se brosse les cheveux, ou ce qu'il en reste. ____________________
4. La nuit tombe. ____________________
5. Je dois partir tout de suite. ____________________
6. Samira parle à sa fille. ____________________
7. Il fait soleil. ____________________

GROUPES VERBAUX

Il existe plus d'une façon de regrouper les verbes. Nous optons pour une division en trois groupes selon leur terminaison à l'infinitif et selon leur régularité.

1er groupe : verbes se terminant en **-er** (sauf **aller**).

Les verbes de ce groupe représentent près de 90 % des verbes. Ils se conjuguent tous avec les mêmes terminaisons et sont très réguliers. Certains de ces verbes comportent parfois des changements à leur racine, notamment **acheter, épeler, nettoyer** et **essayer.**

2e groupe : verbes se terminant en **-ir** et qui se conjuguent en **-issons** à la 1re personne du pluriel de l'indicatif présent (par exemple, nous finissons).

Ils sont réguliers. Les plus fréquents sont **agir, établir, réussir, choisir, fournir, finir, subir, saisir, définir, remplir, réfléchir, accomplir, réunir** et **aboutir.**

3e groupe : verbes se terminant en **-oir, -re,** certains verbes en **-ir** et le verbe **aller.**

Ils sont tous irréguliers tout en suivant un nombre limité de modèles de conjugaison. Ce groupe comprend les verbes les plus fréquents, quoiqu'ils ne représentent que 5 % des verbes. Bien que les verbes **avoir** et **être** se terminent par **-oir** et **-re,** ils constituent une classe particulière à l'intérieur des verbes du 3e groupe, puisqu'ils sont aussi utilisés comme auxiliaires de conjugaison.

Il faut ajouter à ces trois groupes, les **verbes défectifs.** Ils sont ainsi appelés, car ils comportent un nombre limité de conjugaisons. Certains de ces verbes sont plus défectifs que d'autres **(falloir, s'agir)** et leur conjugaison est très limitée. Plusieurs sont tombés en désuétude, c'est-à-dire qu'ils ne sont presque plus utilisés.

APPLICATION IMMÉDIATE

A

B. Donnez le groupe des verbes qui suivent.

1. pourrir ________
2. marcher ________
3. gésir ________
4. porter ________
5. nourrir ________
6. unir ________
7. tenir ________
8. falloir ________
9. cuire ________
10. être ________

MODES VERBAUX

Un mode est une façon d'envisager le verbe (le procès). Chaque mode comporte plusieurs temps. Il existe cinq modes en français, trois modes personnels (avec personnes grammaticales : l'indicatif, le subjonctif et l'impératif) et deux modes impersonnels (sans personne grammaticale : l'infinitif et le participe).

Indicatif

L'indicatif sert généralement à énoncer les faits ; c'est le mode de la réalité présente, passée, future ou possible (conditionnelle).

Subjonctif

Le subjonctif sert à énoncer un souhait, un fait hypothétique ou imaginaire ; c'est le mode de l'interprétation et du virtuel.

Impératif

L'impératif sert à énoncer les ordres ou les interdictions ; c'est le mode de la volonté. Il n'a que trois personnes grammaticales.

Infinitif

L'infinitif est un des deux modes impersonnels et sert à énoncer l'action sans l'encadrer. On dit aussi que c'est la forme nominale du verbe.

Participe

Le participe est l'un des deux modes impersonnels du verbe, c'est-à-dire qu'il n'a pas de personne grammaticale. Il existe deux sortes de participes : le participe présent, qui est toujours invariable, auquel correspond une forme variable qu'on appelle « adjectif verbal » ; et le participe passé, qui peut s'accorder en genre et en nombre.

PERSONNE, NOMBRE ET GENRE DES VERBES

Personne

La personne verbale indique le rôle du sujet. Ainsi, on peut parler de soi-même, de notre groupe (1re personne : **je, nous**), d'une autre personne ou d'un groupe de personnes à qui on s'adresse directement (2e personne : **tu, vous**) ou de personnes absentes (3e personne : **il, elle, on, ils, elles**). Notez que le pronom **on** peut renvoyer à diverses personnes, mais le verbe qui l'accompagne se conjugue toujours à la 3e personne du singulier. Les personnes verbales interagissent avec le nombre du sujet. Le genre du sujet n'a aucun effet sur le verbe, à l'exception du participe passé qui s'accorde avec le sujet des verbes conjugués avec **être** et avec l'objet direct antéposé des verbes conjugués avec **avoir.**

Nombre

Le nombre indique si le sujet représente une personne, un objet (singulier) ou s'il en représente plusieurs (pluriel). Il faut noter que certains sujets appelés *collectifs* représentent dans la réalité un groupe de personnes ou d'objets mais amènent habituellement une conjugaison au singulier. Par ailleurs, le pronom **vous** peut être utilisé pour le vouvoiement, une forme de politesse en remplacement du **tu.** Finalement, le pronom **nous** est parfois utilisé au singulier par modestie et renvoie alors à la personne qui parle; les adjectifs et les participes qui accompagnent le verbe sont singuliers.

	Singulier	Pluriel
1re personne	je travaille	nous travaillons
2e personne	tu travailles	vous travaillez
3e personne	il, elle, on travaille	ils, elles travaillent

Genre

Seul le participe passé de la plupart des verbes s'accorde en genre, soit féminin (généralement marqué d'un **e** final), soit masculin (non marqué).

Masculin	Féminin
trouvé	trouvée
marié	mariée
reçu	reçue

TEMPS VERBAUX

D'un point de vue chronologique, il existe quatre temps : antérieur, passé, présent et futur. Ces temps se combinent parfois et s'expriment de façons diverses à différents modes. Le schéma ci-dessous illustre le lien temporel qui existe entre les principaux temps verbaux.

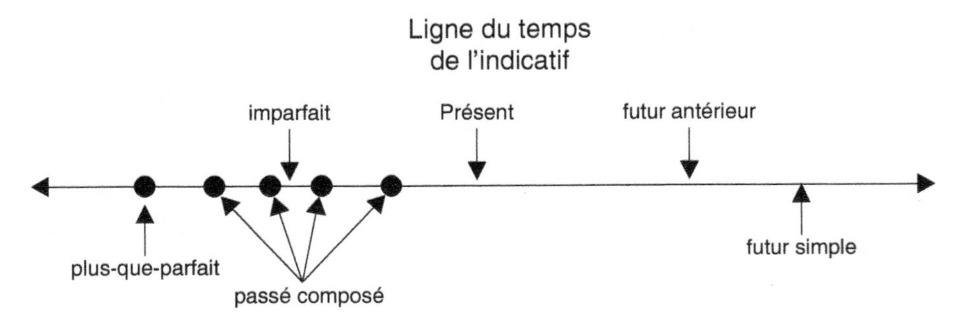

D'un point de vue formel, il existe trois types de temps : simples (sans auxiliaire), composés (avec un auxiliaire) et surcomposés (avec deux auxiliaires). La forme surcomposée (par exemple, « Quand tu auras eu fini, appelle-moi. ») n'est pas souvent utilisée en littérature, mais elle est courante à l'oral.

Vous trouverez ci-dessous un exemple de conjugaison à tous les temps de tous les modes. Certaines formes sont maintenant peu utilisées et ne seront pas couvertes dans les chapitres suivants, mais elles ont été incluses ici par souci d'exhaustivité.

Infinitif : **finir**

Groupe verbal : **2e** — Verbe conjugué avec l'auxiliaire **avoir**

MODE INDICATIF

Présent de l'indicatif
je finis
tu finis
il, elle, on finit
nous finissons
vous finissez
ils, elles finissent

Imparfait de l'indicatif
je finissais
tu finissais
il, elle, on finissait
nous finissions
vous finissiez
ils, elles finissaient

Passé simple
je finis
tu finis
il, elle, on finit
nous finîmes
vous finîtes
ils, elles finirent

Futur simple
je finirai
tu finiras
il, elle, on finira
nous finirons
vous finirez
ils, elles finiront

Conditionnel présent
je finirais
tu finirais
il, elle, on finirait

Passé composé
j'ai fini
tu as fini
il, elle, on a fini
nous avons fini
vous avez fini
ils, elles ont fini

Plus-que-parfait de l'indicatif
j'avais fini
tu avais fini
il, elle, on avait fini
nous avions fini
vous aviez fini
ils, elles avaient fini

Passé antérieur
j'eus fini
tu eus fini
il, elle, on eut fini
nous eûmes fini
vous eûtes fini
ils, elles eurent fini

Futur antérieur
j'aurai fini
tu auras fini
il, elle, on aura fini
nous aurons fini
vous aurez fini
ils, elles auront fini

Conditionnel passé
j'aurais fini
tu aurais fini
il, elle, on aurait fini

nous finirions
vous finiriez
ils, elles finiraient

nous aurions fini
vous auriez fini
ils, elles auraient fini

MODE SUBJONCTIF

Présent du subjonctif
que je finisse
que tu finisses
qu'il, elle, on finisse
que nous finissions
que vous finissiez
qu'ils, elles finissent

Passé du subjonctif
que j'aie fini
que tu aies fini
qu'il, elle, on ait fini
que nous ayons fini
que vous ayez fini
qu'ils, elles aient fini

Imparfait du subjonctif
que je finisse
que tu finisses
qu'il, elle, on finît
que nous finissions
que vous finissiez
qu'ils, elles finissent

Plus-que-parfait du subjonctif
que j'eusse fini
que tu eusses fini
qu'il, elle, on eût fini
que nous eussions fini
que vous eussiez fini
qu'ils, elles eussent fini

MODE IMPÉRATIF

Présent de l'impératif
finis
finissons
finissez

Passé de l'impératif
aie fini
ayons fini
ayez fini

MODE PARTICIPE

Participe passé masculin
fini
Participe passé féminin
finie
Participe présent
finissant

Participe passé (forme composée)
ayant fini

CONJUGAISON

Conjuguer un verbe consiste à combiner la racine (partie de base) du verbe avec la terminaison appropriée. Quelques verbes subissent ensuite des transformations orthographiques. Vous trouverez des tableaux de conjugaison pour les verbes les plus utiles à l'Appendice A (voir p. 421 à 439). Voici donc, étape par étape, le processus de conjugaison :

1. Isoler la racine

Pour obtenir la racine de la plupart des verbes, il suffit d'enlever la terminaison **-er, -ir, -oir** ou **-re** de l'infinitif du verbe. Plusieurs verbes du 3e groupe subissent des changements de racine. Il est important de les vérifier dans un conjugueur tel

Le Devoir conjugal (http://pomme.arts.sfu.ca/devoir) si des doutes subsistent. Le verbe **aller** a quatre racines (**va-**, **all-**, **aill-** et **ir-**). Les verbes **avoir** et **être** possèdent aussi plusieurs racines.

La racine de quelques verbes :

donner (1er groupe)	donn-
parler (1er groupe)	parl-
finir (2e groupe)	fin-
agir (2e groupe)	ag-
rire (3e groupe)	ri-
suivre (3e groupe)	sui-/suiv-
connaitre (3e groupe)	connai-/conn-
vouloir (3e groupe)	voul-/voud-/veu-/veuill-

APPLICATION IMMÉDIATE

A

C. Identifiez le groupe verbal et la racine des verbes qui suivent. Si un verbe a plusieurs racines, ne donnez que celle de l'infinitif.

	Groupe verbal	Racine
1. trouver	______	______
2. passer	______	______
3. laisser	______	______
4. commencer	______	______
5. changer	______	______
6. fournir	______	______
7. subir	______	______
8. réfléchir	______	______
9. être	______	______
10. avoir	______	______
11. voir	______	______
12. prendre	______	______
13. devenir	______	______
14. traduire	______	______

2. Ajouter la terminaison

Pour ajouter la terminaison, il faut connaitre le mode, le temps, la personne et le nombre du verbe en question. Le tableau ci-dessous résume la plupart des terminaisons pour les trois groupes verbaux.

Terminaisons

		1er groupe	2e groupe	3e groupe
Présent de l'indicatif	1 p.s.	e	is	s/x[1]/e[2]
	2 p.s.	es	is	s/x[1]/es[2]
	3 p.s.	e	it	t/d[3]/e[2]/a
	1 p.p.	ons	issons	ons
	2 p.p.	ez	issez	ez/es
	3 p.p.	ent	issent	ent/ont[4]
Imparfait de l'indicatif	1 p.s.	ais	issais	ais
	2 p.s.	ais	issais	ais
	3 p.s.	ait	issait	ait
	1 p.p.	ions	issions	ions
	2 p.p.	iez	issiez	iez
	3 p.p.	aient	issaient	aient
Passé simple	1 p.s.	ai	is	is/us[5]
	2 p.s.	as	is	is/us[5]
	3 p.s.	a	it	it/ut[5]
	1 p.p.	âmes	îmes	îmes/ûmes[5]
	2 p.p.	âtes	îtes	îtes/ûtes[5]
	3 p.p.	èrent	irent	irent/urent[5]
Futur simple	1 p.s.	erai	irai	rai
	2 p.s.	eras	iras	ras
	3 p.s.	era	ira	ra
	1 p.p.	erons	irons	rons
	2 p.p.	erez	irez	rez
	3 p.p.	eront	iront	ront
Présent du subjonctif	1 p.s.	e	isse	e
	2 p.s.	es	isses	es
	3 p.s.	e	isse	e/t[6]
	1 p.p.	ions	issions	ions
	2 p.p.	iez	issiez	iez
	3 p.p.	ent	issent	ent
Imparfait du subjonctif	1 p.s.	asse	isse	isse/usse
	2 p.s.	asses	isses	isses/usses
	3 p.s.	ât	ît	ît/ût
	1 p.p.	assions	issions	issions/ussions
	2 p.p.	assiez	issiez	issiez/ussiez
	3 p.p.	assent	issent	issent/ussent
Impératif présent	2 p.s.	e	is	s/e/a
	1 p.p.	ons	issons	ons
	2 p.p.	ez	issez	ez
Infinitif présent	impers.	er	ir	ir/oir/re
Participe présent	impers.	ant	issant	ant
Participe passé	impers.	é	i	i/u/t/s

Remarques :

1. Seulement pour **je peux/tu peux, je vaux/tu vaux** et **je veux/tu veux.**
2. Seulement pour **assaillir, couvrir, cueillir, défaillir, offrir, ouvrir, souffrir, tressaillir.**
3. Seulement les verbes se terminant en **-dre** (sauf ceux en **-indre** et **-soudre** qui prennent le **t** et ceux en **-pre**, qui prennent **pt**).

4. Seulement pour **ils font, elles ont, ils sont, elles vont.**
5. Sauf pour **tenir** et **venir** et leurs dérivés.
6. Seulement pour **qu'il ait, qu'il soit.**

3. Changer l'orthographe au besoin

Certains verbes du 1er groupe comportent des changements orthographiques afin d'éviter des problèmes de prononciation. En cas de doute, consulter un conjugueur. Noter que plusieurs de ces changements ont été rectifiés par l'Académie française (voir Appendice B, p. 441 à 444).

Les temps de verbes touchés par ces changements sont les suivants : présent de l'indicatif, imparfait de l'indicatif, passé simple, futur simple, présent du subjonctif, imparfait du subjonctif, impératif présent, conditionnel présent et participe présent.

APPLICATION IMMÉDIATE

A

D. Reprenez les verbes de l'exercice C et ajoutez à leur radical la terminaison de la 1re personne du singulier du présent de l'indicatif (notez qu'il peut y avoir des changements orthographiques dans certains cas).

A

1. trouver ______________
2. passer ______________
3. laisser ______________
4. commencer ______________
5. changer ______________
6. fournir ______________
7. subir ______________
8. réfléchir ______________
9. être ______________
10. avoir ______________
11. voir ______________
12. prendre ______________
13. devenir ______________
14. traduire ______________

SAVOIR ET *CONNAITRE*

Les usages de ces deux verbes sont présentés dans le tableau suivant.

EMPLOIS DE *SAVOIR* ET *CONNAITRE*

Savoir	Connaitre
+ *complément direct*	+ *complément direct*
quand la connaissance est complète, catégorique, précise (après réflexion ou raisonnement, apprise par l'étude ou l'expérience, ou par cœur). Je **sais** la différence entre ces deux mots. Je **sais** ma grammaire. Je **sais** quand tu es née. Je **sais** ce poème (par cœur).	quand la connaissance n'est pas catégorique ni complète (on a déjà vu ou rencontré cette chose ou cette situation; on est donc capable de la reconnaitre), quand on ressent des émotions ou vit des expériences. Je **connais** son point de vue sur la question. Il **a connu** des temps meilleurs. Il **connait** nos habitudes. On ne **connait** pas l'hiver sur ces plages. Je **connais** ce poème. (Je l'ai déjà lu.)
N'employez jamais **savoir** avec: une personne, un animal, un endroit ou un objet concret.	(« to be acquainted with ») *une personne:* Je **connais** bien M. Durand. *un animal (un poisson, un insecte):* Il **connait** les serpents. *un endroit:* Nous **connaissons** Paris et Londres. *un objet concret:* Je **connais** bien ce monument.
+ une proposition subordonnée introduite par **que**: Je sais **qu'**il ne faut pas trop se fatiguer. + des interrogations indirectes: Je sais **où** tu te caches. Je sais **quelle** heure il est. Je ne sais pas **ce que** c'est. Je ne sais pas **comment** il va. + une proposition infinitive: Je sais **faire** la cuisine. Je sais comment **trouver** un appartement.	*N'employez jamais* **connaitre** avec: une proposition subordonnée introduite par **que** ou une infinitive.

PRÉCISIONS

Il peut arriver que l'un ou l'autre des verbes convienne quand leur sens est très proche.

Je **sais (connais)** le grec.
Je **sais (connais)** la réponse à la question.

APPLICATION IMMÉDIATE

A

E. Employez **savoir** ou **connaitre** dans les phrases suivantes.

1. Je __________ à quoi vous rêvez.
2. __________-vous cet homme qui nous regarde au comptoir ?
3. Vous __________ probablement ce texte.
4. Il ne __________ pas comment faire ça.
5. Nous __________ ça par son frère qui nous l'a dit un jour.
6. __________-tu l'œuf de Vegreville, en Alberta ?
7. Il __________ beaucoup de choses sur la plongée sous-marine.
8. Vous __________ la cuisine vietnamienne et vous __________ qu'elle est raffinée.
9. Tu __________ mon amie Lucie, n'est-ce pas ?
10. __________-vous l'heure qu'il est ?

A

F. Faites une phrase avec **savoir** ou **connaitre**, d'après l'emploi indiqué.

1. (+ une personne)
   ____
2. (+ un infinitif)
   ____
3. (+ que)
   ____
4. (+ un endroit)
   ____
5. (+ une chose, avec **connaitre**)
   ____
6. (+ une chose, avec **savoir**)
   ____

CONCORDANCE DES TEMPS

Le choix du temps de conjugaison d'une proposition subordonnée se fait généralement en fonction de règles préétablies qu'on appelle la concordance des temps. Le tableau qui suit donne une forme simplifiée des concordances traditionnelles; les temps littéraires du subjonctif ne sont pas mentionnés. Il faut noter que l'application de ces règles varie, mais il vaut mieux les respecter le plus rigoureusement possible.

TABLEAU SIMPLIFIÉ DE LA CONCORDANCE DES TEMPS

Temps du verbe de la principale	Mode de la subordonnée	Situation de la subordonnée	Temps du verbe de la subordonnée
Présent de l'indicatif	Indicatif	Antérieure	Imparfait, passé simple, passé composé, plus-que-parfait de l'indicatif
		Simultanée	Présent de l'indicatif
		Postérieure	Futur de l'indicatif
	Subjonctif	Antérieure	Passé du subjonctif
		Simultanée	Présent du subjonctif
		Postérieure	Présent du subjonctif
Passé de l'indicatif	Indicatif	Antérieure	Plus-que-parfait de l'indicatif
		Simultanée	Imparfait de l'indicatif
		Postérieure	Conditionnel présent
	Subjonctif	Antérieure	Passé du subjonctif
		Simultanée	Présent du subjonctif
		Postérieure	Présent du subjonctif
Futur de l'indicatif	Indicatif	Antérieure	Passé simple, passé composé, imparfait de l'indicatif
		Simultanée	Présent de l'indicatif
		Postérieure	Futur de l'indicatif
	Subjonctif	Antérieure	Passé du subjonctif
		Simultanée	Présent du subjonctif
		Postérieure	Présent du subjonctif
Conditionnel présent	Subjonctif	Antérieure	Passé du subjonctif
		Simultanée	Présent du subjonctif
		Postérieure	Présent du subjonctif

15

Le présent de l'indicatif

OBJECTIFS DU CHAPITRE

À la fin de ce chapitre, vous serez en mesure :

- de connaitre la conjugaison des verbes réguliers et irréguliers au présent de l'indicatif ;
- d'employer ce temps adéquatement.

Le présent de l'indicatif est le temps généralement utilisé pour décrire une action qui a lieu au moment de l'énonciation ou pour une généralité, une vérité universelle. C'est sans contredit le temps le plus fréquemment utilisé tant à l'écrit qu'à l'oral.

On utilise le présent de l'indicatif pour décrire une action ou un état au moment actuel ou au moment auquel se produit l'action principale du discours. C'est un temps simple (c'est-à-dire formé d'un seul mot).

Il **pleut.**
Je **viens** de Winnipeg.
Nous **sommes** heureux.

FORMES

Verbes réguliers

Il y a deux groupes de verbes réguliers : les verbes en **-er** (1er groupe) et en **-ir** (2e groupe).

aimer	finir
j'aim**e**	je fin**is**
tu aim**es**	tu fin**is**
il, elle, on aime	il, elle, on fin**it**
nous aim**ons**	nous fin**issons**
vous aim**ez**	vous fin**issez**
ils, elles aim**ent**	ils, elles fin**issent**

Verbes réguliers en -er

Tous les verbes en **-er** sont *réguliers,* excepté le verbe **aller** (le verbe **envoyer** est irrégulier au futur et au conditionnel).

- Comme les terminaisons **e, es, ent** sont muettes, quatre formes du présent ont la même prononciation.

  je parl**e**, tu parl**es**, il parl**e**, ils parl**ent**

- Quand le verbe commence par *une voyelle* ou *un h muet,* il y a *une liaison* à la troisième personne du pluriel.

  j'aime, tu aimes, il aime, ils‿aiment
  j'habite, tu habites, il habite, elles‿habitent

ATTENTION

Avec les terminaisons muettes du présent des verbes en **-ier, -uer** et **-ouer** : on prononce **i, u** et **ou,** c'est-à-dire que le **e,** le **es** et le **ent** ne se prononcent pas.

étud**ier** :	j'étudi<u>e</u>, tu étudi<u>es</u>, il étudi<u>e</u>, ils étudi<u>ent</u>
contin**uer** :	je continu<u>e</u>, tu continu<u>es</u>, il continu<u>e</u>, ils continu<u>ent</u>
l**ouer** :	je lou<u>e</u>, tu lou<u>es</u>, il lou<u>e</u>, ils lou<u>ent</u>

APPLICATION IMMÉDIATE

A

A. Travaillez en petits groupes. Écrivez et prononcez les verbes suivants aux quatre personnes à terminaisons muettes.

1. naviguer :
   je ________, tu ________, il ________, ils ________
2. arriver :
   j' ________, tu ________, il ________, ils ________

3. apprécier :
   j'________, tu ________, il ________, ils ________
4. tuer :
   je ________, tu ________, il ________, ils ________
5. hésiter :
   j'________, tu ________, il ________, ils ________

Changements orthographiques de certains verbes en -er

Aux quatre personnes à terminaisons muettes **(je, tu, il/elle/on, ils/elles) :**

- les verbes qui ont un **e** ou **é** à la fin de l'avant-dernière syllabe de l'infinitif changent ces lettres en **è** pour des raisons de prononciation.

le/ver	espé/rer
je l**è**ve	j'esp**è**re
tu l**è**ves	tu esp**è**res
il, elle, on l**è**ve	il, elle, on esp**è**re
nous levons	nous espérons
vous levez	vous espérez
ils, elles l**è**vent	ils, elles esp**è**rent

- Traditionnellement, les verbes en **-eler** et **-eter** doublaient la consonne **l** ou **t.** Cependant, les rectifications orthographiques de 1990 ont simplifié cette règle. En effet, on applique maintenant la règle générale énoncée au paragraphe précédent pour la plupart des verbes se terminant en **-eler** et en **-eter.**

Ancienne orthographe	Nouvelle orthographe
j'épe**ll**e	j'ép**è**le
tu épe**ll**es	tu ép**è**les
il épe**ll**e	il ép**è**le
nous épelons	nous épelons
vous épelez	vous épelez
ils épe**ll**ent	ils ép**è**lent

Cette nouvelle règle élimine beaucoup d'exceptions puisque la plupart des verbes en **-eler** et **-eter** suivent maintenant la règle générale.

geler	peler	acheter
je gèle	je pèle	j'achète
tu gèles	tu pèles	tu achètes
il, elle, on gèle	il, elle, on pèle	il, elle, on achète
nous gelons	nous pelons	nous achetons
vous gelez	vous pelez	vous achetez
ils, elles gèlent	ils, elles pèlent	ils, elles achètent

Les seules exceptions maintenues sont les verbes **jeter** et **appeler,** ainsi que leurs dérivés (**rejeter, rappeler,** etc.).

appeler	jeter
j'appelle	je jette
tu appelles	tu jettes
il, elle, on appelle	il, elle, on jette
nous appelons	nous jetons
vous appelez	vous jetez
ils, elles appellent	ils, elles jettent

- Les verbes en **-oyer** et en **-uyer** changent le **y** en **i** devant les terminaisons muettes. Les verbes en **-ayer** suivent la même règle, mais ils peuvent aussi garder le **y**:

nettoyer	ennuyer	payer
je nettoie	j'ennuie	je paie (paye)
tu nettoies	tu ennuies	tu paies (payes)
il, elle, on nettoie	il, elle, on ennuie	il, elle, on paie (paye)
nous nettoyons	nous ennuyons	nous payons
vous nettoyez	vous ennuyez	vous payez
ils, elles nettoient	ils, elles ennuient	ils, elles paient (payent)

Ces changements orthographiques sont aussi employés à l'impératif (chapitre 22, p. 296), au futur (chapitre 19, p. 250 à 251), au conditionnel présent (chapitre 20, p. 262) et au subjonctif présent (chapitre 21, p. 275).

À la première personne du pluriel **(nous)**:

- les verbes en **-cer** conservent le son [s] du **c** à l'infinitif et prennent une cédille sous le **c.**

  Commencer nous commençons

- les verbes en **-ger** conservent le son [ʒ] du **g** à l'infinitif et prennent un **e** après le **g.**

  manger nous mangeons

Ces changements orthographiques sont aussi employés à l'imparfait (voir chapitre 17, p. 238).

APPLICATION IMMÉDIATE

B. Travaillez en petits groupes. Écrivez et lisez à haute voix les verbes suivants au présent et aux personnes indiquées.

1. mener: je ________ , nous ________
2. répéter: je ________ , nous ________
3. épeler: j' ________ , nous ________
4. feuilleter: je ________ , nous ________
5. peler: je ________ , nous ________
6. essayer: j' ________ , nous ________
7. employer: j' ________ , nous ________
8. essuyer: j' ________ , nous ________
9. placer: je ________ , nous ________
10. nager: je ________ , nous ________

C. Lisez les verbes en **-er** suivants au présent de l'indicatif, à la personne indiquée.

A

a. Verbes en **-ier, -uer, -ouer**

1. prier: Je vous en ________ .
2. simplifier: Tu ________ la phrase.
3. nier: Il ________ l'avoir volé.
4. saluer: Ava et Luce vous ________ .
5. remuer: Tu ________ trop.
6. polluer: On ________ trop l'océan.
7. nouer: Tu ________ tes lacets.
8. louer: Tu ________ une voiture.
9. jouer: Je ________ du piano.

b. Verbes en **-er** à changements orthographiques

1. peser: Tu ________ cinquante kilos.
2. acheter: Vous ________ une imprimante.
3. geler: L'eau ________ à 0 °C ou 32 °F.
4. céder: Je ________ ma place.
5. appeler: Tu ________ la police et j' ________ la remorqueuse.
6. jeter: On ________ des cailloux. Vous ________ un coup d'œil.
7. effrayer: Nous ________ le cheval.
8. tutoyer: Je ________ mes amis.
9. envoyer: Julie l' ________ au bureau.
10. appuyer: On ________ sur une touche.
11. effacer: Nous ________ l'écran.
12. avancer: Ils ________ doucement.
13. arranger: Tu ________ tes papiers.
14. juger: Nous ________ la situation.
15. bouger: Vous ________ toujours.

D. En petits groupes, lisez les phrases ci-dessous à haute voix en faisant particulièrement attention au présent des verbes.

1. Il rentre souvent tard le soir parce qu'il rencontre des amis.
2. J'étudie rapidement et puis j'apprécie le temps libre qui suit.
3. Les jeunes se confient des secrets.
4. Les invités savourent leur tasse de café; celui-ci dégage un arôme exquis.
5. Est-ce que tu tutoies tes camarades de classe?
6. Nos élus adoptent des lois qui provoquent des manifestations partout.
7. Il déteste la chaleur et ses amis la haïssent aussi.
8. Le fleuve Colombia débouche dans le Pacifique par un vaste estuaire.
9. Un membre du comité de lecture rejette cette œuvre littéraire.
10. Ils déclarent avoir créé des emplois durables.
11. Elle continue son voyage malgré le mauvais temps.

Verbes réguliers en **-ir (voir conjugaison, p. 204)**
Les verbes réguliers en **-ir** se conjuguent avec la particule **-iss** au pluriel du présent.
Les verbes irréguliers en **-ir** n'ont pas de particule et font partie du 3e groupe verbal.

finir (régulier, 2e groupe)	nous fin**iss**ons
dormir (irrégulier, 3e groupe)	nous dormons

Dans cette catégorie, on trouve en particulier des *verbes formés avec des adjectifs*.

Verbes formés avec des adjectifs de couleur		
blanc	→	blanchir
bleu	→	bleuir
brun	→	brunir
jaune	→	jaunir
noir	→	noircir
rouge	→	rougir
vert	→	verdir
Verbes formés avec d'autres adjectifs		
beau	→	embellir
court	→	raccourcir
dur	→	durcir
grand	→	grandir, agrandir

Verbes formés avec d'autres adjectifs *(Suite)*		
gros	→	grossir
jeune	→	rajeunir
laid	→	enlaidir
large	→	élargir
lent	→	ralentir
lourd	→	alourdir
maigre	→	maigrir
mince	→	amincir
pâle	→	pâlir
profond	→	approfondir
sale	→	salir
vieux	→	vieillir

Particularité du verbe haïr (= détester)		
Il n'y a *pas de tréma aux trois formes du singulier du présent.*		
je	hais (prononcez [ɛ])	nous haïssons [aisɔ̃]
tu	hais (prononcez [ɛ])	vous haïssez [aise]
il, elle, on	hait (prononcez [ɛ])	ils, elles haïssent [ais]

APPLICATION IMMÉDIATE

E. Donnez le verbe de sens contraire pour chacun des verbes suivants.

B

1. amincir ≠ ____________
2. blanchir ≠ ____________
3. maigrir ≠ ____________
4. embellir ≠ ____________
5. vieillir ≠ ____________

F. Complétez les phrases avec un verbe en **-ir** à la forme correcte.

B

1. Nous allons beaucoup trop vite ; il faut ____________ .
2. Ce parterre de fleurs ____________ le parc.
3. J' ____________ la photo en cliquant sur l'icône d'agrandissement.
4. Je l'ai complimenté ; il en a ____________ .
5. Pour que ce gros bateau puisse passer ici, il faudrait ____________ le canal.

Verbes irréguliers

Ils peuvent se terminer par **-er, -ir, -oir** ou **-re.** (Revoir le présent de ces verbes dans l'Appendice A, p. 421 à 439.)

- Verbe irrégulier en **-er** : aller → je vais
- Verbes irréguliers en **-ir** : la plupart se conjuguent comme les verbes du 1er groupe (**couvrir, découvrir, ouvrir, offrir, souffrir, cueillir, accueillir, recueillir, saillir** et **assaillir**), mais certains se conjuguent de façon particulière : offrir → j'offre

Autres verbes irréguliers en -ir					
courir	→	je cours	dormir	→	je dors
mentir	→	je mens	partir	→	je pars
sentir	→	je sens	servir	→	je sers
sortir	→	je sors	mourir	→	je meurs
venir	→	je viens	tenir	→	je tiens

Verbes irréguliers en -oir			
avoir :	j'ai		
vouloir :	je veux	valoir :	je vaux
apercevoir :	j'aperçois	recevoir :	je reçois
voir :	je vois	devoir :	je dois
savoir :	je sais	s'assoir :	je m'assois *ou* je m'assieds
pouvoir :	je peux *ou* je puis (employé surtout dans l'inversion : puis-je)		

Verbes irréguliers en -re			
être :	je suis	dire :	je dis
faire :	je fais	mettre :	je mets
prendre :	je prends, nous prenons	vendre :	je vends, nous vendons
craindre :	je crains, nous craignons	joindre :	je joins, nous joignons
peindre :	je peins, nous peignons	atteindre :	j'atteins, nous atteignons
vivre :	je vis	rire :	je ris
suivre :	je suis	écrire :	j'écris
croire :	je crois	croître :	je croîs

Le verbe **croître** conserve son accent circonflexe en raison de sa similitude avec le verbe **croire** dans certaines conjugaisons. Cependant, les verbes **accroitre** et **décroitre** n'ont pas de circonflexe dans la nouvelle orthographe.
Les verbes suivants et leurs dérivés prenaient traditionnellement un accent circonflexe, mais les rectifications orthographiques l'ont éliminé, sauf au passé simple et à l'imparfait du subjonctif.

connaitre :	il connait	paraitre :	il parait
naitre :	il nait	plaire :	il plait

APPLICATION IMMÉDIATE

B

G. Écrivez les verbes suivants au présent et à la personne indiquée.

1. sentir : tu ___________
2. éteindre : j' ___________
3. souffrir : il ___________
4. reconnaitre : elle ___________
5. recevoir : je ___________
6. appartenir : tu ___________
7. pouvoir : Marc et moi ___________
8. plaire : Régis et toi ___________

- Verbes réguliers en **-re**

La plupart des verbes en **-re** ont une conjugaison régulière comme celle des verbes du 1er groupe, à l'exception près. Il n'y a *pas de terminaison à la troisième personne du singulier* du présent des verbes réguliers en **-dre,** mais il faut mettre un **t** à celle des verbes en **-pre.**

vend**re** :	il vend
interrom**pre** :	il interrompt

APPLICATION IMMÉDIATE

A

H. Donnez la troisième personne du pluriel du présent des verbes irréguliers suivants.

1. être : toi et moi ___________
2. faire : elles ___________
3. devoir : Suzie et Marie ___________
4. aller : ils ___________
5. pouvoir : elles ___________
6. croire : tu ___________
7. avoir : elles ___________
8. vouloir : je ___________
9. écrire : ils ___________
10. apprendre : ils ___________
11. connaitre : elles ___________
12. peindre : Serge et Julie ___________

3e partie : Le groupe verbal

B

I. Écrivez les verbes suivants au présent et à la personne indiquée.

1. corrompre : ils __________
2. rendre : vous __________
3. descendre : je __________
4. interrompre : on __________
5. fondre : elle __________
6. perdre : nous __________
7. répondre : tu __________
8. rompre : Ursule et moi __________

B

J. Donnez la forme correspondante des verbes suivants selon la personne indiquée entre parenthèses.

1. tu fais (vous) __________
2. j'obéis (nous) __________
3. ils perdent (il) __________
4. vous êtes (tu) __________
5. je mets (nous) __________
6. tu vis (vous) __________
7. elle a (elles) __________
8. nous accueillons (j') __________
9. vous avez (tu) __________
10. nous écrivons (j') __________
11. elles courent (elle) __________
12. il plait (ils) __________
13. nous suivons (je) __________
14. tu vois (vous) __________
15. elles connaissent (elle) __________
16. ils doivent (on) __________
17. tu peins (vous) __________
18. j'acquiers (nous) __________
19. il boit (elles) __________
20. il tient (ils) __________
21. tu t'assieds (vous) __________
22. elle vaut (ils) __________
23. je reçois (nous) __________
24. nous remercions (je) __________
25. il parle (elles) __________
26. tu habites (vous) __________
27. je mange (nous) __________

B

K. Pour vérifier votre connaissance du présent de l'indicatif, complétez les phrases avec la forme correcte du verbe entre parenthèses.

1. Je ne (haïr) __________ pas ce cours, mais je ne l'(aimer) __________ pas beaucoup et je le (suivre) __________ seulement parce qu'il le (falloir) __________ .
2. Un vaurien (être) __________ une personne qui ne (valoir) __________ rien.
3. Les enfants (salir) __________ leurs vêtements quand ils (jouer) __________ dans la boue.
4. Je (raccourcir) __________ ce pantalon qui (être) __________ trop long.
5. (Pouvoir) __________ -je vous poser une question ?
6. Il (partir) __________ tôt chaque jour et il (revenir) __________ tard.
7. Je (mourir) __________ d'envie de partir en voyage, et toi ?
8. Le Québec (produire) __________ beaucoup de bière de microbrasserie.
9. Vous me (surprendre) __________ quand vous (dire) que vous ne (croire) __________ pas mon histoire.
10. Il (conduire) __________ bien quand sa mère (s'assoir) __________ sur le siège du passager.
11. Nous (craindre) __________ le pire. Elle (vivre) __________ si dangereusement !

12. Je vous (offrir) __________ ce bouquet de fleurs.
13. Ces auteurs nous (pondre) __________ un roman en quelques jours.
14. Est-ce que ce fromage (sentir) __________ bon pour toi ?
15. Ton dessin (représenter) __________ un drôle d'animal.
16. Ses notes le (satisfaire) __________ . Moi, j'(aimer) __________ en obtenir de meilleures.
17. (Prendre) __________ -tu toujours du chocolat comme dessert ?
18. Tu (mener) __________ une vie trop agitée et tu (mettre) __________ trop d'énergie dans ton travail.
19. Je (cueillir) __________ ces fruits parce qu'ils (être) __________ déjà mûrs.
20. Il me (dire) __________ qu'il vous (connaitre) __________ très bien, mais il (mentir) __________ peut-être.
21. Chaque fois que nous le (rencontrer) __________ , il nous (raconter) __________ la même histoire à dormir debout.
22. J'(employer) __________ des ciseaux pour couper le persil.
23. Nous (changer) __________ de train à la prochaine gare.
24. Peut-être (rire) __________ -vous trop souvent des gens autour de vous. (Notez l'inversion après **peut-être.**)
25. Leurs élèves (s'instruire) __________ .
26. Ils (fuir) __________ parce qu'ils (voir) __________ un désastre arriver.
27. Mes verres de contact me (permettre) __________ de bien voir.
28. L'adjectif (qualifier) __________ un nom ou un pronom.
29. Le bleu de ce pull (correspondre) __________ parfaitement à vos yeux.
30. Le temps (devenir) __________ gris et je (deviner) __________ que tu n'(être) __________ pas content.

EMPLOIS

Le présent est employé :

- Pour exprimer *une action ou un état qui a lieu maintenant,* en ce moment.

  Il **dort.** Vous **travaillez.**

  Si l'on veut insister sur le fait que l'action a lieu au moment présent, on emploie l'expression **être en train de** + *infinitif* (« to be in the act of »).

  Ne faites pas de bruit; il **est en train d'**enregistrer un morceau de piano.
  Ils **sont** heureux.

- Pour exprimer *une action habituelle.*

  Quand je suis fatigué, je **me repose.**
  Tous les jours, je **vais** en classe à 9 heures.
  Les gens **parlent** toujours du temps qu'il **fait.**

- Pour exprimer *un fait qui est toujours vrai et dans certains proverbes.*

  La Terre **tourne** autour du Soleil.
  Les nuages **apportent** la pluie.
  Qui **dort dine.** (proverbe)

APPLICATION IMMÉDIATE

L. En petits groupes, décrivez au présent et à la 1re personne du singulier deux actions habituelles pour vous.

Modèle : Je mange toujours calmement.
Je travaille tard le soir.

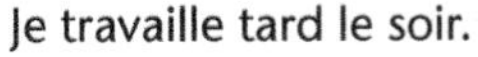

M. En petits groupes, indiquez trois faits qui sont toujours vrais.

Modèle : Les poissons vivent dans l'eau.
Il fait chaud en été.

N. Répondez aux questions en utilisant l'expression **être en train de** au présent.

Modèle : Pourquoi ne viens-tu pas me voir ?
Parce que je **suis en train de** lire un roman passionnant.

1. Qu'est-ce que vous faites en ce moment ?
2. Pourquoi parle-t-il si longtemps au téléphone ?
3. Qu'écrivez-vous ?
4. Pourquoi as-tu besoin d'un cellulaire ?

- Pour exprimer *un passé récent* par rapport au présent, généralement exprimé par **venir** (au présent) + **de** + *infinitif.*

  J'**arrive** de Laval. = Je **viens d'**arriver de Laval.
  Elle **sort** du bureau à l'instant. = Elle **vient de** sortir du bureau.

- Pour exprimer *un futur proche* par rapport au présent, généralement exprimé par **aller** (au présent) + *infinitif.*

  Je **repars** demain pour Calgary. = Je **vais repartir** demain pour Calgary.
  Attendez-moi ! Je **viens** tout de suite. = Je **vais venir** tout de suite.

- Après un **si** de condition dans une phrase conditionnelle au futur, au présent ou à l'impératif (voir chapitre 19, p. 254).

  Si vous **voulez** ce livre, je vous l'apporterai.

- Comme *présent littéraire* dans *une narration au passé* pour rendre l'action plus vivante.

  Je n'étais pas sitôt arrivé dans le bureau de mon collègue qu'il **se met** à s'énerver en faisant de grands gestes et qu'il me **parle** d'une façon inadmissible. Je suis ressorti très rapidement, jurant de ne plus jamais retourner le voir.

- Avec **depuis,** pour exprimer *qu'une action commencée dans le passé continue dans le présent.* C'est la forme progressive anglaise « I have been ___ing… for, since… »

  ▶ **depuis** (« for ») indique *le temps écoulé* entre le commencement de l'action dans le passé et le moment présent où l'action continue. **(Depuis combien de temps ?)**

  Depuis combien de temps étudiez-vous le français ?
  J'**étudie** le français **depuis trois mois.**
  (« I have been studying French for three months. »)

  ▶ **depuis** (ou **depuis que** + sujet + verbe) (« since ») indique *le commencement* de l'action dans le passé, action qui continue dans le présent. **(Depuis quand ?)**

  Depuis quand étudiez-vous le français ?
  J'**étudie** le français **depuis** le mois de septembre.
  (« I have been studying French since September. »)
  ou : J'**étudie** le français **depuis que** je suis à l'université.
  (« I have been studying French since I started university. »)

APPLICATION IMMÉDIATE

O. En groupes de deux, traduisez les phrases suivantes.

1. « He has been sick for five days. »
   ____
2. « Why have you been angry at me since yesterday ? »
   ____
3. « Liang has been playing the piano since September. »
   ____

Locutions équivalentes à depuis (« for »)	
Leur construction est différente de celle de **depuis.** Notez que l'espace de temps est placé immédiatement après **il y a**, **ça fait** et **voilà.**	
Il y a... que (ne pas confondre avec **Il y a**)	**Il y a** combien de temps **que** vous étudiez le français ? **Il y a** trois mois, j'ai commencé à étudier le français.
Ça (cela) fait... que	**Ça fait** combien de temps **que** vous étudiez le français ? **Ça fait** trois mois **que** j'étudie le français.
Voilà... que (pas de question possible dans ce cas)	**Voilà** trois mois **que** j'étudie le français.

APPLICATION IMMÉDIATE

A

P. En groupes de deux, répondez aux questions suivantes avec créativité.

1. Depuis quand aimez-vous les athlètes ?
2. Depuis combien de temps attendez-vous votre petit(e) ami(e) ?
3. Depuis quand portes-tu un plâtre ?
4. Il y a combien de temps que vous n'avez pas mangé au restaurant ?
5. Depuis quand apprenez-vous le français ?

B

Q. Posez les questions dont voici les réponses.

1. Elle joue au hockey depuis septembre. (**jouer à** pour un sport)
2. Ça fait six ans qu'il joue du piano. (**jouer de** pour un instrument de musique)
3. Je gagne ma vie comme traductrice depuis l'année dernière.
4. Elle n'est pas allée à Vancouver depuis très longtemps.
5. Il y a deux ans qu'il vit ici.

PRÉCISIONS

Ambiguïté de sens avec le mot **heure**

Je travaille **depuis** deux heures.
Deux heures peut signifier **combien de temps** l'action a déjà duré (« for 2 hours »); ou **l'heure à laquelle** l'action a commencé (« since 2 o'clock »).

mais : **Il y a** deux heures **que** je travaille. (Ici le sens est clair.)
J'ai commencé à travailler à deux heures. (Ici le sens est clair.)

- **Depuis** dans une phrase négative
  La même construction, avec **depuis** ou **depuis que** + *présent*, est employée à la forme négative pour exprimer *qu'une action n'a pas eu lieu depuis un moment dans le passé* et que la situation continue dans le présent. « I have not been (doing)... for, since... » On emploie aussi le passé composé avec **depuis** pour exprimer *qu'une action n'a pas eu lieu depuis un moment du passé jusqu'au présent*, mais que la situation peut changer dans le présent. « I have not (done)... for, since... »

  Je n'étudie pas depuis trois jours. (« for »)
  Je n'étudie pas depuis que j'ai été malade. (« since »)
  Je **ne** lui **ai pas écrit depuis** un mois. (« for »)
  Je **ne** lui **ai pas écrit depuis** sa dernière lettre. (« since »)

  Exemples avec les locutions équivalentes à **depuis** (« for ») :

  Il y a une éternité **que** je **ne** vous **ai pas vu.**
  Ça fait un mois **que** vous **ne** lui **avez pas parlé.**
  Voilà très longtemps **que** je **ne suis pas allée** voir un film. (plus formel)

APPLICATION IMMÉDIATE

B

R. Complétez les phrases suivantes avec le présent et le passé composé du verbe indiqué : « I have not been __________ ing » ou « I have not __________ ».

1. Je (ne pas prendre) __________ de vacances depuis trois ans.
2. Il (ne pas se sentir bien) __________ depuis qu'il est revenu du Lesotho.
3. Tu (ne pas m'écrire) __________ depuis longtemps.
4. Elle (ne plus chanter) __________ depuis l'année dernière.

S. Rédigez deux phrases affirmatives et deux phrases négatives concernant vos propres activités, en employant une de ces locutions, et partagez votre travail avec vos pairs :

depuis, depuis que, il y a... que, ça fait... que, voilà... que

Modèle : Je **suis** au laboratoire **depuis** une demi-heure.
Ça fait plusieurs semaines **que** je **n'ai pas écrit** à mes parents.

Distinctions de sens

Autres traductions de « for »

Pendant	
Pendant désigne un espace de temps d'une durée limitée mais non datée. Le mot reste parfois inexprimé quand la durée de temps *suit immédiatement* le verbe.	L'année dernière, ils ont voyagé **(pendant)** un mois.
Pour	
Pour est employé à la place de **pendant** avec les verbes *aller, venir, partir.*	Ils partent **pour** un mois.

Autres traductions de « since »

Puisque	
Puisque signifie « parce que, du fait que ».	**Puisqu'**il faut que vous le sachiez, je vais vous le dire.
Comme	
Comme est employé au commencement d'une phrase à la place de **parce que** (sens moins fort que **puisque**).	**Comme** il fait beau, je ne prends pas mon parapluie.

APPLICATION IMMÉDIATE

 B

T. Complétez avec **depuis, depuis que, puisque, comme, pendant** ou **pour.**

1. Il ne me parle plus ________ nous nous sommes disputés.
2. Donne-le-lui, ________ c'est à lui.
3. ________ Pierre est fatigué, il ne croit pas venir danser ce soir.
4. Enfin l'été ! Il fait chaud ________ le 1er juillet.
5. Ses parents viennent ________ quelques jours.
6. ________ trois ans, il habite Flin Flon, une petite ville minière du Manitoba.

B

U. Complétez avec **depuis, depuis que, pendant, pour, puisque** ou **comme.**

1. Vous travailliez ________ que je dormais.
2. Je corrigerai ce texte ________ tu ne veux pas le faire.
3. ________ il a terminé ses devoirs, il peut aller voir ses amis.
4. Est-ce que je t'ai dit que je pars ________ quelques jours ?
5. Je n'ai pas eu de leurs nouvelles ________ la naissance de leur fils.

Locutions courantes avec *avoir*	
• **avoir besoin de**	Nous **avons besoin de** farine et d'œufs pour faire le gâteau.
• **avoir chaud, froid** et **être chaud, froid** On emploie : **avoir chaud** ou **froid** pour *une sensation* de chaleur ou de froid perçue par une personne. On emploie **être chaud** ou **froid** pour *la qualité* d'une chose ou d'une personne observée par quelqu'un d'autre. Au Canada, l'expression **être chaud** peut aussi avoir le sens d'**être ivre**.	**J'ai chaud** en ce moment. (Je ressens de la chaleur.) Quand ma soupe **est** trop **chaude**, j'y ajoute du fromage. J'**ai froid** même si le radiateur **est chaud.** Le directeur est très **froid** avec ses employés et personne ne l'aime.
• **avoir envie de** Ne pas confondre **avoir envie de** (« to want something or someone ») et **envier** (« to envy »).	J'ai envie d'aller me promener. *Mais :* Je n'envie pas mes voisins.
• **avoir faim, avoir soif**	Après un entrainement, Claire **a** toujours très **soif,** mais elle n'**a** jamais **faim.**
• **avoir l'air (de)** **avoir l'air** + *adjectif* (voir chapitre 4, p. 61) **avoir l'air de** + *nom* **avoir l'air de** + *infinitif*	Vous **avez l'air** fatigué. **Il avait l'air d**'un homme très bien. Vous **avez l'air de** ne pas me reconnaitre.
• **avoir le droit de** a un sens plus fort que *pouvoir.* (« to be allowed » vs « to be able »)	On n'a pas **le droit d**'entrer ici. Vous **avez le droit de** réclamer ces frais.
• **avoir lieu** = se passer, arriver, se produire	La conférence **aura lieu** mardi prochain.
• **avoir mal** et **faire mal** **avoir mal** = avoir de la douleur **faire mal** = causer de la douleur	J'**ai mal** aux pieds. J'**ai mal** au cœur. (= J'ai la nausée.) Vous me **faites mal** avec vos ongles.
• **avoir peur**	**Avez**-vous **peur** des serpents ? Oui, j'**ai** très **peur** de ces reptiles.

ATTENTION

Employez **très,** et non beaucoup, avec les locutions **avoir froid, avoir faim, avoir froid** et **avoir peur.**

J'ai **très** chaud avec le chat sur mes cuisses.

Locutions courantes avec *avoir (Suite)*	
• **avoir raison (de) ≠ avoir tort (de)**	Vous **avez tort d'**utiliser la force pour le réprimander.
• **avoir sommeil** signifie *avoir besoin de dormir* (« to be tired »). Ne pas confondre avec *être endormi* (« to be sleepy »). Au Canada, l'expression **être fatigué** est davantage utilisée.	Alex ne dort pas assez, alors il a toujours **sommeil.** *Mais :* Le lundi matin, les étudiants **sont** toujours **endormis.**
• **avoir + âge + ans.** En français, il faut toujours faire appel au verbe **avoir** et au nom **an** pour donner l'âge.	Quel âge avez-vous ? — J'**ai 18 ans.** (Comparez à l'anglais : « I **am** 18. »)

APPLICATION IMMÉDIATE

A

V. Complétez avec les locutions à la forme appropriée : **avoir chaud, avoir froid, être chaud** ou **être froid.**

1. Nous avons fermé la fenêtre parce que nous __________ .
2. Je me suis brulé la langue avec ce café, car il __________ trop __________ .
3. Elle demande au serveur de réchauffer sa soupe, qui est __________ .
4. Vous __________ ? Vous n'êtes pas comme moi, j'ai la chair de poule.

A

W. Complétez les phrases suivantes avec une locution courante formée avec **avoir**, au temps qui convient.

1. Il faut que j'aille voir le médecin parce que j' __________ à un bras.
2. J' __________ de ce gâteau qui semble si bon.
3. Ces fraises __________ délicieuses ; je vais en acheter quelques-unes.
4. Il y a des gens qui veulent toujours __________ .
5. L'examen __________ demain, alors il faut étudier.
6. Je porte une tuque, car j' __________ d'attraper un rhume.
7. Il est midi et je n'ai pas encore mangé de la journée, alors j' __________ .
8. Tout le monde __________ d'être respecté.

Sens de porter-mener, apporter-amener, emporter-emmener	
• *porter* (« to carry »)	Je vais **porter** votre valise à la voiture. La mère **porte** son enfant dans ses bras.
• *mener* (« to lead, to take, to conduct [someone, something] »)	Je vais vous **mener** à l'épicerie. Nous aimerions que vous **meniez** les négociations.
• *apporter* (« to bring [something] »)	Demain, **apportez**-moi votre composition.
• *amener* (« to bring [someone] »)	**Amenez**-la-moi que je lui dise deux mots.
• *emporter* (« to take [something] along »)	**Emporte** ton parapluie, car il va pleuvoir.
• *emmener* (« to take [someone] along »)	Il va **emmener** ses enfants au parc ce soir.

APPLICATION IMMÉDIATE

B

X. Complétez les phrases avec l'un des verbes suivants, à la forme appropriée : **porter**, **mener**, **apporter**, **amener**, **emporter** ou **emmener.**

1. Vous ne savez pas où est la bibliothèque ? Je vais vous y ________ .
2. Il va ________ ses invités au cinéma ce soir.
3. Le père ________ son bébé dans ses bras.
4. Il est interdit d' ________ de la nourriture dans la salle de classe.
5. J' ________ mon imperméable, car il risque de pleuvoir.
6. Le sac qu'elle ________ sur son épaule est lourd.
7. Il aime ________ les discussions.
8. Tu n'as pas de voiture, alors je vais t' ________ à l'aéroport.
9. Pour la sortie, chacun devra ________ son repas.
10. Le shaman guérit les malades qu'on lui ________ .

EN RÉSUMÉ...

- Le présent de l'indicatif est le temps qui sert à évoquer les actions ou les états au moment actuel, ou les généralités et les vérités universelles.
- On l'emploie aussi pour exprimer un futur proche par rapport au présent ou pour exprimer un passé récent par rapport au présent.
- La conjugaison des verbes du 1er groupe est très régulière, même si certains verbes impliquent des changements orthographiques pour maintenir une bonne prononciation.

- Les verbes du 2e groupe sont tous réguliers.
- La conjugaison des verbes du 3e groupe est généralement irrégulière.

EXERCICES RÉCAPITULATIFS

A. *Rédigez une phrase avec chacune des locutions suivantes.*

1. comme (« since ») ______________________________

____

2. pendant ______________________________

____

3. depuis que ______________________________

____

4. puisque ______________________________

____

B. *Composez une phrase avec chacune des locutions suivantes.*

1. avoir le droit de ______________________________

____

2. avoir lieu ______________________________

____

3. avoir envie de ______________________________

____

4. avoir chaud ______________________________

____

5. être chaud(e) ______________________________

____

6. faire mal ______________________________

____

C. *Composez un paragraphe de quatre ou cinq lignes au présent de l'indicatif sur le sujet suivant, en faisant un bon choix de verbes.*

C'est le printemps. Je suis sur le campus de mon université, assis(e) à l'ombre d'un arbre...

D. *Rédigez un paragraphe au passé en y incorporant le présent littéraire (voir p. 215).*

E. *Rédigez un court texte au présent en employant huit des verbes suivants :*

jeter	créer	offrir	essayer	lancer
forcer	venir	pouvoir	recevoir	devenir
permettre	observer	suivre	courir	faire

16

Le passé composé

OBJECTIFS DU CHAPITRE

À la fin de ce chapitre, vous serez en mesure :

- de comprendre la relation entre le passé composé et les autres temps du passé ;
- de savoir choisir l'auxiliaire approprié ;
- de bien former le passé composé avec l'auxiliaire **avoir** comme **être** ;
- d'accorder le participe passé du verbe adéquatement.

On se sert généralement du **passé composé** et de **l'imparfait** pour indiquer une action ou un état passé. Il faut constamment faire un choix entre ces deux temps.

Le passé composé exprime *un fait terminé au moment où l'on parle.*

J'**ai vu** ce film alors qu'il sortait en salle.

L'imparfait montre *une action en train de se dérouler dans le passé,* sans indication de début ni de fin. Il est souvent utilisé pour mettre en contexte une autre action exprimée soit au passé composé, soit au passé simple.

J'ai vu ce film alors qu'il **sortait** en salle.

Le choix entre le passé composé et l'imparfait est généralement clair. Cependant, dans certains cas, il est difficile de déterminer si le temps indiqué est défini ou non. L'emploi du passé composé ou de l'imparfait dépend alors de ce que l'on veut exprimer. On emploie l'imparfait si on veut se replacer dans le passé (« flashback ») ; dans ce cas, c'est seulement la répétition de l'action qui est importante. On emploie le passé composé si l'action est vue du présent, et que l'on veut alors insister sur la durée totale de la répétition de l'action dans le passé. Dans ce cas c'est seulement la répétition de l'action qui est importante. On emploie le passé composé si l'action est vue du présent, et que l'on veut alors insister sur la durée totale de la répétition de l'action dans le passé.

Je **jouais** au tennis *tous les matins* pendant les vacances.
J'**ai joué** au tennis tous les matins *pendant les vacances.*

On se sert aussi du **plus-que-parfait** (voir chapitre 18) pour exprimer un fait passé antérieur à un autre fait passé.

Ils **avaient** déjà **diné** avant de partir.
Avant de s'éteindre, l'incendie **avait brulé** tout le village.

APPLICATION IMMÉDIATE

A

A. Dans les phrases suivantes tirées de *L'étranger* de Camus, les temps du passé sont soulignés. Notez que la narration est au masculin. Justifiez l'emploi de chaque temps.

1. J'ai voulu voir maman tout de suite.
2. Maman passait son temps à me suivre des yeux en silence.
3. Cela me prenait mon dimanche.
4. Je suis resté longtemps à regarder le ciel.
5. À cinq heures, des tramways sont arrivés dans le bruit.
6. Ils hurlaient et chantaient à pleins poumons que leur club ne périrait pas.
7. J'ai pris appui le premier et j'ai sauté au vol. Puis j'ai aidé Emmanuel à s'assoir.
8. Pour la première fois depuis bien longtemps, j'ai pensé à maman. Il m'a semblé que je comprenais pourquoi à la fin d'une vie elle avait pris un « fiancé ».

 B

B. Discutez en groupes de deux ou trois des nuances de sens apportées par les différences de temps en mettant les phrases qui suivent au passé composé et à l'imparfait.

1. Pendant la guerre, les avions (venir) __________ bombarder la ville à la même heure chaque jour.
2. Mes parents (mentir) __________ sur l'état de santé de mon père.

FORMES

Il est *formé du présent de l'auxiliaire* **avoir** *ou* **être** + *le participe passé du verbe* en question.

Nous **avons apprécié** ton appel.
Ils **sont allés** au cirque.

(Revoir les formes des participes passés réguliers et irréguliers, chapitre 23, p. 313 à 316, + Appendice A, p. 421 à 439.)

L'auxiliaire est un verbe qui *aide* à former les temps composés. Il constitue le premier mot du temps composé. La plupart des verbes forment le passé composé avec l'auxiliaire **avoir.** Tous les verbes pronominaux et un très petit nombre de verbes intransitifs forment toutefois ce temps avec l'auxiliaire **être.**

Les règles qui s'appliquent au verbe conjugué aux temps simples (négation, interrogation, place des pronoms objets et de l'adverbe) s'appliquent maintenant à l'auxiliaire, car c'est l'auxiliaire qui est *conjugué* dans la forme composée.

Martin et William **n'**ont **pas** terminé leurs études et le regrettent. (négation)
As-**tu** acheté tes livres ? (interrogation)
Je **les y** ai mis. (place des pronoms)
Je suis **souvent** rentré tard. (place de l'adverbe)

Le passé composé du verbe *aimer*:	
j'ai aimé	nous avons aimé
tu as aimé	vous avez aimé
il, elle, on a aimé	ils, elles ont aimé

Verbes conjugués avec *avoir*

- Les verbes **avoir** et **être**

  Comme le verbe **avoir** est conjugué avec lui-même, ajoutez le participe passé **eu** à un temps simple pour obtenir le temps composé correspondant.

  j'ai → j'ai **eu** nous avons → nous avons **eu**

  Le verbe **être** se conjugue également avec l'auxiliaire **avoir**; son participe passé est **été** et il est invariable

  Je suis → J'ai **été**

- Les verbes **transitifs**

  Ces verbes ont un *complément direct* ou *indirect*, selon qu'ils y sont liés directement (sans préposition) ou indirectement (avec une préposition).

  J'ai fait mon travail. **J'ai répondu** à la question.

- Les verbes **intransitifs** (excepté ceux qui sont conjugués avec **être,** voir p. 228)

  Ces verbes n'ont pas de complément direct ou indirect, mais peuvent avoir un complément de phrase.

  J'ai marché très vite jusqu'à la gare.

Accord du participe passé

Il s'accorde avec *le complément direct (CD) du verbe* si ce complément précède le verbe. (Exception : **été** du verbe **être,** qui est invariable.)

Ces bottes, je les ai **trouvées** sur le perron. (CD = **les** pour **ces bottes)**

Ces bottes que j'ai **trouvées** sur le perron… (CD = **que** pour **ces bottes)**

mais : J'ai **trouvé** ces bottes sur le perron. (CD = **ces bottes)**

APPLICATION IMMÉDIATE

A

C. Écrivez correctement le participe passé du verbe indiqué.

1. Aimez-vous la machine à expresso que vous avez __________ (acheter) récemment ?
2. La toilette a __________ (inonder) la salle de bain et l'a __________ (couvrir) d'eau souillée.
3. Lesquels a-t-il __________ (finir) d'abord ?
4. Voilà les photos que j'ai __________ (prendre). Je les ai __________ (montrer) en classe.
5. Je pense que mes peintures seront finies demain. Je me rappelle que je vous en ai __________ (promettre) une.

A

D. Mettez les phrases suivantes au passé composé. Attention à la place des pronoms objets, des négations et des adverbes.

1. Nous mangeons beaucoup. ______________________________
2. Comprends-tu ma question ? ______________________________
3. Je ne le trouve jamais. ______________________________
4. Ne voulez-vous pas l'écouter ? ______________________________
5. Antoine et moi y entrons. ______________________________

Verbes conjugués avec *être*

Les verbes intransitifs

- Les verbes **intransitifs** de la liste suivante (et seulement ces verbes).
  Ce sont des verbes de *mouvement* ou de *changement d'état.* Apprenez-les par cœur.

aller	arriver	décéder	descendre
devenir	entrer	monter	mourir
naitre	partir	parvenir	passer
rentrer	rester	retomber	retourner
revenir	sortir	tomber	venir

« La maison d'être » est un dessin qui permet de mémoriser la plupart de ces verbes :

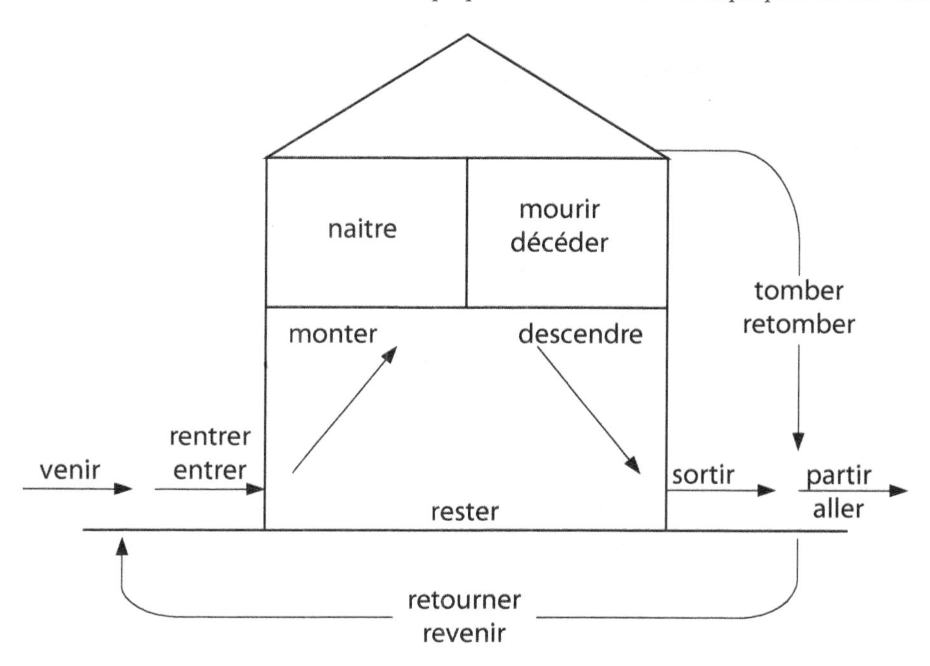

Une deuxième façon de mémoriser cette liste est la *méthode Dr Mrs Van Der Trampp*. À chaque lettre du nom correspond la première lettre d'un verbe qui peut utiliser l'auxiliaire **être** pour former un temps composé :

Descendre
Rentrer

Monter
Revenir
Sortir

Venir
Arriver
Naitre

Devenir
Entrer
Rester

Tomber
Retourner
Aller
Mourir
Partir
Passer

Voici les autres verbes, moins fréquents, se conjuguant avec **être: advenir, échoir, intervenir, provenir, redevenir, survenir, parvenir.**

Passé composé du verbe *aller*	
je suis allé(e)	nous sommes allés(es)
tu es allé(e)	vous êtes allé(e, s, es)
il, elle, on est allé(e, s, es)	ils, elles sont allés(es)

Accord du participe passé

Il s'accorde avec le sujet du verbe, comme un adjectif.

Elle est **partie** pour la course il y a cinq minutes.
Ils sont **morts** dans un accident d'auto.
Nous sommes **parti(e)s** très tôt.

Distinctions de sens entre *rentrer, retourner, revenir*

rentrer = retourner à la maison	Nous **sommes rentrés** directement après le film.
retourner = « to go back »	Elle a beaucoup aimé l'Espagne et elle y **est retournée** plusieurs fois.
revenir = « to come back »	Je **suis revenu** vous voir pour vous parler davantage.

PRÉCISIONS

- Certains verbes sont tantôt transitifs directs, tantôt intransitifs : **monter, descendre, sortir, passer, rentrer, retourner.** Lorsqu'ils sont transitifs directs, ils sont conjugués avec **avoir** et s'accordent avec le complément direct s'il les précède.

  Le coureur a monté la côte sans paraître essouflé.
  J'ai descendu les marches quatre à quatre.
  Elle a lu la lettre qu'elle **a sortie** de son sac.
  Quelles bonnes vacances nous **avons passées** à la montagne!

- Lorsque le sujet est le pronom **on,** l'accord du participe passé conjugué avec **être** se fait selon le sens. Effectivement, puisque ce pronom peut renvoyer à presque n'importe quelle personne, l'accord se fait selon le sujet réel. Ainsi, si **on** renvoie à un groupe de femmes, le participe passé devrait être féminin pluriel.

  On est tombés. (référent = groupe de garçons)
  On est tombé. (référent = groupe imprécis)
  On est tombées. (référent = groupe de filles)

APPLICATION IMMÉDIATE

E. Écrivez correctement le participe passé. **A**

1. Nous sommes ___________ (passer) vous voir, mais vous n'étiez pas là.
2. Elle a ___________ (retourner) les crêpes très habilement.
3. Ils sont ___________ (rester) à la maison.
4. Elles sont ___________ (revenir) à trois heures.
5. Les kidnappeurs les ont ___________ (rentrer) de force dans la camionnette.

F. Écrivez le participe passé du verbe entre parenthèses et accordez-le s'il y a lieu. **B**

1. Je sais que tu lui as (rendre) ___________ sa bicyclette.
2. Il n'est pas satisfait de la part qu'il a (recevoir) ___________.
3. Nina pleure constamment depuis que son mari l'a (quitter) ___________.
4. Il est victime de la situation qu'il a (créer) ___________.
5. Quels cours avez-vous (suivre) ___________ la session dernière?
6. Tu as (acheter) ___________ des provisions et tu les as (mettre) ___________ dans le réfrigérateur.
7. Est-ce que vous avez (pouvoir) ___________ partir à l'heure?
8. Elle nous a (raconter) ___________ une histoire sans queue ni tête. Je ne l'ai pas (croire) ___________.
9. Lesquelles avez-vous (prendre) ___________ , les vertes ou les noires ?
10. Son alcoolisme a (nuire) ___________ à sa réputation.

G. Complétez les phrases avec **rentrer, retourner** ou **revenir,** au temps approprié. **B**

1. Chaque fois que nous __________ à notre village, nous avions le cafard.
2. Je __________ parce que je suis trop attaché à toi pour te laisser.
3. Elle se sentait mieux dès que le printemps __________.

Les verbes pronominaux

Ils se conjuguent toujours avec l'auxiliaire **être** et un pronom réfléchi (voir chapitre 25, p. 343).

Accord du participe passé. Il s'accorde généralement avec le complément direct s'il précède le verbe.

> Ils se sont finalement **lavés.**
> (ils ont lavé qui ? **se,** donc accord)
> Ils se sont finalement **lavé** les cheveux.
> (ils ont lavé quoi ? les cheveux, donc pas d'accord ; **se** est alors complément indirect : laver [les cheveux] à qui ?)

Si on ne peut pas analyser le pronom objet (on parle alors de verbes essentiellement pronominaux) ou si le verbe a un sens passif, le participe passé s'accorde alors avec le sujet.

Les chatons se sont **endormis.**
Les cornets de crème glacée se sont **vendus** comme des petits pains chauds.

Le participe passé des verbes suivants est toujours *invariable* (parce que le pronom réfléchi est complément indirect):

se dire	se téléphoner
s'écrire	se mentir
se parler	se nuire
se plaire	se déplaire
se rire	se sourire

APPLICATION IMMÉDIATE

A

H. Donnez l'imparfait et le passé composé des formes suivantes à la personne indiquée.

		imparfait	*passé composé*
1.	nous commençons	______	______
2.	vous vous amusez	______	______
3.	j'entre	______	______
4.	nous voyons	______	______
5.	ils s'arrêtent	______	______
6.	vous appelez	______	______
7.	tu te tais	______	______
8.	elle reste	______	______
9.	vous buvez	______	______
10.	j'envoie	______	______
11.	il s'éteint	______	______
12.	ils font	______	______
13.	je m'habitue	______	______
14.	tu finis	______	______
15.	je souris	______	______

EMPLOIS

Le passé composé est employé pour exprimer :

- Une action qui s'est produite à un moment précis dans le passé.

  Il **est tombé** en sortant de la voiture.
  La foudre l'**a frappé** alors qu'il courait se mettre à l'abri.
  Robert Bourassa **est mort** d'un cancer en 1996.

- Une série d'actions successives dans le passé.

  Vous **êtes arrivé,** vous **avez cogné** à la porte, on vous **a ouvert**, vous **êtes entré**, on vous **a frappé** et puis vous ne vous souvenez plus de rien.
  Je **suis venu, j'ai vu, j'ai vaincu.** (Jules César)

- Une action qui s'est répétée et qui est terminée.

  Elle **a rendu** visite à sa tante quelques fois avant son départ.
  Il **a fait** sa ronde trois fois durant la soirée.

- Une action d'une certaine durée et qui est terminée.

  Randy Bachman **a joué** du violon toute son enfance, mais il joue maintenant de la guitare.
  Nous **sommes restés** longtemps à discuter sur la terrasse.

PRÉCISIONS

Le passé composé est souvent utilisé pour remplacer *le passé simple* dans les textes modernes. Le passé simple a un sens d'accomplissement plus lointain.

Je **répondis** à sa lettre. → **J'ai répondu** à sa lettre.
Elle **traversa** la rue. → Elle **a traversé** la rue.

APPLICATION IMMÉDIATE

I. Mettez le verbe au passé composé et justifiez cet emploi. Discutez-en entre pairs.

1. Il ___________ (sourire) en la voyant.
2. Hier, je ___________ (prendre) une décision importante.
3. Tu ___________ (ne pas finir) tes devoirs ?
4. Je ___________ (naitre) en mai 1983.
5. Je lui ___________ (parler) pendant une demi-heure.

B

J. Mettez les phrases suivantes au passé; choisissez le passé composé ou l'imparfait pour chaque verbe selon le contexte. Expliquez les différents cas en petits groupes.

1. Je le __________ (voir) de temps en temps quand il __________ (travailler) à la cafétéria. Mais il __________ (quitter) son emploi hier parce que les nombreuses heures de travail le __________ (empêcher) d'étudier suffisamment.
2. Je __________ (vouloir) lui tenir compagnie pendant quelques instants, mais quand il __________ (exprimer) le désir d'être seul, je __________ (comprendre) qu'il __________ (falloir) que je m'en aille.
3. Comme le chien __________ (aboyer) sans cesse la nuit dernière, je me __________ (mettre) des bouchons dans les oreilles.
4. Elle __________ (vouloir) lui envoyer un message, mais le serveur __________ (être) en panne.
5. Je __________ (venir de) rentrer et je __________ (aller) me reposer quand vous __________ (sonner).

B

K. Complétez les phrases avec le passé composé du verbe **devoir, pouvoir** ou **savoir,** et expliquez le sens du verbe que vous avez choisi.

1. La porte avant était barrée, alors il __________ faire le tour par l'arrière.
2. Nous n'avions pas de leurs nouvelles depuis longtemps. Nous ne __________ pas qu'ils avaient été foudroyés.
3. Pendant que les autres invités étaient occupés à parler ensemble, j' __________ prendre Jasmine à part un instant pour lui demander comment allaient ses parents.

B

L. Complétez les phrases suivantes avec le passé composé ou l'imparfait du verbe donné, selon le cas. Expliquez votre choix.

1. venir

   a. D'habitude, elle __________ passer les vacances avec nous à la plage.

   b. Elle __________ me voir à trois heures hier.
2. aller

   a. Je __________ au cinéma deux fois la semaine dernière.

   b. En ce temps-là, je __________ à l'école Gabrielle-Roy.
3. falloir

   a. Autrefois, il __________ beaucoup de temps pour se rendre en Europe.

   b. Il __________ travailler toute la journée pour finir ce projet.
4. faire

   a. Aujourd'hui, Jeanne __________ la queue pendant quatre heures pour acheter un seul billet.

   b. Il __________ froid quand nous sommes partis.

5. répondre
   a. Il __________ dès que le téléphone a sonné.
   b. Chaque fois qu'on l'appelait, il __________ gentiment.

M. Complétez les phrases en mettant les verbes au passé composé ou à l'imparfait.

C

1. Il me __________ (falloir) une heure pour achever ce travail que je __________ (croire) presque terminé.
2. Il __________ (s'évanouir) comme nous __________ (entrer) dans la salle.
3. Nous __________ (prendre) la poudre d'escampette lorsque le policier __________ (entrer).
4. Pendant les vacances, je __________ (se baigner) trois fois seulement, mais je __________ (aller) souvent à la plage.
5. Si vous m' __________ (accorder) plus de temps, je pourrais faire un meilleur travail.

EN RÉSUMÉ...

- Le passé composé est formé de l'auxiliaire **avoir** ou **être** au présent de l'indicatif et du participe passé du verbe.
- La grande majorité des verbes se conjuguent avec l'auxiliaire **avoir,** mis à part quelques verbes qui peuvent se conjuguer avec **avoir** ou **être,** selon le sens ; une vingtaine de verbes intransitifs de même que les verbes pronominaux ne se conjuguent qu'avec l'auxiliaire **être.**
- En règle générale, le participe passé avec l'auxiliaire **être** s'accorde avec le sujet. Le participe passé avec **avoir** s'accorde avec le complément direct si celui-ci précède le verbe.
- Le participe passé est utilisé pour décrire une action qui s'est produite à un moment précis du passé ou pour décrire une série d'actions successives dans le passé.

EXERCICES RÉCAPITULATIFS

A. *Donnez, au passé, vos impressions sur un film que vous venez de voir.*

B. *Rédigez trois phrases contenant le pronom relatif* ***que*** *suivi d'un verbe transitif au passé composé.*

Modèle : J'aime la fleur **que** vous m'**avez donnée.**

____

____

____

C. *Qu'est-ce que vous avez fait aujourd'hui ? Donnez une série de petites phrases avec des verbes au passé composé.*

D. *Imaginez-vous à un certain moment du passé et faites, en quatre ou cinq lignes, la description d'une famille que vous avez connue. Employez seulement l'imparfait, comme dans le texte* En sortant de l'épicerie *(voir chapitre 17, p. 240).*

E. *Composez une phrase avec chaque verbe.*

1. retourner

 ____

2. revenir

 ____

3. descendre

 ____

4. monter

 ____

5. sortir

 ____

6. passer

 ____

F. *Faites une phrase avec chacun des passés composés suivants.*

1. j'ai dû (j'ai été obligé)

 ____

2. j'ai pu (j'ai réussi à)

 ____

3. j'ai su (j'ai appris)

 ____

G. *Terminez cette histoire en donnant l'explication demandée. (cinq lignes au passé)*

Un changement d'humeur

Pourquoi as-tu l'air si maussade aujourd'hui, hein ? Quand je t'ai vu hier, tu semblais si heureux ; tu venais de passer une très bonne journée avec tes amis. Est-ce que quelque chose est arrivé depuis que je t'ai parlé ? As-tu reçu de mauvaises nouvelles de quelqu'un ? Allons, explique-moi !

— Eh bien ! Voilà ce qui s'est passé…

17

L'imparfait

OBJECTIFS DU CHAPITRE

À la fin de ce chapitre, vous serez en mesure :

- de saisir l'usage des temps du passé en distinguant l'imparfait de l'indicatif, le passé composé et le plus-que-parfait de l'indicatif ;
- de maitriser la conjugaison de l'imparfait de l'indicatif.

Les temps du passé ont chacun un emploi relativement spécifique. Ainsi, l'imparfait présente le contexte dans lequel s'est passé l'action ; il tisse un portrait général. La conjugaison de l'imparfait est très régulière et relativement simple. C'est donc surtout sur l'emploi que nous nous attarderons.

L'imparfait est un temps simple qui présente *une action continue qui s'est déroulée dans le passé,* sans indications précises de début ni de fin. Il est souvent utilisé pour mettre en contexte une autre action exprimée soit au passé composé, soit au passé simple.

FORMES

- On forme l'imparfait en se reportant au *radical* de la 1re personne du pluriel (nous) du présent de l'indicatif auquel on ajoute les terminaisons suivantes :

Terminaisons de l'imparfait

1re personne du singulier :	**ais**	1re personne du pluriel :	**ions**
2e personne du singulier :	**ais**	2e personne du pluriel :	**iez**
3e personne du singulier :	**ait**	3e personne du pluriel :	**aient**

- La formation de l'imparfait est régulière pour tous les verbes, excepté le verbe **être,** qui a un radical particulier : **ét.**
  Voici l'imparfait des trois groupes verbaux :

1er groupe : aimer	**2e groupe : finir**
(nous aimons → *radical* = **aim**)	(nous finissons → *radical* = **finiss**)
j'aim**ais**	je finiss**ais**
tu aim**ais**	tu finiss**ais**
il, elle, on aim**ait**	il, elle, on finiss**ait**
nous aim**ions**	nous finiss**ions**
vous aim**iez**	vous finiss**iez**
ils, elles aim**aient**	ils, elles finiss**aient**

L'imparfait de quelques verbes du 3e groupe		
boire	(nous buvons)	→ je buvais
craindre	(nous craignons)	→ je craignais
croire	(nous croyons)	→ je croyais
faire	(nous faisons)	→ je faisais
prendre	(nous prenons)	→ je prenais
venir	(nous venons)	→ je venais
voir	(nous voyons)	→ je voyais

PRÉCISIONS

- Aux 1re et 2e personnes du pluriel (**nous** et **vous**) du présent de l'indicatif, il suffit généralement d'ajouter un **i** pour avoir la forme de l'imparfait.

  Présent : nous parl**ons** — imparfait : nous parl**ions**

- Si le radical du verbe se termine par **i,** il y a *deux* **i** à l'imparfait.

  Présent : nous étudi**ons** — imparfait : nous étudi**ions**

- Les trois terminaisons **ais, ait** et **aient** ont la même prononciation.

  Je voy**ais**, tu voy**ais**, il voy**ait** et ils voy**aient** sont identiques à l'oral.

- Les verbes en **-cer** et **-ger** subissent des changements orthographiques avec les terminaisons **ais, ait, aient** (voir chapitre 15, p. 206). Dans le premier cas, le **c** devient **ç**; dans le second, le **g** devient **ge.** Ces changements maintiennent les sons doux des consonnes; en effet, **c** se prononce [s] devant **a, o** et **u**, et **g** se prononce [g] devant les mêmes voyelles.

  je commen**çais** — je chan**geais**

APPLICATION IMMÉDIATE

A

A. Écrivez l'imparfait des verbes à la personne indiquée.

1. être ; nous ______
2. répondre ; il ______
3. comprendre ; je ______
4. pâlir ; elle ______
5. rire ; on ______
6. écrire ; tu ______
7. connaitre ; ils ______
8. travailler ; vous ______
9. manger ; ils ______
10. placer ; tu ______

EMPLOIS

L'imparfait se traduit de plusieurs façons : « I did, I was doing, I used to do, I would do, how about doing, if only I did », etc. Il est employé :

- Pour exprimer *une action inachevée à un moment indéterminé* ou imprécis du passé.

  Ce matin, ma voiture ne **partait** pas. (« did not start »)
  Il ne **pleurait** jamais quand il **était** petit. (« never cried, was »)
  L'enfant **riait** parce qu'on le **chatouillait.** (« was laughing, was being tickled »)

C'est souvent le cas avec les verbes d'état d'esprit qui expriment des actions généralement vues dans leur continuité :

Les verbes d'état d'esprit

avoir	penser	aimer	espérer	pouvoir
être	croire	désirer	regretter	vouloir
	trouver	préférer		
	songer	détester		
	savoir			

Autrefois, on **croyait** qu'il **était** impossible d'aller sur la Lune.
Je **croyais** que tu le **trouvais** sympathique.
Il **regrettait** d'avoir parlé si brusquement à la serveuse.

3ᵉ partie : Le groupe verbal

Mais ces verbes peuvent être au passé composé si le fait est accompli à un moment précis ou si l'action est achevée.

> Autrefois, on a cru qu'il **était** impossible d'aller sur la Lune.
> J'ai cru que tu le **trouvais** sympathique.
> Il a regretté d'avoir parlé si brusquement à la serveuse.

- Pour *décrire les circonstances, le décor, les personnages d'une scène, l'aspect physique et mental ou le temps qu'il faisait* dans le passé. Ces imparfaits ne font pas progresser la narration, car ils décrivent l'environnement et la situation.
  En sortant de l'épicerie, j'ai essayé d'éviter de parler à Michèle, car je **savais** qu'elle m'en **voulait** de l'avoir laissée pour Nancy le mois dernier. Surtout que celle-ci était revenue de voyage et que je **risquais** de la croiser n'importe quand. J'ai vu Michèle du coin de l'œil et je l'ai aperçue faire un pas vers moi, mais j'ai continué mon chemin sans tourner la tête. Et une chance, car Nancy **se trouvait** juste à l'extérieur, et elle **entrait** comme je **sortais.** Comme les portes vitrées **laissaient** tout voir de l'intérieur, je lui ai dit que j'**étais** pressé pour éviter qu'elle ne m'embrasse devant Michèle. Je ne **voulais** pas avoir droit à une scène sur la place publique. Moi qui **trouvais** les hommes jaloux, j'**étais** pris entre deux femmes qui **réclamaient** mon amour exclusif.

- Quand *deux actions sont simultanées* :

▶ Pour une action en cours (« I was ___ing ») quand une autre action (au passé composé) a eu lieu.	Quand tu as téléphoné, je **dormais.**
▶ L'expression **être en train de** (chapitre 15, p. 213) est toujours à l'imparfait dans le passé.	Qu'est-ce que vous **faisiez** lorsque je suis arrivé ? — J'**étais en train de** me reposer.
▶ Pour deux actions *simultanément en cours* dans le passé.	Il **lisait** pendant que j'**écrivais.** Je le **connaissais** bien quand il **habitait** en haut de chez moi.

- Pour *une action répétée un nombre indéterminé de fois* ou à *intervalles réguliers dans un espace de temps indéterminé* (« I used to do, I would »). Ne confondez pas cet emploi avec le conditionnel, qui se traduit souvent aussi par « would ».

> Chaque fois qu'elle **pleurait,** le chat venait s'assoir sur ses genoux pour la consoler.
> Quand il **allait** à la bibliothèque, il la **rencontrait** aux tables du fond.
> À cette époque-là, il **fréquentait** les bars régulièrement.

- Après **si** :

▶ Dans *une phrase conditionnelle* au conditionnel présent.	Si tu étais plus patiente avec moi, j'**irais** te voir plus souvent. (voir chapitre 20, p. 265).

- ▶ *Pour un souhait, un désir* (« If only I did, How about doing »).

  Si seulement on **était** en vacances!
  Je suis si inquiète; **si seulement** il **arrivait**!
  Si nous **allions** prendre un café!

- *À la place du présent* dans le style indirect au passé (voir chapitre 31, p. 412).

  Il **dit** qu'il **faut** partir. → Il **disait** qu'il **fallait** partir.
  Je **pensais** que vous **étiez** malade.
  Elle **a remarqué** qu'il y **avait** beaucoup de fumée dans la salle.

- Avec *depuis* pour une action *commencée dans le passé* et *qui continuait à un certain moment du passé* (« had been ___ing... for, since... »). Comparez avec l'emploi du présent pour traduire « have been ___ing... for, since... » (voir chapitre 15, p. 215).

  Il **attendait depuis** un quart d'heure quand je suis arrivée. (« for »)
  Depuis sa chute, il ne **se sentait** plus aussi bien qu'avant. (« since »)
  Nous sommes partis parce qu'il **pleuvait depuis** plusieurs jours. (« for »)

- Le *futur proche* (**aller** + infinitif) et le *passé récent* (**venir de** + infinitif) sont toujours à l'imparfait dans le passé.

  J'**allais** vous **dire** quelque chose et puis l'idée m'est sortie de la tête.
  Quand la cloche a sonné, on **venait** juste **de finir** l'exercice.

APPLICATION IMMÉDIATE

B. Mettez les phrases suivantes au temps qui convient. **B**

1. Vous ___________ (ne pas me comprendre); ce n'est pas ce que je ___________ (vouloir) dire.
2. Je ___________ (vouloir) lui prendre la main, mais elle ___________ (m'embrasser) avant que j'aie pu le faire.
3. Il ___________ (pleuvoir) quand nous ___________ (partir).
4. Si vous ___________ (être) gentil, vous m'aideriez.
5. À cette époque-là, nous ___________ (jouer) souvent aux cartes plutôt que de passer la soirée à naviguer sur Internet.
6. Chaque fois qu'elle venait, nous ___________ (se disputer).

C. Complétez les phrases en expliquant les circonstances qui ont causé les actions suivantes. Employez des verbes à l'imparfait. **B**

1. Pamela s'est mise à pleurer ___________ .
2. Le facteur m'a donné le courrier en main propre ___________ .
3. J'ai changé de place pendant la conférence___________ .
4. Vous n'avez pas compris ce texte ___________ .
5. Le chien a aboyé ___________ .

B

D. Complétez les phrases suivantes en employant des verbes à l'imparfait et au passé composé.

1. Je résoudrais ce problème si ______________________________.
2. En dépit de tous mes efforts, ______________________________.
3. Quand il a vu que j'arrivais, ______________________________.
4. Il se rendait compte que ______________________________.
5. Voyant son attitude, ______________________________.
6. Lorsque j'étais petit(e), ______________________________.
7. Vous étiez en train d'ouvrir mes tiroirs ______________________________.
8. Si seulement ______________________________.
9. Tout à coup, ______________________________.
10. Elle avait échoué et pourtant ______________________________.

EN RÉSUMÉ...

- La conjugaison à l'imparfait de l'indicatif est très régulière, le verbe **être** étant le seul à faire exception.
- L'imparfait est employé pour exprimer une action inachevée à un moment indéterminé du passé ou pour décrire les circonstances d'un récit dans le passé.

EXERCICES RÉCAPITULATIFS

A. *Décrivez en cinq ou six lignes le moment où vous avez reçu votre lettre d'admission à l'université de votre choix. (Employez différents temps du passé.)*

B. *Composez cinq ou six lignes sur la plus grande peur que vous avez jamais eue. (Employez différents temps du passé.)*

18

Le plus-que-parfait

OBJECTIFS DU CHAPITRE

À la fin de ce chapitre, vous serez en mesure :

- de perfectionner l'emploi des trois temps principaux du passé, c'est-à-dire l'imparfait de l'indicatif, le passé composé et le plus-que-parfait de l'indicatif ;
- de maitriser la conjugaison du plus-que-parfait de l'indicatif et d'appliquer adéquatement les règles d'accord du participe passé.

Alors que l'imparfait brosse un portrait général et que le passé composé présente les actions ponctuelles, le plus-que-parfait présente les évènements qui ont précédé ces actions.

Le *plus-que-parfait est le temps composé de l'imparfait*. On s'en sert pour exprimer *un fait passé antérieur à un autre fait passé*.

FORMES

- Le plus-que-parfait est le temps composé de l'imparfait. Notez qu'on prononce le **s** de plus-que-parfait. [plys kœ paʀfɛ]
- Il est formé de l'imparfait *de l'auxiliaire* ***avoir*** *ou* ***être*** + *le participe passé du verbe en question*.

aimer	arriver	se reposer
j'avais aimé	j'étais arrivé(e)	je m'étais reposé(e)
tu avais aimé	tu étais arrivé(e)	tu t'étais reposé(e)
il, elle, on avait aimé	il, elle, on était arrivé(e, s, es)	il, elle, on s'était reposé(e, s, es)
nous avions aimé	nous étions arrivés(es)	nous nous étions reposés(es)
vous aviez aimé	vous étiez arrivé(e, s, es)	vous vous étiez reposé(e, s, es)
ils, elles avaient aimé	ils, elles étaient arrivés(es)	ils, elles s'étaient reposés(es)

- Le participe passé suit les mêmes règles d'accord que celles du passé composé (voir chapitre 16, p. 228 et 230).

APPLICATION IMMÉDIATE

A

A. Écrivez le plus-que-parfait des verbes suivants à la personne indiquée.

1. finir; je ____________
2. partir; nous ____________
3. vivre; il ____________
4. se lever; vous ____________
5. marcher; elles ____________
6. changer; on ____________

EMPLOIS

- *L'antériorité* exprimée par le plus-que-parfait (« I had done ») est souvent indiquée par *une conjonction temporelle,* mais pas toujours.

  Après que tu **étais partie,** il a téléphoné à ses amis.
  Vous **aviez terminé** votre travail *quand* nous sommes arrivés.
  J'**avais** *toujours* **eu** confiance en lui jusqu'à ce jour.
  Je n'**avais** pas **vu** Arthur *depuis deux mois quand* je l'ai rencontré.

- Il exprime aussi *une action habituelle, antérieure à une autre action habituelle qui est à l'imparfait.*

  Quand il **avait fini** de lire, il dormait un peu.

- Après **si** :
  - dans une phrase conditionnelle au conditionnel passé (voir chapitre 20, p. 265); — Si vous **étiez venu** tout de suite, vous **auriez vu** le rat avant qu'il se sauve.
  - pour exprimer *un regret*. (Comparez avec **si** + *imparfait* pour un désir, voir chapitre 17, p. 241.) — Si **j'avais su** ! Si seulement vous **aviez pu** lui parler !

- On le trouve *au style indirect au passé*, à la place du passé composé qui est employé pour le style indirect au présent (voir chapitre 31, p. 412).

Il me dit que j'**ai menti.** (présent) → Il m'a dit que j'**avais menti.** (passé)

APPLICATION IMMÉDIATE

B

B. Justifiez l'emploi du plus-que-parfait dans les phrases suivantes.

1. Généralement, quand il avait expliqué quelque chose, il n'aimait pas répéter, alors il fallait porter attention.
2. Il a ajouté que j'avais fait de mon mieux.
3. Quand j'ai reçu ta lettre, il y avait quelques mois que je n'avais pas eu de tes nouvelles.
4. Nous serions déjà à Winnipeg si nous n'avions pas eu la crevaison.
5. Elle vous a renvoyé la feuille que vous lui aviez donnée.

B

C. Mettez les verbes des propositions principales au passé et faites les changements nécessaires.

Modèle : Je pense que vous avez menti.
→ Je pensais que vous aviez menti.

1. Tu dis qu'il a fini son entrainement. ______
2. Savez-vous qu'elle est arrivée ? ______
3. Vous parlez beaucoup lorsque vous êtes nerveuse. ______
4. La voiture que tu veux acheter consomme beaucoup d'essence. ______
5. Tu oublies ce que je t'ai dit avant de partir. ______

B

D. Mettez ce passage au passé.

Un séjour à l'étranger

Une fois arrivé en Malaisie, il ______ (se rendre compte) que la situation ______ (être) tout à fait différente de celle à laquelle il ______ (s'attendre) ; au lieu d'être désagréables, la plupart des gens le ______ (saluer) quand ils ______ (passer) à côté de lui. Ils lui ______ (sourire) et lui

_________ (dire) quelques mots dans leur langue, qu'il _________ (ne pas comprendre). Peut-être _________ (ils, ne pas savoir) qu'ils _________ (avoir) affaire à un étranger. Voyant cela, il _________ (décider) de ne plus consulter le guide touristique qu'on lui _________ (suggérer). Il _________ (essayer) de rendre à ces gens la gentillesse qu'ils lui _________ (démontrer). Il _________ (accepter) leurs invitations et _________ (apprendre) leur langue. Il _________ (rester) un an dans ce pays magnifique; puis il _________ (revenir) dans le sien avec une nouvelle vision du monde musulman. Il _________ (garder) un très bon souvenir de son séjour à l'étranger, disant même souvent qu'il _________ (aller) y retourner un jour.

B

E. Mettez le récit au passé si le contexte le permet.

Un orage d'été

En deux minutes le temps _________ (changer). Le ciel qui _________ (être) si bleu _________ (devenir soudainement) noir comme de l'encre à cause de l'orage qui _________ (approcher). Bientôt une pluie battante _________ (s'amorcer). Le vent _________ (se lever). Le tonnerre et les éclairs _________ (se joindre) à la scène. Dans la rue, les voitures _________ (se mettre) à rouler plus vite, car chacun _________ (vouloir) rentrer chez soi rapidement, mais bientôt, elles _________ (devoir) s'arrêter sur le bord de la route en attendant que l'orage passe. L'orage _________ (passer) juste au-dessus de la petite ville; un éclair _________ (tomber) sur le clocher de l'église et le _________ (endommager). Heureusement, un orage d'été _________ (ne pas durer généralement). Le soleil _________ (revenir donc) et sa chaleur _________ (sécher rapidement) les flaques d'eau. Les enfants _________ (pouvoir) retourner dehors aux jeux qu'ils _________ (abandonner).

ATTENTION

En anglais, une action antérieure à une action passée n'est pas toujours au plus-que-parfait. De plus, le plus-que-parfait n'est pas souvent employé en anglais pour indiquer un état, alors que cela est fréquent en français.

Le professeur voulait savoir qui **avait triché.** (« cheated »)
Sa dent **était tombée** la veille. (« fell out »)
Maman **était née** en Saskatchewan. (« was born »)

EN RÉSUMÉ...

- Le plus-que-parfait se construit avec l'auxiliaire **avoir** ou **être** à l'imparfait et le participe passé du verbe.
- Le plus-que-parfait s'emploie en conjonction avec les autres temps du passé pour exprimer une action antérieure à une autre action passée.

EXERCICES RÉCAPITULATIFS

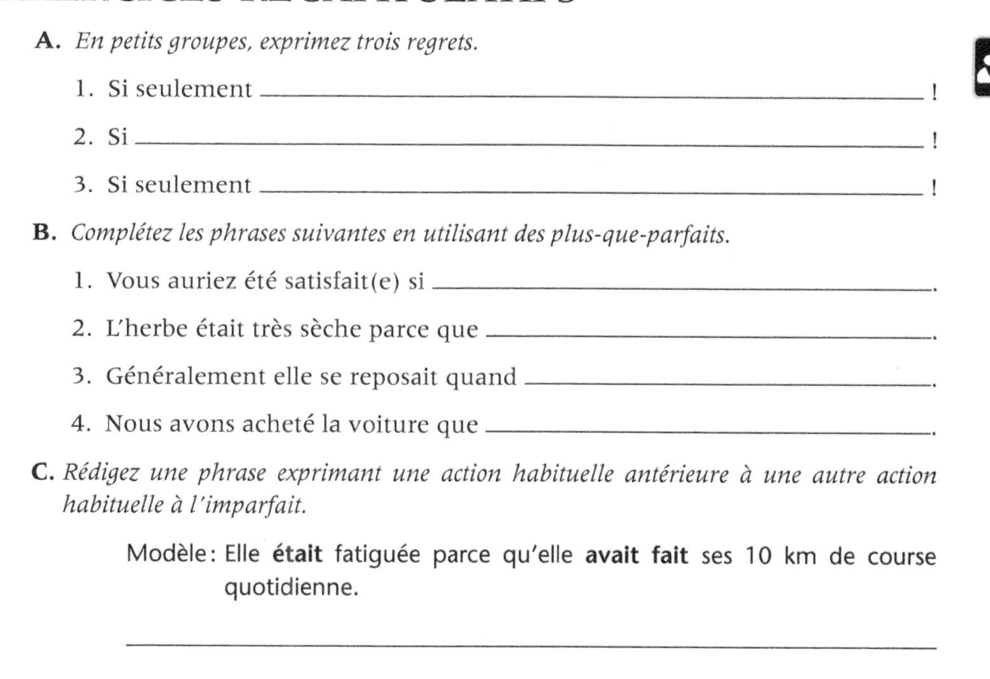

A. *En petits groupes, exprimez trois regrets.*

1. Si seulement ______________________________ !
2. Si ______________________________ !
3. Si seulement ______________________________ !

B. *Complétez les phrases suivantes en utilisant des plus-que-parfaits.*

1. Vous auriez été satisfait(e) si ______________________________.
2. L'herbe était très sèche parce que ______________________________.
3. Généralement elle se reposait quand ______________________________.
4. Nous avons acheté la voiture que ______________________________.

C. *Rédigez une phrase exprimant une action habituelle antérieure à une autre action habituelle à l'imparfait.*

Modèle : Elle **était** fatiguée parce qu'elle **avait fait** ses 10 km de course quotidienne.

____

19

Le futur
- Simple
- Proche
- Antérieur

OBJECTIFS DU CHAPITRE

À la fin de ce chapitre, vous serez en mesure :

- de comprendre la formation du futur simple, du futur proche et du futur antérieur, et de l'appliquer adéquatement ;
- de connaitre l'emploi des trois temps du futur.

Le futur renvoie à une action qui se réalise dans l'avenir par rapport au temps de l'énonciation. Il existe trois formes de futur, dont une forme surtout orale (le futur proche). Le futur simple, comme dans **ils pourront,** indique une action future, alors que le futur antérieur, comme dans **lorsqu'il sera revenu,** renvoie à une action que se réalisera dans l'avenir, mais avant une autre action future.

Le français a deux temps pour exprimer des faits à venir : le futur (simple) et le futur antérieur. De plus, il existe une forme du futur qu'on trouve surtout à l'oral : le futur proche.

FUTUR SIMPLE

C'est un temps simple, donc exprimé avec un mot.

Formes

Verbes réguliers

À l'infinitif du verbe, on ajoute les terminaisons du présent du verbe **avoir.** Voici le futur des deux groupes de verbes réguliers.

Terminaisons du verbe *avoir* au présent		**aimer**	**finir**
j'**ai**	→	j'aimer**ai**	je finir**ai**
tu **as**	→	tu aimer**as**	tu finir**as**
il, elle, on **a**	→	il, elle, on aimer**a**	il, elle, on finir**a**
nous av**ons**	→	nous aimer**ons**	nous finir**ons**
vous av**ez**	→	vous aimer**ez**	vous finir**ez**
ils, elles **ont**	→	ils, elles aimer**ont**	ils, elles finir**ont**

PRÉCISIONS

- Comme il se forme sur l'infinitif, la *lettre caractéristique* du futur est le **r.** On la trouve *immédiatement avant la terminaison du futur* de tous les verbes, réguliers et irréguliers, à toutes les personnes. Elle n'est présente qu'au futur simple et au conditionnel présent.

	finir : je finis, je finissais, j'ai fini, etc.
mais :	je **finir**ai
	préparer : je prépare, je préparais, j'ai préparé, etc.
mais :	je **préparer**ai

- La terminaison **ai** de la première personne du singulier se prononce [e] et la terminaison **ais** du conditionnel présent se prononce [ɛ]. Prononcez :

  j'aimer**ai,** j'aimer**ais** ; je finir**ai**, je finir**ais**, etc.

- Dans les verbes en **-ier, -uer, -éer, -ouer,** seuls **i, u, é, ou** s'entendent ; prononcez-les clairement. Le **e** de la terminaison du futur est maintenant muet dans la syllabe.

remerc**ier** : je remerc**ie**/rai [Rœmɛrsire]	cr**éer** : je cr**ée**/rai [krere]
contin**uer** : je contin**ue**/rai [kɔ̃tinyre]	av**ouer** : j'av**oue**/rai [avure]

- À cause de sa formation à partir de l'infinitif, le verbe **haïr** (prononcé [a ir]) prend un tréma à toutes les personnes du futur.

je haïrai	nous haïrons
tu haïras	vous haïrez
il, elle, on haïra	ils, elles haïront

- **Aller** et **envoyer** sont les seuls verbes en **-er** qui sont irréguliers au futur simple.

APPLICATION IMMÉDIATE

A

A. Écrivez et prononcez le futur des verbes suivants à la personne indiquée.

1. obéir ; nous ________________
2. polir ; vous ________________
3. aimer ; ils ________________
4. rencontrer ; tu ________________
5. étudier ; il ________________
6. louer ; je ________________

Changements orthographiques de certains verbes en -er

Les changements effectués au présent de l'indicatif (voir chapitre 15, p. 205 à 207) se retrouvent à toutes les personnes du futur de ces verbes. Notez que la conjugaison du verbe **céder** et de ses dérivés suit la même conjugaison que les autres verbes en **-er**, conformément aux rectifications orthographiques. **Appeler** et **jeter** font toujours exception.

lever	appeler	jeter
je lèverai	j'appellerai	je jetterai
tu lèveras	tu appelleras	tu jetteras
il, elle, on lèvera	il, elle, on appellera	il, elle, on jettera
nous lèverons	nous appellerons	nous jetterons
vous lèverez	vous appellerez	vous jetterez
ils, elles lèveront	ils, elles appelleront	ils, elles jetteront
acheter	**peler**	**céder**
j'achèterai	je pèlerai	je cèderai
tu achèteras	tu pèleras	tu cèderas
il, elle, on achètera	il, elle, on pèlera	il, elle, on cèdera
nous achèterons	nous pèlerons	nous cèderons
vous achèterez	vous pèlerez	vous cèderez
ils, elles achèteront	ils, elles pèleront	ils, elles cèderont
payer	**nettoyer**	**essuyer**
je paierai (ou payerai)	je nettoierai	j'essuierai
tu paieras (ou payeras)	tu nettoieras	tu essuieras
il, elle, on paiera (ou payera)	il, elle, on nettoiera	il, elle, on essuiera
nous paierons (ou payerons)	nous nettoierons	nous essuierons
vous paierez (ou payerez)	nous nettoierez	vous essuierez
ils, elles paieront (ou payeront)	ils, elles nettoieront	ils, elles essuieront

APPLICATION IMMÉDIATE

A

B. Écrivez le futur des verbes suivants à la personne indiquée.

1. jeter ; je ____________
2. employer ; on ____________
3. mener ; elle ____________
4. se promener ; nous ____________
5. rappeler ; je ____________
6. ennuyer ; tu ____________

Verbes irréguliers

Certains verbes du 3e groupe (normalement irréguliers) forment leur futur régulièrement, par exemple :

- les verbes irréguliers en **-re** (excepté **être** et **faire**) perdent le **e** final avant de prendre la terminaison du futur.

  boire → je boirai naitre → je naitrai écrire → j'écrirai

- quelques verbes du 3e groupe en **-ir** forment aussi leur futur régulièrement.

  ouvrir → j'ouvrirai fuir → je fuirai

D'autres ont *un radical irrégulier* qu'il faut savoir par cœur. *Les terminaisons* sont toujours celles *du présent du verbe* ***avoir***.

Futur irrégulier de verbes courants		
aller → j'irai	mourir → je mourrai	
avoir → j'aurai	pleuvoir → il pleuvra	
courir → je courrai	pouvoir → je pourrai	
cueillir → je cueillerai	recevoir → je recevrai	
devoir → je devrai	s'assoir → je m'assiérai *ou* je m'assoirai	
envoyer → j'enverrai		
être → je serai savoir → je saurai } *à ne pas confondre* faire → je ferai	tenir → je tiendrai valoir → je vaudrai vouloir → je voudrai } *à ne pas confondre*	
falloir → il faudra	voir → je verrai	

APPLICATION IMMÉDIATE

C. Donnez le futur des verbes suivants à la personne indiquée. **A**

1. comprendre ; il ____________
2. faire ; nous ____________
3. devenir ; je ____________
4. vivre ; tu ____________
5. aller ; vous ____________
6. vivre ; tu ____________
7. accueillir ; j' ____________
8. connaitre ; ils ____________

D. Donnez le futur simple des verbes suivants à la 1re personne du singulier **(je, j')**. **A**

1. servir ____________
2. voir ____________
3. faire ____________
4. pouvoir ____________
5. saluer ____________
6. venir ____________
7. avoir ____________
8. savoir ____________

3e partie : Le groupe verbal

9. courir ______________
10. créer ______________
11. s'asseoir ______________
12. dire ______________
13. mourir ______________
14. mener ______________
15. nouer ______________
16. envoyer ______________
17. répondre ______________
18. offrir ______________
19. céder ______________
20. prouver ______________
21. ouvrir ______________
22. prendre ______________
23. serrer ______________
24. haïr ______________
25. vouloir ______________
26. recevoir ______________
27. étudier ______________

Emplois

Le futur simple est employé :

- Pour exprimer une action ou un état *futur par rapport au présent* (« shall, will »).

  Il lui **écrira** bientôt. (action)
  Ce soir, je **serai** certainement fatiguée après toute une journée à vélo. (état)

- *Après les conjonctions temporelles* **quand, lorsque, aussitôt que, dès que, pendant que, tandis que** *et aussi* **tant que** (« as long as ») pour exprimer un fait futur (en anglais, le verbe reste au présent).

Le verbe de la proposition principale est *au futur* ou *à l'impératif.*

  Quand vous **serez** prêt à me parler, **appelez**-moi.
  Tant que vous n'**aurez** pas tous les éléments de la situation, vous ne **pourrez** pas tirer de conclusion.

- *Pour donner oralement des ordres atténués,* au lieu de l'impératif :

  Vous me **direz** combien je vous dois. (= Dites-moi combien je vous dois.)

- Dans une phrase conditionnelle avec **si** + *présent.*

  Si on **passe** un bon film, on **ira** le voir ensemble.

Une phrase conditionnelle comprend deux propositions : *la proposition conditionnelle,* qui commence par **si** et qui exprime la condition ou l'hypothèse, et *la proposition principale,* qui exprime le résultat ou la conséquence. *Il n'y a jamais de futur directement après un* **si** *de condition.*

Rappelons que :

si + il	**=**	**s'il**
si + ils	**=**	**s'ils**
si + on	**=**	**si on**
si + elle	**=**	**si elle**
si + elles	**=**	**si elles**

Voici les trois cas courants de phrases conditionnelles avec **si** + *présent*:

Si je dis oui, il **dit** non. (présent)
Si vous ne pouvez pas venir, **faites**-le-moi savoir. (impératif)
S'il fait beau demain, nous **pourrons** aller en randonnée. (futur)

APPLICATION IMMÉDIATE

E. Dans les phrases suivantes, mettez les verbes indiqués au futur simple ou à un autre temps s'il ne convient pas. **B**

1. Tant que je ne le _____ (voir) pas, je ne pourrai pas le croire.
2. Si vous _____ (se dépêcher), vous ne manquerez pas votre avion.
3. S'il se jette à tes genoux, lui _____ (pardonner)-tu?
4. Je ne crois pas qu'ils _____ (arriver) à la persuader.
5. Donnez-moi de vos nouvelles dès que vous le _____ (pouvoir).

F. Mettez les verbes des phrases suivantes au futur simple ou à un autre temps s'il ne convient pas. **B**

Modèle: Quand il **part** en voyage, il **demande** à son frère de garder sa maison.
→ Quand il **partira** en voyage, il **demandera** à son frère de garder sa maison.

Elle **rentre** après que les enfants **ont diné.**
→ Elle **rentrera** après que les enfants **auront diné.**

1. Ils se sentent bien quand ils sont en vacances.
____
2. Le conférencier commence son discours dès que l'auditoire est silencieux.
____
3. Le professeur s'en va aussitôt qu'il a terminé son cours.
____
4. Tu salues ton frère quand tu le vois.
____
5. À peine entendent-ils la sonnerie qu'ils se précipitent à la porte.
____
6. Vous finissez votre travail après la récréation.
____
7. Elle plante des fleurs dès que la saison le permet et puis elle les cueille quand elles ont fleuri.
____
8. Ils viennent manger après que les enfants sont au lit.
____

9. Les étudiants portent attention en classe tant qu'on les intéresse.

____

10. S'il ne vient pas, c'est qu'il a eu un empêchement.

____

B

G. Finissez les phrases suivantes en employant un futur simple lorsque c'est possible.

1. J'irai à Québec quand ______________________________.
2. J'irai à Québec si ______________________________.
3. Je vous verrai quand ______________________________.
4. Je vous verrai si ______________________________.
5. Je ne sais pas quand ______________________________.
6. Je ne sais pas si ______________________________.

FUTUR PROCHE

- À l'oral ou dans un texte informel, on emploie la plupart du temps le *futur proche* à la place du futur simple. Le futur proche se forme avec *le présent de* ***aller*** + *l'infinitif* du verbe.

  Je **vais parler** dans un instant.
  Il **va vivre** en Belgique l'année prochaine.
  Je **vais** vous **raconter** une anecdote.
  Cher ami, je **vais** t'**appeler** ce soir à 18 h.

- Pour exprimer le futur proche au passé, on emploie *l'imparfait de* ***aller*** + *l'infinitif* du verbe.

  Elle savait qu'il **allait venir.**

APPLICATION IMMÉDIATE

B

H. Changez le futur simple en futur proche dans les phrases suivantes.

1. On jugera sans doute que les vestiges de notre société sont très étranges.

____

2. Il racontera l'histoire aux membres du groupe.

____

3. Je pense que vous serez content de le savoir.

____

C

I. Remplacez le conditionnel présent par le futur proche du passé (imparfait de **aller** + infinitif).

Modèle : Il a dit qu'il **pourrait** le faire.
→ Il a dit qu'il **allait pouvoir** le faire.

1. Nous avons vu qu'il **pleuvrait** bientôt.
____
2. Je savais que tu lui **écrirais.**
____
3. Tu avais dit qu'il **arriverait** à trois heures.
____
4. Elle m'avait pourtant promis que nous **sortirions** seuls.
____

FUTUR ANTÉRIEUR

C'est un temps composé, c'est-à-dire qu'il est formé de deux mots.

Formes

Le futur antérieur est *la forme composée du futur* (voir aussi Appendice A, p. 421 à 439). Formation : *le futur de l'auxiliaire* ***avoir*** ou ***être*** + le participe passé du verbe en question. Le futur antérieur suit les mêmes règles d'accord que le passé composé (voir chapitre 16, p. 228 et 230).

aimer (*transitif*)	aller (*intransitif*)	se lever (*pronominal*)
j'aurai aimé	je serai allé(e)	je me serai levé(e)
tu auras aimé	tu seras allé(e)	tu te seras levé(e)
il, elle, on aura aimé	il, elle, on sera allé(e, s, es)	il, elle, on se sera levé(e, s, es)
nous aurons aimé	nous serons allés(es)	nous nous serons levés(es)
vous aurez aimé	vous serez allé(e, s, es)	vous vous serez levé(e, s, es)
ils, elles auront aimé	ils, elles seront allés(es)	ils, elles se seront levés(es)

3e partie : Le groupe verbal

APPLICATION IMMÉDIATE

B

J. Écrivez le futur antérieur des verbes suivants à la personne indiquée.

1. finir ; j' _______________
2. partir ; vous _______________
3. se tromper ; ils _______________
4. comprendre ; tu _______________

Emplois

- Comme son nom l'indique, le futur antérieur exprime *une action future qui se réalisera avant une autre action future.* Pour montrer cette séquence, on utilise généralement *une conjonction temporelle qui exprime l'antériorité* : **quand, lorsque ; après que ; tant que ; aussitôt que, dès que ; à peine... que.** Notez que le verbe de la principale peut être au futur simple ou au futur proche.

  Quand tu **auras fini** ton travail, tu **iras** jouer. (« When you have finished... »)
  Tant que tu n'**auras** pas **répondu**, ils **vont attendre.**
  Aussitôt que tu lui **auras parlé**, elle **se sentira** mieux, car elle s'inquiète.
  À peine serez-vous **arrivé que** vous **devrez** déjà penser à repartir.

PRÉCISIONS

Dès que, aussitôt que et **à peine... que** indiquent des actions *immédiatement antérieures* à l'action principale. Si les deux actions ne peuvent pratiquement pas être distinguées l'une de l'autre, les deux verbes sont *au futur simple.*

Dès que le départ **sera** donné, les chevaux **se mettront** à courir.
À peine sera-t-elle sur la route **qu'**elle **se rendra** compte de son oubli.

- Le futur antérieur peut aussi indiquer *qu'une action sera accomplie à un certain moment à venir*. Ce moment est généralement indiqué.

  J'aurai certainement **terminé** mes devoirs quand tu partiras.
  Demain, à cette heure-ci, il **sera arrivé** à Hanoï.
  À 14 h, ils **auront eu** le temps de passer à la banque.

- Il peut exprimer *un fait passé imaginé, une supposition, une probabilité*. Cet emploi est rare.

  Elle est en retard ; elle **aura eu** un accident !
  Il n'est pas dans le train ; il **aura décidé** de ne pas venir.
  Elle sourit ; elle **aura** sans doute **réussi** à son examen.

APPLICATION IMMÉDIATE

B

K. Dans les phrases suivantes, mettez le verbe indiqué au futur antérieur, ou à un autre temps si le futur antérieur ne convient pas.

1. Il __________ (lire) le journal entier en t'attendant.
2. Vous recopierez votre dictée quand vous en __________ (corriger) les fautes.
3. Le coquin, il __________ (encore faire) des siennes !
4. On ne sait pas encore si l'été __________ (être) assez chaud pour produire une bonne récolte.
5. Si tu __________ (bien suivre) les directives, les métaux s'amalgameront.

L. Complétez les phrases avec le futur simple ou le futur antérieur après la conjonction temporelle.

B

1. Lorsque vous __________ (ne plus avoir) besoin de ce papier, recyclez-le.
2. Tu la berceras un peu après qu'elle __________ (terminer) sa bouteille.
3. Quand vous __________ (finir) d'écouter cette chanson, il sera temps de vous coucher.
4. Je te dirai mon secret après que tu me __________ (dire) le tien.
5. À peine __________ (monter [ils]) dans le bateau qu'ils auront le mal de mer.

M. Finissez ces phrases en employant une forme du futur lorsque c'est possible.

B

Modèle : Je serai très fatiguée quand **j'aurai fini** de creuser ce trou.
Elle vous verra si **elle va mieux.** (futur impossible)

1. Tu écouteras bien pendant que ______________________________.
2. Comme d'habitude, vous allez vous impatienter lorsque ______________________________.
3. Nous irons manger quand ______________________________.
4. On se demande si ______________________________.
5. Je continuerai à le dire tant que ______________________________.
6. Il faudra se mettre en forme si ______________________________.
7. Faites-le aussitôt que ______________________________.
8. À dix-huit heures demain soir, ______________________________.
9. Vous visiterez Seattle après que ______________________________.
10. Mon Dieu ! Avec deux heures de retard, ______________________________.

N. Complétez les phrases au futur antérieur en donnant une explication de l'emploi.

C

Modèle : Il a mal à l'estomac ; **il aura encore mangé trop vite.**

1. Je me suis encore blessé ; ______________________________.
2. La boite de biscuits est vide ; ______________________________.
3. Ils devaient me donner un coup de fil ; ______________________________.
4. Le colis n'est jamais arrivé à destination ; ______________________________.

3e partie : Le groupe verbal

EN RÉSUMÉ...

- Il y a trois formes de futur : le futur simple, le futur proche et le futur antérieur.
- Le futur proche est surtout employé à l'oral et dans les textes informels en remplacement du futur simple.
- Le futur simple s'emploie pour décrire des faits qui vont se produire dans l'avenir, alors que le futur antérieur décrit des faits qui se sont produits avant une action dans l'avenir.

- Le futur simple se forme en ajoutant à l'infinitif les terminaisons du verbe **avoir** au présent de l'indicatif. Il comporte cependant plusieurs changements orthographiques et plusieurs exceptions, notamment avec les verbes du 3e groupe.
- Le futur proche est formé du présent de l'indicatif du verbe **aller** et de l'infinitif présent du verbe utilisé.
- Le futur antérieur est formé de l'auxiliaire **avoir** ou **être** au futur simple et du participe passé du verbe. Les règles d'accord sont les mêmes que pour le passé composé.

EXERCICES RÉCAPITULATIFS

A. *Rédigez un paragraphe de quatre ou cinq lignes expliquant ce que vous ferez durant vos prochaines vacances. Employez des futurs simples et antérieurs, des* ***si*** *d'interrogation indirecte et de condition, et des conjonctions temporelles.*

B. *Faites une phrase au futur avec chacune des conjonctions temporelles suivantes.*

1. après que
   ____
2. à peine... que
   ____
3. tant que
   ____
4. lorsque
   ____

C. *Composez un paragraphe de cinq ou six lignes pour donner une idée de ce que vous ferez plus tard (votre carrière et votre vie). Employez beaucoup de futurs.*

D. *Rédigez une phrase avec un si d'interrogation indirecte et une avec un* ***si*** *de condition.*

____

E. *Rédigez quelques lignes sur le sujet suivant : Comment sera ce monde dans 20 ans ? Employez beaucoup de futurs.*

F. *Travaillez en petits groupes. Décrivez en quelques lignes une visite à une cartomancienne qui prédit tout votre avenir. Employez le style direct. (N'oubliez pas le futur proche.)*

20

Le conditionnel
• Présent
• Passé

OBJECTIFS DU CHAPITRE

À la fin de ce chapitre, vous serez en mesure :

- d'identifier le conditionnel ;
- de connaitre la structure du conditionnel, tant au présent qu'au passé ;
- de savoir utiliser le conditionnel de façon appropriée.

Le conditionnel présent est un temps de l'indicatif et est employé pour les actions éventuelles, possibles ou hypothétiques. Il est rendu en anglais par « would » ou « should ». La construction du conditionnel présent est semblable à celle du futur simple. Le conditionnel passé est employé pour les situations plus hypothétiques, moins probables ou encore lorsqu'une possibilité ne s'est pas réalisée. Il est formé du conditionnel présent de l'auxiliaire **avoir** ou **être** et du participe passé du verbe.

C'est le temps de *l'action éventuelle* ou *hypothétique* qui dépend d'une condition énoncée ou non. Il existe deux formes de conditionnel : le conditionnel présent et le conditionnel passé. Alors qu'il a été longtemps enseigné comme un mode verbal distinct, la plupart des linguistes le traitent maintenant comme un temps de l'indicatif à cause de sa ressemblance avec le futur.

CONDITIONNEL PRÉSENT

C'est un temps simple : un mot.

Formes

Verbes réguliers

Il est formé à partir de *l'infinitif du verbe*, comme le futur, mais avec *les terminaisons de l'imparfait*. Comme pour le futur et pour la même raison, la lettre caractéristique du conditionnel est la lettre **r**. On élimine le **e** final des verbes en **-re**. Voici le conditionnel présent des deux groupes de verbes réguliers.

Terminaisons de l'imparfait	aimer	finir
ais	j'aimer**ais**	je finir**ais**
ais	tu aimer**ais**	tu finir**ais**
ait	il, elle, on aimer**ait**	il, elle, on finir**ait**
ions	nous aimer**ions**	nous finir**ions**
iez	vous aimer**iez**	vous finir**iez**
aient	ils, elles aimer**aient**	ils, elles finir**aient**

Changements orthographiques de certains verbes en -er

Ce sont les mêmes que ceux du futur (voir chapitre 19, p. 251 et 252).

Verbes irréguliers

Formation : le radical du futur (voir p. 250 à 253) + les terminaisons de l'imparfait.

je voudrais   j'irais   je ferais
je viendrais   je serais

APPLICATION IMMÉDIATE

A

A. Écrivez le conditionnel présent des verbes réguliers et irréguliers suivants, à la personne indiquée.

1. révéler ; je ____________
2. craindre ; nous ____________
3. revenir ; il ____________
4. rendre ; tu ____________
5. savoir ; tu ____________
6. ouvrir ; vous ____________
7. envoyer ; ils ____________
8. se lever ; elle ____________

B. Donnez le futur simple et le conditionnel présent des verbes suivants à la personne indiquée. (Prononcez bien la lettre **r** et insistez sur la différence de prononciation des terminaisons **ai** [e] du futur et **ais** [ɛ] du conditionnel à la 1re personne du singulier.)

B

	futur simple	*conditionnel présent*
1. tu es	____________	____________
2. vous buvez	____________	____________
3. ils savent	____________	____________
4. on voit	____________	____________
5. nous faisons	____________	____________
6. on peut	____________	____________
7. il perd	____________	____________
8. elle travaille	____________	____________
9. j'ai	____________	____________
10. vous haïssez	____________	____________
11. il veut	____________	____________
12. elles vont	____________	____________
13. il espère	____________	____________
14. j'envoie	____________	____________
15. vous courez	____________	____________
16. nous partons	____________	____________
17. tu viens	____________	____________
18. je me lave	____________	____________
19. tu tombes	____________	____________
20. ils connaissent	____________	____________
21. je remercie	____________	____________
22. ils appellent	____________	____________
23. nous descendons	____________	____________
24. vous écrivez	____________	____________
25. je crois	____________	____________

Emplois

- Le conditionnel présent traduit généralement les formes anglaises « should, would » pour exprimer, comme en anglais, *une possibilité* ou *une éventualité*.

  Il **pourrait** encore venir.
  Comment **saurais**-je la vérité ?
  Ce **serait** une folie de traverser le lac en glace en novembre.
  Je l'**aiderais** volontiers si elle venait me voir à mon bureau.

En particulier, la locution ***au cas où*** est presque toujours *suivie du conditionnel* puisqu'elle exprime une éventualité.

> **Au cas où** vous **auriez** de la difficulté à vous lever, je vais passer à votre chambre à 8 h.
> J'ai pris mes lunettes **au cas où** il **faudrait** lire des sous-titres pendant le film.

- Il est employé quand *un fait rapporté semble douteux ou n'a pas encore été confirmé.*

> Les deux évadés **se cacheraient** dans la forêt, selon certains témoins.
> D'après ce qu'on vient de me dire, le conférencier **serait** malade.
> Il y a eu un meurtre ; il **s'agirait** d'un règlement de comptes.

- Il est employé pour *atténuer une expression, la rendre plus polie* (en particulier à la place de l'indicatif présent des verbes **devoir, pouvoir, vouloir,** qui a un sens plus fort).

> **Pourriez**-vous m'indiquer où se trouve le boulevard René-Lévesque ?
> **Voudriez**-vous me passer le sel s'il vous plait ?
> Vous **devriez** certainement vous excuser.
> Je **voudrais** bien pouvoir y aller.

- L'expression anglaise « I wish you would (do…) » se traduit par le *conditionnel présent du verbe* **vouloir** + **que** + *subjonctif* (littéralement « I would wish that you [do…] »).

> Je **voudrais** que vous veniez avec moi. (littéralement « I wish you would come with me. »)

► Quand les deux verbes ont le même sujet, on emploie *l'infinitif* au lieu du subjonctif : « I wish I could… » se traduit par : **Je voudrais** + *infinitif.*

> Je **voudrais** être serré très fort. (« I wish I would be hugged tightly. »)
> *mais :* Je **voudrais** que tu me prennes dans tes bras. (« I wish you would take me in your arms. »)

APPLICATION IMMÉDIATE

B

C. Traduisez les phrases suivantes.

1. « He wishes you would come. »

   ____

2. « I wish I could understand. »

   ____

- Le conditionnel présent est aussi employé pour exprimer ce qui était futur et est maintenant passé (le futur du passé). (Voir aussi chapitre 31, p. 412 et 413.)

  Elle sait qu'il **viendra.** (il n'est pas encore venu)
  Elle savait qu'il **viendrait.** (il est déjà venu)
  Il dit que ce travail **sera** facile. (le travail n'est pas encore fait)
  Il a dit que ce travail **serait** facile. (le travail est déjà terminé)

PRÉCISIONS

Pour exprimer *le futur proche du passé,* on emploie *l'imparfait de* **aller** + l'infinitif du verbe. Notez que cette structure dénote un doute sur la réalisation de l'action.

Je savais que **j'allais** en **mourir.**

APPLICATION IMMÉDIATE

A

D. Mettez les phrases suivantes au passé.

1. Yvon est convaincu que tu le laisseras pour Jessy.

   ____

2. Yvon est convaincu que tu vas le laisser pour Jessy.

   ____

- Il est employé dans une phrase conditionnelle avec **si** + *imparfait* (il n'y a jamais de futur ni de conditionnel directement après un **si** de condition).

  Si tu **partais** avec la voiture, tes parents **appelleraient** la police.
  Que **feriez**-vous si vous **étiez** riche ?
  Si vous **tourniez** la page, vous **trouveriez** la suite de l'exercice.
  Si nous **savions** mieux le français, nous **saurions** la différence entre un saut, un seau, un sceau et un sot.

Mais le conditionnel présent peut être employé après le **si** d'*interrogation indirecte* (« whether »).

Je ne savais pas **si** je **pourrais** aller vous voir.
Il se demandait **s'il** **saurait** jamais la raison de son départ.
Je me demande s'il **hésiterait** à l'accuser.

PRÉCISIONS

- « Would » se traduit par un *imparfait* quand il indique une *action répétée dans le passé* (voir chapitre 17, p. 240).

  L'été dernier, on **s'appelait** souvent. (« we would call... »)

- Quelquefois « would » indique *une volonté* et se traduit par *l'imparfait* de **vouloir.**

  Il ne **voulait** pas continuer. (« He would not continue. »)

- « Should » se traduit par *le conditionnel présent* de **devoir** quand il indique un conseil (voir aussi chapitre 27, p. 366).

  Vous **devriez** voyager davantage. (« You should travel... »)

- « Could » se traduit par le verbe **pouvoir** *au conditionnel présent, au passé* composé ou à *l'imparfait* d'après le contexte de la phrase (voir aussi chapitre 27, p. 368).

  Attention, il **pourrait** se fâcher. (« he could get angry... »)
  Je voulais venir, mais je n'**ai** pas **pu.** (« I could not » dans le sens de « I was not able to... »)
  Je voulais venir, mais je ne **pouvais** pas le laisser seul. (« I could not leave him... »)

APPLICATION IMMÉDIATE

B

E. Complétez avec le conditionnel présent ou, s'il ne convient pas, avec un autre temps.

1. J'emporte un chandail au cas où j' __________ (avoir) froid.
2. Ce cours serait très intéressant si l'enseignant __________ (être) moins lunatique.
3. Nous savions qu'ils __________ (déménager) bientôt.
4. (Pouvoir) __________-vous me dire où se trouve le parc Jeanne-d'Arc?
5. Nous lui avons demandé s'il __________ (aller) au match de football ce jour-là.

CONDITIONNEL PASSÉ

C'est un temps composé : deux mots.

Formes

Le conditionnel passé est la forme composée du conditionnel présent. Il est formé à partir du *conditionnel présent de l'auxiliaire* ***avoir*** *ou* ***être*** *+ participe passé du verbe* en question. Les règles d'accord sont les mêmes que celles du passé composé (voir chapitre 16, p. 228 et 230).

Le conditionnel passé		
aimer (*transitif*)	aller (*intransitif*)	se lever (*pronominal*)
j'aurais aimé	je serais allé(e)	je me serais levé(e)
tu aurais aimé	tu serais allé(e)	tu te serais levé(e)
il, elle, on aurait aimé	il, elle, on serait allé(e, s, es)	il, elle, on se serait levé(e, s, es)
nous aurions aimé	nous serions allés(es)	nous nous serions levés(es)
vous auriez aimé	vous seriez allé(e, s, es)	vous vous seriez levé(e, s, es)
ils, elles auraient aimé	ils, elles seraient allés(es)	ils, elles se seraient levés(es)

APPLICATION IMMÉDIATE

A

F. Écrivez le conditionnel passé des verbes suivants à la personne indiquée.

1. emmener ; j' ________
2. créer ; nous ________
3. mourir ; il ________
4. se rendre compte ; ils ________

Emplois

On trouve le conditionnel passé (« should have, would have ») dans des constructions analogues à celles du conditionnel présent, pour exprimer :

- *une éventualité, une possibilité qui ne s'est pas réalisée ;*

  Il **aurait été** heureux de partir hier.

▶ avec la locution **au cas où** (ou **pour le cas où**).

  Au cas où vous **auriez vu** mon sac, dites-le-moi.

- *un fait rapporté qui semble douteux ou qui n'a pas été confirmé ;*

  Il parait qu'il **se serait enfui.**
  Le pilote **aurait fait** une fausse manœuvre.

- *une forme polie ;*

  Thérèse **aurait** beaucoup **apprécié** votre participation.

- les expressions anglaises « I wish you had (done)... » (**j'aurais voulu** + **que** + *subjonctif*) et « I wish I had (done)... » (**j'aurais [bien] voulu** + *infinitif*) ;

  J'aurais bien voulu qu'Éric vienne avec moi. (« I wish Éric had come with me. »)

- *le futur antérieur du passé ;*

  Il pense que vous **aurez** bientôt **fini.** (futur antérieur du présent)
  Il pensait que vous **auriez** bientôt **fini.** (futur antérieur du passé)

- *une phrase conditionnelle avec* **si** + *plus-que-parfait.* (Il n'y a jamais de futur ni de conditionnel directement après un **si** de condition.)

  Vous **auriez entendu** le bruit **si** vous **aviez écouté.**
  Vous **auriez vu** l'accident si vous **aviez regardé.**
  Vous **auriez remarqué si** vous **aviez porté** attention.

Mais après le **si** *d'interrogation indirecte,* on peut employer le conditionnel passé.

On se demandait **s'il aurait pu** le deviner.

APPLICATION IMMÉDIATE

B

G. Complétez avec le conditionnel passé ou, s'il ne convient pas, avec un autre temps.

1. Je vous __________ (parler) si vous étiez venue.
2. Il __________ (vouloir) que vous l'écoutiez attentivement.
3. Il n'est pas clair qu'elle y __________ (aller) toute seule.
4. Vous seriez maintenant chez eux si vous __________ (partir) ce matin.
5. Ma sœur pense qu'il __________ (prendre) trop d'alcool.

B

H. Mettez les phrases suivantes au passé pour obtenir des futurs du passé, c'est-à-dire le conditionnel présent ou passé.

Je pense que vous **viendrez.**
→ Je pensais que vous **seriez venu(e, s, es).**

1. Je suis certain que vous pourrez lui parler.

   ____

2. Ils disent que l'incident aura beaucoup de répercussions.

   ____

3. On pense que l'opération réussira.

____

4. Vous pensez qu'il faudra lui téléphoner.

____

5. Elles affirment qu'elles auront fini à trois heures.

____

I. Complétez les phrases suivantes avec les temps convenables des verbes entre parenthèses.

B

1. Je voudrais visiter le Lesotho si j'en ________ (avoir) le temps.
2. Au cas où vous ne ________ (pouvoir) pas arriver avant la nuit, prenez une lanterne.
3. S'il avait compris l'explication, il ________ (ne pas demander) au professeur de la répéter.
4. Elle a expliqué qu'elle lui ________ (envoyer) bientôt un cadeau.
5. Tu ne te serais pas trompé si tu ________ (réfléchir).

J. Finissez les phrases suivantes en employant des conditionnels quand c'est possible. Distinguez le **si** d'interrogation indirecte du **si** de condition.

C

1. J'aurais été heureux (*ou* heureuse) si ________________________.
2. On se demandait bien si ________________________.
3. Si tu demandais à ton père, ________________________.
4. Vous ne savez pas si ________________________.
5. Si tu nous avais prévenus, ________________________.
6. Je t'inviterais si ________________________.

Tableau complet des phrases conditionnelles (Les cas les moins fréquents sont indiqués par un astérisque.)		
VERBE AVEC **SI** DE CONDITION (condition, hypothèse)	VERBE PRINCIPAL (conséquence, résultat)	EXEMPLES
présent	présent	**Si** vous **voulez** jouer au tennis, vous **pouvez** le faire.
	impératif présent	**Si** vous **avez** une question, **venez** me voir à mon bureau.
	futur	**Si** nous **partons** maintenant, nous **arriverons** tôt.
	*futur antérieur	**Si** vous **travaillez** bien, vous **aurez fini** ce soir.

(Page suivante)

3

Tableau complet des phrases conditionnelles (Les cas les moins fréquents sont indiqués par un astérisque.) ***(Suite)***		
VERBE AVEC **SI** DE CONDITION (condition, hypothèse)	VERBE PRINCIPAL (conséquence, résultat)	EXEMPLES
passé composé	*futur antérieur	**S**'il **a fait** une promenade, ça lui **aura fait** du bien.
	futur	**Si** le brouillard **a commencé** à se dissiper, il y **aura** du soleil tout à l'heure.
	impératif présent	**Si** vous **avez écrit** un poème, **lisez**-le. **Si** vous **avez** trop **bu,** ne **conduisez** pas.
	*imparfait	**S**'il vous **a révélé** cela, c'**était** pour vous troubler.
	*passé composé	**Si** vous **êtes parti,** vous **avez eu** raison.
imparfait	conditionnel présent	**Si** elle **avait** froid, elle **mettrait** un manteau.
	*conditionnel passé	**Si** tu **étais** gentil, tu n'**aurais** pas **prononcé** ces paroles.
plus-que-parfait	conditionnel passé	Si vous lui **aviez écrit,** il **aurait répondu.**
	*conditionnel présent	Si vous **aviez dit** ça, il le **saurait.**
PAS DE FUTUR NI DE CONDITIONNEL		

APPLICATION IMMÉDIATE

C

K. Faites des phrases conditionnelles avec les mots suivants en vous servant du tableau ci-dessus.

Modèle : être prêt — partir.
→ Si tu es prêt, partons.

1. avoir un meilleur enseignant — apprendre plus facilement

____

2. arriver en retard — manquer l'avion

____

3. se dépêcher — finir avant le déjeuner

 ____

4. aller en ville — dépenser beaucoup d'argent

 ____

5. s'entendre avec tout le monde — être heureux

 ____

L. Traduisez la première phrase. Traduisez les mots anglais pour compléter les autres phrases.

1. (« I wish it would rain. ») ______________________________ .
2. Je sais que je (« should ») __________ lui écrire, mais je n'en ai pas le courage.
3. (« Could ») __________-vous m'aider, s'il vous plait ?
4. Chaque fois que je lui parlais, il (« would turn ») __________ la tête de l'autre côté.
5. J'ai fait tout ce que je (« could ») __________ pour elle.

C

EN RÉSUMÉ...

- Le conditionnel présent se forme en ajoutant la terminaison de l'imparfait de l'indicatif à l'infinitif.
- Le conditionnel passé est constitué de l'auxiliaire **avoir** ou **être** au conditionnel présent et du participe passé du verbe.
- Le conditionnel présent sert à exprimer une action ou un état éventuel, possible ou hypothétique, alors que le conditionnel passé exprime une action ou un état encore moins probable ou non réalisé.

EXERCICES RÉCAPITULATIFS

A. *Faites une phrase où le conditionnel présent ou passé est employé pour exprimer la politesse et une phrase où il est employé pour exprimer un fait rapporté douteux.*

 ____

B. *Faites deux phrases avec l'expression* ***au cas où*** *(ou* ***pour le cas où****).*

 ____

 ____

C. *Faites cinq phrases illustrant cinq des sept cas courants d'emploi du* **si** *de condition dans une phrase conditionnelle (voir tableau p. 269 et 270).*

____

____

____

____

____

D. *Rédigez un paragraphe où vous décrirez l'existence dont vous rêvez. Employez beaucoup de conditionnels.*

E. *Écrivez un paragraphe de cinq lignes sur le sujet suivant : Que feriez-vous si on vous donnait immédiatement quinze jours de vacances ?*

21

Le subjonctif
• Présent
• Passé

OBJECTIFS DU CHAPITRE

À la fin de ce chapitre, vous serez en mesure :

- de bien conjuguer les verbes de tous les groupes au subjonctif présent et passé ;
- de connaitre les emplois les plus importants du subjonctif, notamment dans les propositions subordonnées et indépendantes, et de pouvoir les appliquer adéquatement ;
- de savoir comment éviter le subjonctif au besoin.

Le subjonctif est un mode verbal qui sert à exprimer un doute, un sentiment, une volonté, une possibilité, un jugement, ou encore un but, une condition, une concession, une restriction, etc. Il est utilisé avec la conjonction **que** ou certaines locutions conjonctives et dans certaines relatives. Ainsi, le verbe **fasse** évoque un but avec **pour que**, alors que le verbe **soit** évoque une concession avec **bien que.** Le subjonctif est fréquent tant à l'oral qu'à l'écrit, et les nuances qu'il apporte au français sont importantes.

- Le mode subjonctif s'emploie :
  - ▶ pour un verbe qui *dépend d'un autre verbe* exprimant *un doute, un sentiment* ;
  - ▶ avec *certaines conjonctions* ;
  - ▶ dans certaines *relatives* pour exprimer *le but, la restriction, le temps* ;
  - ▶ dans une proposition indépendante pour exprimer un souhait, un ordre ou une éventualité.

- Alors que le subjonctif est rare en anglais courant, il est très fréquent en français tant à l'oral qu'à l'écrit.

  Il faut que tu **partes** avant que mon père ne **revienne.**
  Nous voulons qu'elle **soit** directrice.
  Qu'il **travaille,** s'il veut de l'argent de poche!

- Le subjonctif comporte quatre temps:
  1. le subjonctif présent,
  2. le subjonctif passé,
  3. l'imparfait du subjonctif,
  4. le plus-que-parfait du subjonctif.

Les deux derniers sont des temps littéraires et vieillis, peu utilisés aujourd'hui; ils ne seront pas étudiés ici.

FORMES

Subjonctif présent

C'est un temps simple: un mot.

Verbes réguliers

On forme le subjonctif présent en ajoutant les terminaisons **e, es, e, ions, iez, ent** à la racine de la 3e personne du pluriel (**ils** ou **elles**) du présent de l'indicatif. Voici le présent du subjonctif des deux groupes de verbes réguliers (en **-er** et en **-ir**):

PRÉSENT DU SUBJONCTIF: VERBES RÉGULIERS

infinitif	3e pers. plur. présent de l'ind.	subjonctif présent
parler	ils, elles parl**ent** →	que je parl**e** que tu parl**es** qu'il, elle, on parl**e** que nous parl**ions** que vous parl**iez** qu'ils, elles parl**ent**
finir	ils, elles finiss**ent** →	que je finiss**e** que tu finiss**es** qu'il, elle, on finiss**e** que nous finiss**ions** que vous finiss**iez** qu'ils, elles finiss**ent**

PRÉCISIONS

- On donne une forme du subjonctif avec la conjonction **que,** car un subjonctif est généralement introduit par **que.** Mais l'inverse n'est pas vrai; **que** n'introduit pas toujours un subjonctif.

  Il aurait souhaité **que** vous **veniez** le voir avant son départ. (subjonctif)
  Je vois **que** vous **allez** bien. (indicatif)

- Les formes des 1re et 2e personnes du pluriel du présent du subjonctif sont identiques à celles de l'imparfait de l'indicatif.

finir

imparfait de l'ind. :	nous finiss**ions**, vous finiss**iez**
présent du subj. :	que nous finiss**ions**, que vous finiss**iez**

- Les verbes en **-er** qui ont des changements orthographiques aux terminaisons muettes **e, es, ent** du présent de l'indicatif (voir chapitre 15, p. 205 à 207) subissent les mêmes changements orthographiques aux terminaisons muettes du subjonctif présent.

Subjonctif présent

lever (ils lèv/ent)
que je l**ève**
que tu l**èves**
qu'il, elle, on l**ève**
que nous levions
que vous leviez
qu'ils, elles l**èvent**

espérer (ils espèr/ent)
que j'esp**ère**
que tu esp**ères**
qu'il, elle, on esp**ère**
que nous espérions
que vous espériez
qu'ils, elles esp**èrent**

appeler (ils appell/ent)
que j'app**elle**
que tu app**elles**
qu'il, elle, on app**elle**
que nous appelions
que vous appeliez
qu'ils, elles app**ellent**

acheter (ils achèt/ent)
que j'ach**ète**
que tu ach**ètes**
qu'il, elle, on ach**ète**
que nous achetions
que vous achetiez
qu'ils, elles ach**ètent**

nettoyer (ils nettoi/ent)
que je netto**ie**
que tu netto**ies**
qu'il, elle, on netto**ie**
que nous nettoyions
que vous nettoyiez
qu'ils, elles netto**ient**

jeter (ils jett/ent)
que je je**tte**
que tu je**ttes**
qu'il, elle, on je**tte**
que nous jetions
que vous jetiez
qu'ils, elles je**ttent**

Verbes du 3e groupe

Il faut distinguer les verbes du 3e groupe à formation régulière de ceux à formation irrégulière.

- À formation régulière

▶ Verbes irréguliers ayant *le même radical aux 1re et 3e personnes du pluriel du présent de l'indicatif.*

CRAINDRE

Présent de l'indicatif	Subjonctif présent
	que je craign**e** que tu craign**es** qu'il, elle, on craign**e**
nous craignons	que nous craign**ions** que vous craign**iez**
ils, elles craignent	qu'ils, elles craign**ent**

▶ Verbes irréguliers ayant *des radicaux différents* aux 1re et 3e personnes du pluriel du présent de l'indicatif, *mais dont les formes avec* nous, vous *sont celles de l'imparfait.*

Les plus courants sont :

tenir	**venir**	**mourir**	**fuir**	**recevoir**	**voir**
pourvoir	**devoir**	**prendre**	**traire**	**croire**	**boire**

BOIRE

Présent de l'indicatif	Subjonctif présent
	que je boive que tu boives qu'il, elle, on boive
nous buvons	que nous **buvions** que vous **buviez**
ils, elles boivent	qu'ils, elles boivent

- À formation irrégulière

avoir (ils ont)
que j'**aie** — que nous **ayons**
que tu **aies** — que vous **ayez**
qu'il, elle, on **ait** — qu'ils, elles **aient**

être (ils sont)
que je **sois** — que nous **soyons**
que tu **sois** — que vous **soyez**
qu'il, elle, on **soit** — qu'ils, elles **soient**

faire (ils font)
que je **fasse**
que tu **fasses**
qu'il, elle, on **fasse**
que nous **fassions**
que vous **fassiez**
qu'ils, elles **fassent**

savoir (ils savent)
que je **sache**
que tu **saches**
qu'il, elle, on **sache**
que nous **sachions**
que vous **sachiez**
qu'ils, elles **sachent**

falloir (il faut)
qu'il **faille**

aller (ils vont)
que j'**aille**
que tu **ailles**
qu'il, elle, on **aille**
que nous **allions**
que vous **alliez**
qu'ils, elles **aillent**

pouvoir (ils peuvent)
que je **puisse**
que tu **puisses**
qu'il, elle, on **puisse**
que nous **puissions**
que vous **puissiez**
qu'ils, elles **puissent**

valoir (ils valent)
que je **vaille**
que tu **vailles**
qu'il, elle, on **vaille**
que nous **valions**
que vous **valiez**
qu'ils, elles **vaillent**

pleuvoir (il pleut)
qu'il **pleuve**

vouloir (ils veulent)
que je **veuille**
que tu **veuilles**
qu'il, elle, on **veuille**
que nous **voulions**
que vous **vouliez**
qu'ils, elles **veuillent**

APPLICATION IMMÉDIATE

A. Écrivez le subjonctif présent des verbes réguliers et irréguliers suivants à la personne indiquée. **A**

1. donner ; que je ____________
2. réfléchir ; que tu ____________
3. vendre ; que nous ____________
4. se rappeler ; qu'ils ____________
5. comprendre ; que vous ____________
6. croire ; que je ____________
7. craindre ; qu'on ____________
8. savoir ; qu'elles ____________

B. Donnez le subjonctif présent des verbes aux personnes indiquées. **A**

1. travailler — que je ____________ — que nous ____________
2. mener — qu'il ____________ — qu'ils ____________
3. appeler — que tu ____________ — que nous ____________
4. jeter — qu'elle ____________ — que vous ____________
5. rougir — qu'il ____________ — que nous ____________
6. attendre — que j' ____________ — que vous ____________

7. venir qu'il ________
8. faire que je ________
9. être que tu ________
10. pouvoir qu'elle ________
11. savoir que nous ________
12. avoir qu'il ________
13. rire que vous ________
14. décevoir qu'on ________
15. aller que tu ________
16. répondre qu'ils ________
17. répéter que je ________
18. vouloir que nous ________
19. courir que je ________
20. haïr qu'elle ________

Subjonctif passé

C'est un temps composé : deux mots.

Il est formé *du présent du subjonctif de l'auxiliaire* ***avoir*** *ou* ***être*** *+ participe passé du verbe* en question. Les règles d'accord sont les mêmes que celles du passé composé (voir chapitre 16, p. 228 et 230).

SUBJONCTIF PASSÉ

faire (*transitif*)	**aller** (*intransitif*)	**se souvenir** (*pronominal*)
que j'aie fait que tu aies fait qu'il, elle, on ait fait	que je sois allé(e) que tu sois allé(e) qu'il, elle, on soit allé (e, s, es)	que je me sois souvenu(e) que tu te sois souvenu(e) qu'il, elle, on se soit souvenu (e, s, es)
que nous ayons fait	que nous soyons allés(es)	que nous nous soyons souvenus(es)
que vous ayez fait	que vous soyez allé(e, s, es)	que vous vous soyez souvenu (e, s, es)
qu'ils, elles aient fait	qu'ils, elles soient allés(es)	qu'ils, elles se soient souvenus(es)

APPLICATION IMMÉDIATE

B

C. Écrivez le subjonctif passé des verbes suivants à la personne indiquée.

1. étudier ; que j' ________
2. aller ; qu'il ________
3. recevoir ; qu'il ________
4. se rendre compte ; que vous ________

D. Donnez le subjonctif passé des verbes aux personnes indiquées.

1. mettre — que vous ________________
2. s'assoir — que tu ________________
3. sortir — qu'elle________________
4. s'apercevoir — que nous ________________
5. répondre — qu'il ________________
6. revenir — qu'ils ________________

EMPLOIS

Propositions subordonnées conjonctives complétives

- Le subjonctif se trouve surtout dans des propositions subordonnées introduites par la conjonction **que** et soumises à un verbe principal.

  Je veux **qu'**elle **vienne.**
  (« I want her to come. »; je veux quoi ? qu'elle vienne)

- Le subjonctif est employé après les verbes et expressions :

  ▶ *de doute, d'improbabilité* **(douter, il est douteux, il semble, il est peu probable, il est improbable)** ;

  Il est peu probable **que** je **finisse** avant vendredi.

  ▶ *de volonté, de désir, de défense* **(vouloir, vouloir bien, consentir, consentir à, commander, demander, ordonner, exiger, compter, dire, écrire [pour un ordre seulement], attendre, s'attendre à, souhaiter, désirer, permettre, proposer, recommander, s'opposer à, empêcher, refuser, défendre, interdire, tenir à)** ;

  Richard s'attend à ce que tu lui **dises** la vérité.
  Elle veut que vous **écoutiez.**

  ▶ *de sentiments, d'émotions* **(regretter, aimer, aimer mieux, préférer, s'étonner, craindre + ne, avoir peur + ne, être triste, content, heureux, désolé, ravi, furieux, fâché, en colère, étonné, surpris, honteux)**.

  J'aime mieux que vous lui **disiez** vous-même la vérité.
  Le peuple craint **que** les élections **aient** lieu malgré la corruption.
  mais : **espérer** est suivi de l'indicatif :
  J'espère que vous **aimez** mon gâteau. (indicatif)

- Le subjonctif est aussi utilisé après certaines *locutions impersonnelles* :
  - *de nécessité ;*
    il faut; il ne faut pas ; ce n'est pas la peine ; il suffit ; il est nécessaire, obligatoire, essentiel

    Il suffit que tu **remplisses** ces dix formulaires.
  - *de possibilité ;*
    il est possible, il se peut, il n'est pas possible, il est impossible

    Il est impossible **que** tout le gâteau **soit fini.**
  - *de jugement.*
    il est regrettable ; il est (*ou* c'est) Dommage ; il convient ; il vaut mieux ; il est temps ; il importe ; il est important, préférable, bon, juste, utile, rare

    Il convient que tu l'**appelles.**

    Il est dommage **qu'**il **pleuve.**

PRÉCISIONS

- Quand un verbe construit avec **à** est suivi du subjonctif, on ajoute **ce que.**

  tenir **à** : Est-ce que vous tenez **à ce que** j'aille vous voir ?

  s'attendre **à** : Nous nous attendons **à ce que** vous **démissionniez.**

- Le **ne** explétif

On ajoute parfois le **ne** explétif devant le verbe dans certaines constructions. Il a *une valeur négative subjective et est facultatif.* Il n'a pas d'équivalent en anglais. On l'emploie lorsqu'une notion de négation se fait sentir même s'il n'y a pas de négation à proprement parler. Le **ne** explétif n'est que rarement employé à l'oral et il n'est jamais employé avec un verbe à l'infinitif.

On le rencontre :

- dans une *phrase affirmative d'inégalité* avec **plus... que, moins... que** (voir aussi chapitre 10, p. 140) ;

  Simon est moins rapide **qu'on ne** le **croie.**
- avec les verbes de crainte, de doute, de négation et avec les conjonctions **avant que, à moins que, nul doute que, de peur que, de crainte que** (voir p. 286).

  Nous **avons peur** qu'il **ne** soit trop tard.

  À moins que vous **ne** veniez avec moi, je resterai à la maison.

APPLICATION IMMÉDIATE

E. Avec la phrase donnée, formez une subordonnée au subjonctif. **A**

Modèle : Tu réponds à la question.
→ Je veux que tu répondes à la question.

1. Nous partons.
   Il faut ______________________.
   Vous voulez ______________________.
   Il craint ______________________.
   Tu attends ______________________.
2. Vous allez au laboratoire.
   Je souhaite ______________________.
   Il est nécessaire ______________________.
   Il est bon ______________________.
   Il semble ______________________.
   Il tient à ______________________.
3. Elle fait la sieste.
   Nous désirons ______________________.
   Il est improbable ______________________.
   Je doute ______________________.
   Il s'oppose à ______________________.
4. Je laisse mon travail.
   Il ne faut pas ______________________.
   Il est dommage ______________________.
   Vous doutez ______________________.
   Tu t'étonnes ______________________.

F. Substituez les mots donnés aux mots soulignés dans la phrase et faites les changements nécessaires selon le cas : subjonctif, indicatif ou infinitif dans la subordonnée. **B**

Modèle : Il suggère que vous l'invitiez. Il convient.
→ Il convient que vous l'invitiez.

1. <u>Il faut</u> que vous sachiez cela.
   a. Nous doutons
   ____

b. Je veux

____

c. Il espère

____

d. Vous désirez

____

2. Il est possible que je sois sélectionné pour les championnats.

a. Elle s'oppose à

____

b. Le directeur s'inquiète

____

c. Il est improbable

____

d. Tu veux

____

3. Je préfère que vous partiez.

a. Il est regrettable

____

b. Il interdit

____

c. Il est temps

____

d. Vous voulez bien

____

4. Il est bon que tu fasses tes comptes.

a. J'aimerais mieux

____

b. Nous recommandons

____

c. Il tient à

____

d. Je suis content

____

5. Il est possible qu'elle soit malade.

a. Il se peut

____

b. Il est peu probable

____

c. Elle craint

____

d. Il est dommage

____

6. <u>Je souhaite</u> que le coupable se fasse arrêter.

a. Il s'attend à

____

b. Il suffit

____

c. Il ne suffit pas

____

d. Il est primordial

____

7. <u>Je ne pense pas</u> qu'il ait fini son travail.

a. Il semble

____

b. Nous sommes surpris

____

c. Il importe

____

d. Il est important

____

8. <u>Je suis étonné</u> qu'il ne soit pas arrivé.

a. Il me semble

____

b. Il est possible

____

c. Nous pensons

____

d. Nous sommes sûrs

____

B

G. Complétez la phrase avec une proposition subordonnée au subjonctif ou à l'indicatif, selon le mode nécessaire.

Modèle : Ils sont contents que...
→ Ils sont contents que **leur fille ait obtenu une bourse pour continuer ses études.**

1. Le professeur n'est pas certain que ______________________.
2. J'espère que ______________________.
3. Il parait que ______________________.
4. Il aurait fallu que ______________________.
5. Luce pense que ______________________.
6. Il a interdit que ______________________.
7. Je voudrais bien que ______________________.
8. Il se peut que ______________________.
9. Il me semble que ______________________.
10. Vous vous attendez à ce que ______________________.

- Le subjonctif est aussi employé après les verbes de pensée et de déclaration à la forme négative ou interrogative, si l'attitude est subjective. Le fait est alors considéré dans la pensée. Quand l'attitude n'est pas subjective, on emploie l'indicatif : le fait est réel mais perçu comme étant faux. (À l'affirmatif, ces verbes sont suivis de l'indicatif, excepté le verbe **nier**.)

Une attitude subjective	
Il ne pense pas que j'en **sois** capable.	Subjonctif À son avis, je n'en suis pas capable. C'est l'opinion qui est considérée.
Il ne pense pas que j'en **suis** capable.	Indicatif J'en suis capable, mais il pense que non. La certitude du fait est marquée.
Je ne trouve pas que ce travail **soit** mauvais.	À mon avis, ce travail n'est pas mauvais.
Vous souvenez-vous qu'il **a parlé** ?	Le fait est certain : il a parlé. Est-ce que vous vous en souvenez ?
Vous souvenez-vous qu'il **ait parlé** ?	Nous remettons en doute le fait qu'il ait parlé.

VERBES DE PENSÉE

	À l'affirmatif (+ indicatif)	**Au négatif ou à l'interrogatif** (+ subjonctif *ou* indicatif, *selon l'attitude*)
penser, croire	Je crois qu'il a raison.	Je ne crois pas qu'il ait raison.
être sûr, certain	Vous êtes sûr qu'il vous a vu.	Êtes-vous sûr qu'il vous a vu ? (ou ait vu)
espérer	Tu espères qu'il obtiendra ce poste.	Espères-tu qu'il obtienne ce poste ?
il me semble	Il me semble que tu as grossi.	Il ne me semble pas que tu aies grossi.
croire	Je crois que c'est possible.	Je ne crois pas que ce soit possible.
se souvenir	Je me souviens qu'il a un violon.	Te souviens-tu qu'il ait eu un violon ?

VERBES DE DÉCLARATION

	À l'affirmatif (+ indicatif)	**Au négatif ou à l'interrogatif** (+ subjonctif *ou* indicatif, *selon l'attitude*)
dire, affirmer, déclarer	Je dis que tu es fou de le penser.	Je ne dis pas que tu es fou de le penser.
nier		Il ne nie pas que vous ayez dit ça. *ou :* Il ne nie pas que vous avez dit ça.

APPLICATION IMMÉDIATE

H. Mettez le verbe principal à la forme négative. Employez le subjonctif ou l'indicatif et expliquez oralement le sens de la phrase dans chaque cas.

1. Il croit que vous êtes malade.

   ____

2. Nous pensons que l'enfant pourra s'en sortir tout seul.

   ____

- On emploie le subjonctif après les conjonctions et les locutions conjonctives qui suivent :

de but	**pour que, afin que, de peur que (+ ne), de crainte que (+ ne), de manière que, de façon à ce que, de sorte que**
de restriction	**à moins que (+ ne), sans que**
de condition	**à condition que, à supposer que, pourvu que**
de temps	**avant que (+ ne), jusqu'à ce que, en attendant que**
de concession	**bien que, quoique, malgré que, soit que... soit que**

Pour une liste de conjonctions suivies de *l'indicatif,* voir le chapitre 12, p. 166 et 167.

Il fait tout **pour qu'**elle **soit** heureuse.
Nous allons partir, **à moins qu'**il **n'arrive** tout de suite.
Vous y arriverez **pourvu que** vous **travailliez.**
Je poserai la question **jusqu'à ce que** vous **répondiez.**
Quoiqu'il **ait fait** de son mieux, il n'a pas réussi.

PRÉCISIONS

- **Jusqu'à ce que, avant que** (« until »)
  Le mot anglais « until » se traduit par **jusqu'à ce que**, *excepté* s'il a le sens de « before » *dans une phrase négative*; dans ce cas, il se traduit alors par **avant que.**

  Je resterai ici **jusqu'à ce que** tu finisses.
  mais : Je **ne** prendrai **pas** de décision **avant que** nous n'en ayons parlé.

- **Après que** est suivi de l'indicatif puisque le fait est accompli.

  Il a plu **après que** vous **êtes parti**.

- **Bien que, quoique** (« even though », « although ») Les expressions anglaises « even though » et « although » se traduisent généralement par **bien que** ou **quoique.**

  Je vais aller voir ce film **bien que** les critiques ne soient pas bonnes.

APPLICATION IMMÉDIATE

B

I. Complétez ces phrases avec **jusqu'à ce que** ou **avant que,** selon le contexte.

1. Attends ici __________ le taxi arrive.
2. Ne commencez pas __________ je vous fasse signe.
3. Il ne reviendra pas __________ on le lui dise.
4. Je ne veux pas rester ici __________ il fasse nuit.

J. Complétez avec la conjonction nécessaire selon le sens.

C

1. __________ la fête soit un succès complet, il faudrait qu'Éric soit avec nous.
2. Je n'en ai pas parlé __________ il ne se fâche.
3. Vous n'êtes pas passé me voir, __________ je vous l'aie demandé.
4. Mettez-le dans ma boite, __________ ça ne vous dérange.
5. Théo est prêt à nous y conduire, __________ qu'on paie son essence.

K. Trouvez la conjonction de subordination (+ *subjonctif* ou *indicatif*) qui permet de lier les deux phrases. Modifiez la structure de la subordonnée au besoin.

C

Modèle : Je vais vous attendre ; et puis vous arriverez.
→ Je vais vous attendre **jusqu'à ce que** vous arriviez.

1. Nous avons mangé ; et il ne restait rien dans nos assiettes.
____
2. Nous nous sommes mis en route ; pourtant il faisait mauvais.
____
3. Tu m'as tout dit ; maintenant je sais la vérité.
____
4. Le travail sera fait ce soir ; excepté s'il a été malade.
____
5. Je passe souvent dans le couloir ; mais il ne s'en aperçoit pas.
____

L. Faites une phrase avec chacune des conjonctions suivantes.

C

1. pourvu que
____
2. avant que (dans le sens de « until »)
____
3. quoique (« even though »)
____
4. de peur que
____

- *Le subjonctif dans la proposition relative* indique que le fait exprimé n'est *pas certain*, mais qu'il est *souhaité*. L'attitude est subjective.

  Je cherche une épicerie qui **soit** entre l'université et la maison.
  (Je souhaite qu'il y ait une épicerie entre l'université et la maison ; alors je cherche s'il y en a une.)

- *L'indicatif dans la proposition relative* indique que le fait exprimé est *une réalité*.

  Je cherche une épicerie qui **est** entre l'université et la maison.
  (Je sais qu'il y a une épicerie entre l'université et la maison ; je la cherche.)

- Quand *l'antécédent* du pronom relatif est *un superlatif* ou un des mots superlatifs **le premier, le seul, le dernier, il n'y a que,** le *subjonctif* est aussi employé pour exprimer une attitude subjective.

C'est **la plus belle** bicyclette qu'on **puisse** acheter.
(On ne peut en imaginer une plus belle.)
mais : C'est **la plus belle** bicyclette qu'on **peut** acheter.
(C'est la plus belle qui est disponible en ce moment.)

APPLICATION IMMÉDIATE

B

M. Complétez les propositions relatives suivantes avec le subjonctif ou l'indicatif, selon le sens.

1. Je cherche quelqu'un qui me ________ (comprendre).
2. Tracy n'as trouvé personne qui ________ (vouloir) du dernier chiot.
3. J'ai trouvé quelqu'un qui ________ (savoir) le faire.
4. Je ne vois rien qui ________ (être) comparable à cela.
5. C'est l'appartement le plus agréable que je ________ (trouver).

Propositions indépendantes

On trouve le subjonctif dans des propositions indépendantes, c'est-à-dire des phrases autonomes :

- *Comme impératif,* aux personnes qui n'existent pas au mode impératif (voir aussi chapitre 22, p. 299) ;
  Que je sois frappé par la foudre si je mens !
  Qu'ils y **aillent,** s'ils le veulent !
- *Pour exprimer un souhait.*
  Vive la liberté !
  Que Dieu vous **bénisse** ! (Je prie que Dieu vous bénisse.)
  Honni **soit** qui mal y pense ! (honte à qui y voit du mal)
  Ainsi **soit**-il ! (« So be it. »)

Emplois distincts du présent et du passé

- On emploie **le présent du subjonctif** quand l'action du verbe subordonné est **simultanée** ou **postérieure** à celle du verbe principal.
- On emploie **le passé du subjonctif** quand l'action du verbe subordonné est **antérieure** à celle du verbe principal.
- Le temps du verbe principal (présent, futur, passé composé, imparfait, conditionnel) n'importe pas — *seule la chronologie des actions importe* (voir le tableau, p. 289).

Verbe principal	Verbe subordonné au subjonctif	
	Action simultanée ou postérieure à l'action principale	**Action antérieure à l'action principale**
présent futur passé composé imparfait conditionnel	↓ Présent du subjonctif	↓ Passé du subjonctif

- Action *simultanée ou postérieure à l'action principale → présent du subjonctif.*

  Je **veux** que tu **sois** au courant de ce qui se passe.
  Tu **as insisté** pour qu'elle **réponde.**
  Vous **proposerez** qu'elle **vienne.**

- Action *antérieure à l'action principale → passé du subjonctif.*

  Je **doute** qu'ils **aient compris** la leçon.
  Il **regrette** que vous ne **soyez** pas **venue.**
  Tu **doutes** qu'il t'**ait été** fidèle, mais tu n'as aucune preuve.

APPLICATION IMMÉDIATE

N. Complétez avec le présent ou le passé du subjonctif. **B**

1. Il faudrait que vous __________ (apprendre) à épeler correctement.
2. Je suis content que vous __________ (apprécier) ma plaisanterie tout à l'heure.
3. Doutez-vous qu'elle __________ (avoir) réellement de si bonnes notes ?
4. C'est dommage que tu __________ (être) obligé de travailler hier soir.
5. Il faudrait que je __________ (se dépêcher) de l'envoyer pour qu'elle __________ (recevoir) cette lettre rapidement.

O. Complétez les phrases suivantes avec le subjonctif présent ou passé du verbe entre parenthèses, selon le sens. **B**

1. Le médecin a suggéré que j' __________ (aller) voir un acupuncteur.
2. Quel dommage que vous __________ (ne pas pouvoir) vous sortir de cette situation à temps.
3. Il est important que vous __________ (arrêter) d'intervenir.
4. Je regrette que tout __________ (se passer si mal).
5. Nous sommes heureux que vous __________ (recevoir enfin) de leurs nouvelles.

B

P. Liez les deux phrases en utilisant le subjonctif ou l'infinitif dans la proposition subordonnée.

Modèle : Je partirai bientôt./Il le faut.
→ Il faut que je parte bientôt.

1. Ils ont oublié de venir./Ils le regrettent.
______
2. Je sors avec lui./Il le veut.
______
3. Nous irons au parc./Attendez.
______
4. Est-ce absolument nécessaire ?/Je ne le pense pas.
______
5. Vous avec fini vos vacances./C'est dommage.
______

B

Q. Écrivez une phrase pour chacun des emplois suivants :

- Un subjonctif présent (employé à la place d'un futur)

  Modèle : Il attendra qu'il fasse beau.

  ______

- Un subjonctif présent (action simultanée ou postérieure)

  Modèle : Je voudrais que vous veniez avec nous.

  ______

- Un subjonctif passé (action antérieure)

  Modèle : Je n'ose imaginer que tu aies encore perdu ton emploi.

  ______

Évitement du subjonctif

Il est parfois souhaitable d'éviter le subjonctif pour simplifier une phrase. On évite le subjonctif de plusieurs façons.

- On utilise **une participiale** (verbe au participe présent) à la place d'une subordonnée relative.

  Je cherche une machine **qui puisse faire ce travail.** (relative)
  Je cherche une machine **pouvant faire ce travail.** (participiale)

- On remplace le verbe au subjonctif par **un nom** (quand un nom existe), en faisant les changements appropriés.

  Nous partirons **avant qu'il n'arrive.** (subordonnée au subjonctif)
  Nous partirons **avant son arrivée.** (groupe prépositionnel)

- On utilise **une autre proposition** qui a presque le même sens et qui n'exige pas le subjonctif. La proposition infinitive est notamment courante lorsque le sujet de la principale est le même que celui de la subordonnée (voir chapitre 24, p. 338).

  J'irai vous voir **à moins qu'il n'y ait une tempête.**
  J'irai vous voir **s'il n'y a pas de tempête.**

APPLICATION IMMÉDIATE

R. Remplacez les verbes au subjonctif par un participe présent, un nom ou une autre proposition en faisant les changements appropriés. **B**

Modèle : J'ai hâte <u>qu'il parte</u>.
→ de le voir partir.

1. Nous apprécions <u>que tu sois venu nous rendre visite</u>.
____
2. Elle aimerait un logiciel <u>qui puisse</u> faire du graphisme.
____
3. Tu y parviendras <u>pourvu que tu fasses</u> un effort.
____

S. Remplacez la proposition subordonnée par un nom en faisant les changements appropriés. **B**

Modèle : Nous voulons qu'il parte.
→ Nous voulons son départ.

1. Il a attendu <u>que nous venions</u>.
____
2. Je ne veux pas <u>qu'on me punisse</u>.
____
3. Je déplore <u>qu'il mente</u>.
____
4. Ils exigent <u>qu'on te capture immédiatement</u>.
____
5. Je ne m'attendais pas à <u>ce que vous arriviez si rapidement</u>.
____

EN RÉSUMÉ...

- Le mode subjonctif est employé pour les verbes de subordonnée dans le but d'exprimer un sentiment, un doute, un souhait, un ordre, une volonté, une possibilité ou un jugement. Il est aussi employé avec certaines locutions conjonctives de but, de condition, etc., et dans certaines relatives.
- Les verbes réguliers se conjuguent au présent du subjonctif en ajoutant les terminaisons **e, es, e, ions, iez** et **ent** à la racine de la 3e personne du pluriel du présent de l'indicatif. Certains verbes du 1er groupe comportent des changements orthographiques et quelques verbes du 3e groupe ont une racine irrégulière.
- Le subjonctif passé se forme en combinant le présent du subjonctif de l'auxiliaire **avoir** ou **être** avec le participe passé du verbe en question.

EXERCICES RÉCAPITULATIFS

A. *Finissez les phrases suivantes en employant le subjonctif.*

1. Je ne crois pas que...
   ______________________________.
2. Nous ne sommes pas sûrs que...
   ______________________________.
3. Il nie que...
   ______________________________.
4. Ils ne se souviennent pas que...
   ______________________________.

B. *Écrivez une phrase avec le subjonctif employé comme impératif et une autre où il est employé pour exprimer un souhait.*

Modèle : Qu'elle dise tout de suite ce qu'elle a à dire.
→ Que vos désirs soient exaucés !

____

____

C. *Finissez les phrases suivantes avec une proposition subordonnée au subjonctif expliquant la circonstance ou le souhait en question.*

Modèle : Mes notes ne sont pas très bonnes cette session ;
→ je m'attendais à ce qu'elles soient meilleures. Pourvu que je puisse faire des progrès !

1. Je ne suis jamais satisfait(e) ; ______________________________.
2. Le pêcheur n'a pris aucun poisson ; ______________________________.
3. Le voleur a réussi à s'évader de la prison ; ______________________________.
4. Il pleut à torrents et elle n'a pas pris son parapluie ; ______________________________.
5. J'espère que vous allez m'attendre ; ______________________________.
6. Vous avez fait exprès de crier ; ______________________________.

D. *Vous avez peur de ne pas réussir un projet. Expliquez en quelques lignes quel est ce projet et la raison de vos craintes. Employez beaucoup de subjonctifs et les verbes* ***craindre, avoir peur, espérer, souhaiter,*** *etc.*

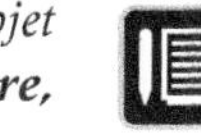

E. *Vous rêvez de votre avenir. Décrivez votre rêve en employant* ***je veux (je voudrais bien) que..., je désire que..., je souhaite que...,*** *etc.*

22

L'impératif

OBJECTIFS DU CHAPITRE

À la fin de ce chapitre, vous serez en mesure :

- de maitriser la conjugaison de l'impératif présent et passé ;
- de maitriser l'emploi de l'impératif.

L'impératif est un mode qui sert à exprimer un ordre, une directive, un conseil ou un souhait. Il est très simple et n'est pas accompagné d'un pronom personnel sujet. De plus, puisqu'on s'adresse directement à une personne ou à un groupe lorsqu'on exprime un impératif, les conjugaisons à la 1re personne du singulier, à la 3e personne du singulier et du pluriel n'existent pas.

L'impératif a deux temps : le présent et le passé.

FORMES

Conjugaison

L'impératif comporte *trois* personnes : *la 2e personne du singulier* ainsi que *les 1re et 2e personnes du pluriel* **(tu, nous, vous)**, mais sans les pronoms sujets. Sa conjugaison est tirée des terminaisons du présent de l'indicatif, sauf qu'on conjugue la 2e personne du singulier de l'impératif comme la 1re personne du singulier du présent de l'indicatif, à l'exception du verbe aller. La conjugaison est la même pour presque tous les verbes, réguliers et irréguliers, à *l'exception de quatre.*

L'impératif des verbes en -er, -ir, -oir et -re

aimer	finir	vendre	faire	tenir	prévoir
aime aimons aimez	finis finissons finissez	vends vendons vendez	fais faisons faites	tiens tenons tenez	prévois prévoyons prévoyez

Les quatre verbes irréguliers suivants font exception à la règle générale :

EXCEPTIONS

être	**avoir**	**savoir**	**vouloir**
sois soyons soyez	aie ayons ayez	sache sachons sachez	veuille *ou* veux veuillons *ou* voulons veuillez *ou* voulez

PRÉCISIONS

À la 2e personne du singulier, on ajoute un **s** aux formes se terminant par **e** ou par **a** quand l'impératif est *immédiatement suivi de* **y** *ou de* **en** *après un trait d'union,* pour faciliter la prononciation.

Prononcez la liaison :

vas-y parles-en nages-y offres-en aies-en

- L'impératif étant tiré des formes correspondantes du présent de l'indicatif, on y retrouve les changements orthographiques des verbes en **-er** (voir chapitre 15, p. 205).

Changements orthographiques des verbes en -er

appeler	**acheter**	**répéter**	**nettoyer**	**placer**	**nager**	**haïr**
appelle appelons appelez	achète achetons achetez	répète répétons répétez	nettoie nettoyons nettoyez	place plaçons placez	nage nageons nagez	hais haïssons haïssez

A

APPLICATION IMMÉDIATE

A. Mettez les verbes à la 2e personne du singulier de l'impératif. Ajoutez un **s**, si nécessaire.

1. (Travailler) __________ bien.
2. (Cueillir) __________ des fleurs.
3. (Savoir) __________ la leçon.
4. (Acheter) __________ la maison.
5. (Aller) __________ à la gare.
6. (Être) __________ à l'heure
7. (Offrir) __________-en un.
8. (Gouter) __________-y.

Forme affirmative et négative

La place et l'ordre des *pronoms compléments* varient *à l'affirmatif et au négatif.*

- *À l'impératif affirmatif,* les pronoms *suivent le verbe* et lui sont liés par des *traits d'union*. Le pronom complément direct est placé avant le pronom complément indirect (sauf **en** qui se trouve toujours en dernier).

  Donnez-lui.
  Donnez-lui-en.
  (un trait d'union pour chaque pronom)

Ordre des pronoms après l'impératif affirmatif

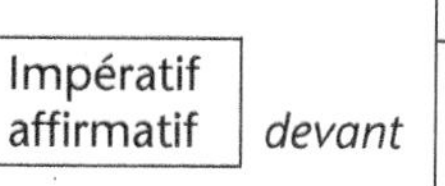

Impératif affirmatif		*Compl. direct*		*Compl. indirect*				
	devant	me (m'), te (t') nous, vous le, la, les	*devant*	me (m'), te (t') nous, vous lui, leur	*devant*	y	*devant*	en

Apportez-les-y.
Offre-lui-en.
Donne-le-nous.
(le : direct, nous : indirect)

Parle-nous-en.
Dites-la-leur.
Emmène-nous-y.

PRÉCISIONS

- **Me** et **te** se changent en **m'** et **t'** devant une voyelle. Il n'y a *pas de trait d'union* lorsqu'il y a *une apostrophe.*

  Donnez-**m'**en. Occupe-**t'**en.

- **Me** et **te** se changent en **moi** et **toi** quand ils sont *le seul* ou *le dernier* pronom après l'impératif.

  Écoute-**moi.** Dites-le-**moi.**
  Lave-**toi.** Répète-le-**toi.**

- À *l'impératif négatif*, les pronoms précèdent le verbe et ont le même ordre qu'aux autres temps (voir chapitre 5, p. 75). *Il n'y a pas de trait d'union.*

  Ne le lui donne pas. (Donne-le-lui.)
  Ne me le donnez pas. (Donnez-le-moi.)
  Ne m'en envoyez pas. (Envoyez-m'en.)
  N'y va pas. (Vas-y.)

APPLICATION IMMÉDIATE

A

B. Mettez les impératifs négatifs suivants à la forme affirmative.

1. Ne me la raconte pas. ____________________
2. Ne nous le répétez pas. ____________________
3. N'y voyage pas. ____________________
4. Ne va pas y travailler. ____________________
5. Ne les y pousse pas. ____________________

B

C. Remplacez les mots soulignés par des pronoms en portant une attention particulière au trait d'union après l'impératif.

Modèle : Donnez-lui <u>son manteau</u>. → Donnez-le-lui.
Va dire <u>la raison</u>. → Va la dire.

1. Répondez <u>à ma question</u>. ____________________
2. Venez raconter <u>votre histoire</u>. ____________________
3. Dites <u>à votre ami</u> d'aller voir ce film. ____________________
4. Venez chercher <u>ces livres</u>. ____________________
5. Ne fais pas <u>de bruit</u>. ____________________
6. Essaie <u>cette voiture</u>. ____________________
7. Viens à <u>mon bureau</u>. ____________________
8. Offre <u>ces fleurs à ton ami</u>. ____________________
9. Apportez-moi <u>votre feuille</u>. ____________________
10. Achète-toi <u>cette planche à roulettes</u>. ____________________

B

D. Mettez les impératifs négatifs à la forme affirmative. Écrivez aussi l'infinitif du verbe entre parenthèses.

Modèle : Ne les lui donnez pas.
→ Donnez-les-lui. (donner)

1. N'en parlons pas. ____________________
2. Ne te les brosse pas. ____________________
3. N'y fais pas attention. ____________________
4. Ne te fâche pas. ____________________
5. Ne me les envoyez pas. ____________________
6. Ne le lui dis pas. ____________________
7. Ne nous en allons pas. ____________________

B

E. Donnez la forme négative des impératifs affirmatifs suivants. Écrivez aussi l'infinitif du verbe entre parenthèses.

Modèle : Interrompez-moi.
→ Ne m'interrompez pas. (interrompre)

1. Donne-le-moi. ______________________
2. Trouve-t'en. ______________________
3. Appuyez-vous-y. ______________________
4. Plongez-les-y. ______________________
5. Donne-m'en. ______________________

Autres personnes

Il n'y a *pas de formes de l'impératif* aux 1re et 3e personnes du singulier ni à la 3e personne du pluriel. Quand on a besoin d'une des formes à la 3e personne, on emploie la forme correspondante *du subjonctif présent*, avec **que** et *le pronom sujet*.

Qu'ils **partent** immédiatement !
Qu'il **finisse** son travail !
Qu'elle **fasse** attention !

Impératif passé

L'impératif passé est formé de *l'impératif de l'auxiliaire* **avoir** ou **être** + *participe passé du verbe* en question.

Il est employé pour un ordre qui *sera accompli dans le futur.*

Aie fini ton travail avant le souper.
Soyez rentrés à onze heures.

EMPLOIS

L'impératif est employé :

- Pour *donner un ordre.*

  sors ; ne partez pas ; travaillons dur ; laisse-moi tranquille ; va-t'en

- Pour *exprimer un souhait.*

  sois heureuse ; profitez bien de vos vacances ; faites un bon voyage

- Pour *une incitation, un conseil, une prière.*

  ne parlez pas trop ; méfiez-vous de lui ; ayez la gentillesse de me prévenir ; asseyez-vous donc

- Avec **veuillez** + *infinitif.*
  Cet impératif de **vouloir** est équivalent à **s'il vous plait.** C'est une forme polie pour donner un ordre.

  Veuillez fermer la porte. = Fermez la porte, s'il vous plait.
  Veuillez vous assoir. = Asseyez-vous, s'il vous plait.

- *À la fin d'une lettre.*

  Veuillez agréer, cher Monsieur, mes salutations distinguées.

- Pour *une supposition.*
  L'impératif est alors équivalent à une phrase avec **si** :

  Faites-leur du bien, ils l'oublieront vite. = Si vous leur faites du bien…
  Gare-toi là et tu n'auras pas de contravention. = Si tu te gares là…
  Traite-le de menteur, il ne réagira pas. = Si tu le traites de menteur…

ATTENTION

Le mot anglais « let's » indique une suggestion ou une incitation et se traduit par la 1re personne du pluriel de l'impératif. Il ne faut pas le confondre avec la forme « let » + *pronom* + *verbe* qui signifie « donner la permission à quelqu'un » :

Partons. (« Let's leave. »)
mais : Laissez-moi vous expliquer ceci. (« Let me explain… »)

APPLICATION IMMÉDIATE

B

F. Donnez les deux personnes qui complètent l'impératif pour les verbes suivants.

Modèle : Fais attention.
→ Faisons attention. Faites attention.

1. Fais-lui confiance. ____________ ____________
2. Sois aimable. ____________ ____________
3. Attends ton tour. ____________ ____________
4. Baissez-vous. ____________ ____________
5. Ne vous regardez pas. ____________ ____________
6. Viens tout de suite. ____________ ____________
7. Sachons réagir. ____________ ____________
8. Parlez-lui-en. ____________ ____________
9. N'en offrez pas. ____________ ____________
10. Comporte-toi mieux. ____________ ____________

G. Donnez l'ordre indiqué en employant la forme familière (tu) ou polie (vous) d'après la personne à qui l'ordre est donné.

B

Modèle : Dites à votre camarade de venir tout de suite.
Viens tout de suite.

1. Dites à votre enfant de s'assoir et de se calmer.
____
2. Demandez à votre patronne de parler moins vite. (deux façons)
____
3. Demandez à un nouvel ami de vous contacter par Facebook.
____
4. Dites à votre médecin de ne plus vous prescrire ce médicament.
____
5. Dites à votre colocataire de se lever tôt, mais de ne pas faire de bruit.
____

H. Employez **veuillez** + *infinitif* à la place de l'impératif et supprimez l'expression « s'il vous plait ».

B

Modèle : Asseyez-vous, s'il vous plait.
→ Veuillez vous assoir.

1. Écoutez bien les directives, s'il vous plait.
____
2. Partez tout de suite, s'il vous plait.
____
3. Levez-vous et sortez sans bruit, s'il vous plait.
____

I. Complétez la phrase par un ordre à l'impératif.

B

Modèle : Si vous êtes fatigué,
reposez-vous quelques instants.

1. Si tu as sommeil,
____
2. Si vous ne voulez pas me croire,
____
3. Si votre vélo ne fonctionne pas,
____
4. Si tu n'es pas bien en ville,
____

B

J. Donnez l'ordre (à l'impératif) qui correspond à la situation. Employez un pronom dans la phrase.

Modèle : Je suis malade ; il faut que le docteur vienne.
Appelez-le immédiatement.

1. J'aimerais avoir deux litres de lait.
 ____
2. Nous ne connaissons pas assez bien ce poème.
 ____
3. Elle ne sait pas que son amie est partie.
 ____
4. Il nous faut de la farine et des œufs et nous n'en avons plus.
 ____
5. J'ai des corrections à faire pour demain, mais je n'arrive pas à me motiver.
 ____

B

K. Mettez les phrases suivantes à la forme négative. Attention au partitif dans la phrase négative.

Modèle : Posez-moi des questions.
→ Ne me posez pas de questions.

1. Apportez-lui des fleurs.
 ____
2. Viens faire du canot avec nous.
 ____
3. Donnez-moi du vin.
 ____
4. Allez vous choisir un déguisement.
 ____

C

L. Dans le texte suivant, conjuguez les verbes entre parenthèses à la forme familière (tu) de l'impératif. Puis lisez le texte en mettant les verbes à la 2e personne du pluriel (vous) et en faisant tous les changements nécessaires.

__________ (Marcher) deux heures tous les jours, __________ (dormir) sept heures toutes les nuits, __________ (se coucher) dès que tu as envie de dormir ; __________ (se lever) dès que tu es éveillé.
Ne __________ (manger) qu'à ta faim, ne __________ (boire) qu'à ta soif, toujours sobrement.
Ne __________ (parler) que lorsqu'il le faut, n' __________ (écrire) que ce que tu peux signer ; ne __________ (faire) que ce que tu peux dire.
N' __________ (oublier) jamais que les autres comptent sur toi, et que tu ne dois pas compter sur eux. N' __________ (estimer) l'argent ni plus ni moins qu'il ne vaut : c'est un bon serviteur et un mauvais maitre.

__________ (Pardonner) d'avance à tout le monde, pour plus de sureté; ne __________ (mépriser) pas les hommes, ne les (haïr) pas davantage et n'en __________ (rire) pas outre mesure; __________ (plaindre)-les. __________ (S'efforcer) d'être simple, de devenir utile, de rester libre.

Alexandre Dumas fils.

EN RÉSUMÉ...

- L'impératif sert à énoncer un ordre, une suggestion, un conseil ou un souhait.
- Il ne comporte que trois personnes grammaticales (2e p.s., 1re p.p. et 2e p.p.).
- Sa conjugaison est tirée de la conjugaison du présent de l'indicatif, mais la 2e personne du singulier de l'impératif se conjugue comme la 1re personne du singulier du présent de l'indicatif. Quelques verbes font exception.

EXERCICES RÉCAPITULATIFS

A. *Faites une liste des ordres que votre professeur de français vous donne durant son cours : impératifs de conseil, d'incitation, de prière, à la forme affirmative ou négative.*

Modèle : Ne parlez pas anglais.
Préparez votre travail chaque jour.
Écrivez lisiblement.

B. *Écrivez en un paragraphe les conseils que vous voudriez donner à un(e) étudiant(e) qui arrive sur le campus pour la première fois. Employez des impératifs (affirmatifs et négatifs).*

C. *Vous allez photographier quelqu'un (ou plusieurs personnes). À l'aide de phrases impératives, vous lui (leur) dites où se placer, de ne pas bouger, etc. (Écrivez ces phrases dans un paragraphe humoristique de trois ou quatre lignes.)*

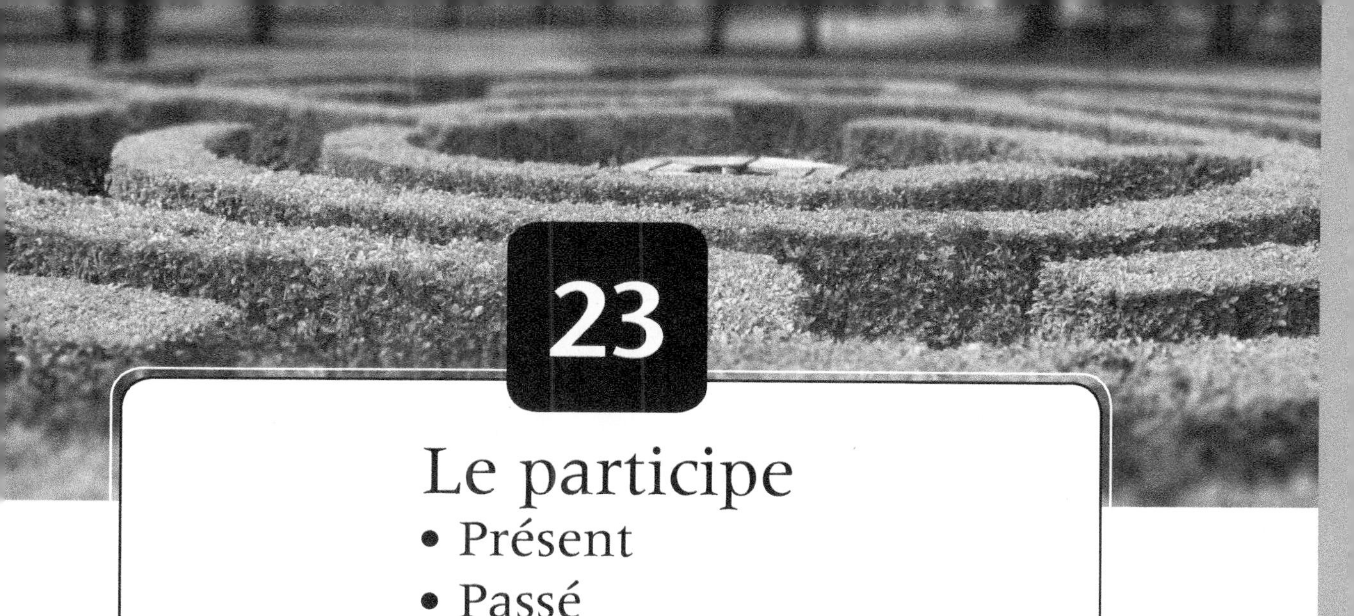

23

Le participe
• Présent
• Passé

OBJECTIFS DU CHAPITRE

À la fin de ce chapitre, vous serez en mesure :

- de maitriser la formation du participe présent et passé ;
- d'utiliser ces deux temps adéquatement.

Les participes présent et passé sont des formes verbales qui ne sont pas conjuguées à proprement parler, car ni l'un ni l'autre n'a de personne, mais le participe passé peut s'accorder en genre et en nombre. Le participe présent se termine en **-ant** et sert à indiquer la simultanéité de deux actions. Le participe passé ressemble beaucoup à l'adjectif par sa fonction dans la phrase, comme dans « une maison bien **tenue,** une visite **guidée** », mais il se distingue du participe présent, qui exprime un élément d'action ou de temporalité. Le participe passé entre aussi régulièrement dans la formation des temps composés.

LE PARTICIPE PRÉSENT

Le participe présent est une forme verbale qui exprime la *simultanéité d'une action avec l'action du verbe principal* de la phrase dans laquelle il figure. On dit qu'il reçoit sa valeur temporelle du verbe principal. Notons que le participe et le verbe principal doivent avoir le même sujet.

> Voyant ses amis s'approcher, il se met à courir.
> (valeur temporelle = présent)
> Voyant ses amis s'approcher, il se mit à courir.
> (valeur temporelle = passé)

Voyant ses amis s'approcher, il se mettra à courir.
(valeur temporelle = futur)

Formes

Le participe présent se forme avec le radical de la première personne du pluriel **(nous)** *du présent de l'indicatif* + **ant.**

La formation du participe présent		
Le radical de la première personne du pluriel **(nous)** *du présent de l'indicatif*	+	**ant**
vendre ; nous vend/ons	→	vendant
ouvrir ; nous ouvr/ons	→	ouvrant
espérer ; nous espér/ons	→	espérant

Les trois verbes suivants ont un radical irrégulier :		
avoir	→	ayant
être	→	étant
savoir	→	sachant

APPLICATION IMMÉDIATE

A

A. Écrivez le participe présent des verbes suivants :

1. comprendre ______
2. être ______
3. aller ______
4. marcher ______
5. sortir ______

A

B. Donnez le participe présent des verbes suivants.

1. pâlir ______
2. appeler ______
3. traduire ______
4. voir ______
5. répondre ______
6. avoir ______
7. partir ______
8. craindre ______
9. savoir ______
10. sourire ______

B

C. Remplacez les verbes entre parenthèses par le participe présent.

1. Ma famille ______ (être) peu fortunée, je paie mes propres études.
2. Cette athlète, n' ______ (avoir) l'air de rien, a battu toutes les autres à la course.

3. Le bébé commence à se déplacer en ________ (ramper), puis il se lèvera tôt ou tard.
4. L'eau ________ (être) peu profonde, ils ont pu traverser la rivière à pied.
5. ________ (Étudier) dans la meilleure université du pays, elle espère décrocher un emploi facilement.
6. Quand je suis entré, il m'a salué en ________ (jeter) un coup d'œil de mon côté.
7. En ________ (vouloir) sauver mon chien, je suis tombé dans la rivière.
8. Il était assis, ________ (fumer) sa pipe.
9. Ils l'ont trouvé ________ (respirer) à peine dans le coin d'une pièce.
10. En le ________ (voir) arriver, elle a été immédiatement soulagée.

Emplois

- Le participe présent est *invariable*. On le trouve avec la préposition **en** (*gérondif*) ou seul, sans préposition.
- Le gérondif (**en** + *participe présent*) sert à préciser les circonstances de l'action exprimée par le verbe principal. Il a le même sujet que ce verbe. Il est employé pour exprimer :

▶ *la simultanéité de deux actions* (« while »). L'action exprimée par le gérondif se produit en même temps que celle du verbe principal.

Nous écoutons les nouvelles à la radio **en dinant.** (présent)
En se promenant, elle a trouvé un chien perdu. (passé)
En allant à l'université, ils parleront de leur projet. (futur)

On emploie **tout en** pour insister sur la simultanéité ou pour indiquer *une opposition* ou *une restriction* (= **bien que, quoique**).

Tout en étant fâché contre lui, il ne se résolvait pas à le lui dire.
Tout en parlant, elle se rendait compte que ce qu'il disait était faux.

▶ *le temps, le moment* (« when »), avec l'idée de simultanéité.

En partant, il était très triste. (= Quand il est parti...)
En arrivant à Montréal, j'irai tout de suite à mon hôtel.
L'appétit vient **en mangeant.** (proverbe)

▶ *la manière ou le moyen* (« by, upon, in, on ») avec l'idée de simultanéité.

Elle a maigri **en faisant** du sport. (répond à la question : *Comment* a-t-elle maigri ?)
L'enfant le suivait **en sautant** par-dessus les flaques d'eau.
C'est **en persévérant** qu'on réussit.

Notez que le **en** du gérondif est quelquefois sous-entendu.

Ils sont partis **se tenant** par la main.

- *Le participe présent seul,* sans préposition, sert à *préciser un nom ou un pronom.* Il n'y a donc *pas de simultanéité* d'actions comme avec le gérondif. On appelle ce type de structure *une proposition participe absolue*; elle a son sujet propre. Il est employé pour exprimer :

  ▶ *la cause, la raison* (« because »).

  > Je suis venu **pensant** que ça vous ferait plaisir. (parce que je pensais)
  > **Ayant fini** mon travail, je pouvais faire ce que je voulais.
  > Les nuages **noircissant** rapidement, nous nous sommes dépêchés de rentrer.

  ▶ une action *immédiatement antérieure à l'action principale* (« after »). Le sujet du participe présent est identique au sujet du verbe principal.

  > **Prenant** son imperméable, il est parti rapidement. (Après qu'il a pris...)

  ▶ une *action postérieure* à l'action principale et qui *indique le résultat* de cette action. Le sujet du participe présent est identique au sujet du verbe principal.

  > Il m'a quitté, me **laissant** perplexe. (Il m'a quitté, ce qui m'a laissé perplexe.)
  > Un feu a eu lieu au dix-huitième étage d'un gratte-ciel, **causant** 12 morts.

  ▶ une *action simultanée* à une action principale, seulement *quand son sujet est le complément direct du verbe principal.* (Avec le même sujet, on emploie le gérondif ; voir p. 307.)

  > Je l'ai vu sortir **entrainant** une autre personne avec lui.

  ▶ *une circonstance* qui accompagne une action. Les sujets sont identiques.

  > Il est parti très rapidement pour l'épicerie, **oubliant** sa liste d'épicerie.

  ▶ *une condition* (= **si, au cas où**).

  > Le temps le **permettant,** nous irons nous promener. (Si le temps le permet...)

Il est aussi employé pour remplacer **une subordonnée relative** (= **qui...** + *verbe de la relative*).

> Des ivrognes **chantant** et **titubant** revenaient du bar. (Des ivrognes qui chantaient et qui titubaient...)

APPLICATION IMMÉDIATE

B

D. Justifiez l'emploi du gérondif.

1. Il tient une conversation par textos en travaillant.
2. Elle arrive tous les matins en souriant.
3. Il a pris ma défense en sachant que j'avais tort.
4. En entrant dans la salle, elle a aperçu ses amis.

E. Justifiez l'emploi du participe présent dans les phrases suivantes. **B**

1. Une vieille dame portant un grand chapeau m'a fait un signe de la main.
2. Prenant un air mécontent, j'ai dit que j'allais me plaindre.
3. Mes ressources étant limitées cette année, je ne pourrai pas voyager.
4. L'horloge a sonné trois heures, indiquant qu'il fallait que nous partions.
5. Il est allé au cinéma, s'imaginant voir un bon film.

F. Remplacez les mots soulignés par un gérondif ou un participe présent. **B**

1. Il a parlé à des enfants qui jetaient des déchets par terre. ________________
2. Quand je me suis réveillé ce matin, je me suis rappelé que j'avais un examen. ________________
3. Il a ri et en même temps a haussé les épaules. ________________
4. Après qu'elle a quitté son amie, elle s'est mise au travail. ________________
5. Si vous m'aidiez, je pourrais peut-être sortir ce chien de la voiture. ________

G. Expliquez la présence d'un participe présent ou d'un gérondif dans ces phrases. **B**

La jeune fille, souriant calmement, s'est dirigée vers sa mère.
La jeune fille s'est dirigée vers sa mère en souriant calmement.
Créez deux autres phrases semblables.

____

____

PRÉCISIONS

Notons les cas suivants, où le participe présent et le participe passé composé ne sont pas employés.

Beaucoup de formes anglaises en « ing » ne se traduisent pas par le participe présent, mais plutôt :

- par un infinitif :
  - ▶ avec un verbe de perception sensorielle (voir, entendre, sentir...).

    Je sens le moteur **bruler** de l'huile.
    (« I smell the engine burning oil... »)
  - ▶ après toutes les prépositions, *excepté* **en** (voir aussi chapitre 11, p. 149).

    Au lieu d'**attendre,** vous feriez mieux de l'appeler.
    (« Instead of waiting... »)
  - ▶ avec un *infinitif* seul.

    Voir, c'est **croire.** (« Seeing is believing. »)

3e partie : Le groupe verbal

- par un nom d'activité et de sport :

  J'aime **le ski** et **la pêche.** (« ... skiing and fishing. »)

- par certains temps et l'expression **être en train de** pour la forme progressive anglaise :

  Je dormais quand tu es arrivée. (« I was sleeping... »)
  Il est **en train de** travailler. (« He is working. »)

APPLICATION IMMÉDIATE

B

H. Traduisez les mots entre guillemets pour compléter ces phrases.

1. Vous les avez entendus ______________ . « laughing »
2. ______________ au moment du vol. « I was working »
3. Nous étions assis derrière vous ______________ . « without knowing it »
4. ______________ est un de ses sports favoris. « Swimming »
5. ______________ à la maison au lieu d'aller danser n'est pas amusant. « Staying »

B

I. Traduisez les phrases suivantes.

1. « He learned English by going to evening classes. »
   ____
2. « Upon seeing his reaction, I started crying. »
   ____
3. « I watch them playing games. »
   ____
4. « I talk to my friends while going home. »
   ____
5. « By attacking too soon, they lost the battle. »
   ____

Mots dérivés du participe présent

- Certains noms sont dérivés du participe présent et ont une forme semblable à celui-ci.

un(e) participant(e)	un(e) assistant(e)
un(e) passant(e)	un(e) gagnant(e) et un(e) perdant(e)
un(e) débutant(e)	un revenant
un(e) commerçant(e)	un calmant

- D'autres noms dérivés n'ont pas la même orthographe que le participe présent.

		Participe présent	*Nom*
gu	changé en **g** :	extravaguant	un(e) extravagant(e)
qu	changé en **c** :	fabriquant	un(e) fabricant(e)
ant	changé en **end** :	différant	un différend
	changé en **ent** :	équivalant	un équivalent
		affluant	un affluent
		excédant	un excédent
		présidant	un(e) président(e)
		précédant	un précédent

- Certains *adjectifs* sont dérivés du participe présent et ont, pour la plupart, une forme semblable à celui-ci. Les adjectifs dérivés *s'accordent en genre et en nombre* avec le nom ou le pronom qu'ils qualifient, alors que les participes présents sont invariables. *Ils suivent généralement le nom.*

  C'est une jeune femme **charmante.**
  Quelle musique **entrainante**!
  J'ai rencontré un homme **passionnant** à la pause café.
  Votre histoire est très **intéressante.**
  Comme il est **énervant**!

- D'autres adjectifs dérivés n'ont pas la même orthographe que le participe présent.

		Participe présent	*Adjectif*
gu	changé en **g** :	fatiguant	fatigant(e)
		intriguant	intrigant(e)
qu	changé en **c** :	provoquant	provocant(e)
		vaquant	vacant(e)
ant	changé en **ent** :	précédant	précédent(e)
		différant	différent(e)

APPLICATION IMMÉDIATE

A

J. Complétez les phrases avec l'adjectif dérivé du participe présent du verbe entre parenthèses. Attention aux changements orthographiques.

1. Le passage ______________ (suivre) n'a ni queue ni tête.
2. Y a-t-il l'eau ______________ (courir) dans cette maison de campagne ?
3. Voilà un chien ______________ (obéir).
4. C'est une ______________ (exceller) pièce de théâtre.
5. L'enseignant a montré un film ______________ (stupéfier) à ses élèves.

A

K. Indiquez si le mot en gras dans les phrases suivantes est un adjectif ou un participe présent.

	adjectif	*participe présent*
1. Lisez l'explication **suivant** le texte.	__________	__________
2. Écoutez le rythme très **prenant** de cette musique.	__________	__________
3. C'est un site Web **fascinant** pour tout le monde.	__________	__________
4. Il a passé la journée à maugréer, **insultant** même ses amis.	__________	__________
5. **Sentant** sa mort arriver, le personnage s'est sacrifié.	__________	__________

B

L. Choisissez un participe présent employé aussi comme adjectif. Écrivez une phrase où il est adjectif et une autre où il est participe.

Modèle : intéressant

→ Racontez-moi une histoire **intéressante.**

→ Je voudrais trouver une histoire **intéressant** tous les invités.

B

M. Complétez les phrases suivantes avec le participe présent du verbe entre parenthèses employé comme nom, adjectif ou participe présent, selon le cas.

1. Je me suis rendu compte qu'elle était fiévreuse quand j'ai touché ses joues __________ (bruler).
2. Les jours __________ (précéder) son arrivée, nous avons été très occupés.
3. Chaque année, les __________ (résider) de ce pays doivent remplir un formulaire __________ (indiquer) leur adresse.
4. J'essaie de travailler malgré la musique __________ (agacer) de mon frère.
5. __________ (Aimer) se promener le long de la rivière, elle y est allée pour se changer les idées.

- Le participe présent est quelquefois utilisé comme préposition.

  Vous coupez **suivant** la ligne.
  Elle a été malade **durant** la conférence.

LE PARTICIPE PASSÉ

Le participe passé est la forme verbale qui constitue le deuxième élément des temps composés, mais il peut aussi être utilisé seul comme épithète.

Formes

- Le participe passé des *verbes réguliers* est formé sur l'infinitif pour les deux groupes verbaux réguliers.
  Au radical de l'infinitif des verbes en **-er,** ajoutez **é.**

Le participe passé des *verbes réguliers*		
aim/er	→	aimé
appel/er	→	appelé
achet/er	→	acheté
cré/er	→	créé

Au radical de l'infinitif des verbes en **-ir,** ajoutez **i.**

fin/ir → fini

Un grand nombre d'erreurs à l'écrit sont causées par le fait que l'infinitif des verbes du 1er groupe se prononce de la même façon que leur participe passé. Ainsi, beaucoup d'apprenants mélangent les deux formes.

infinitif	**participe passé**
aimer	aimé
travailler	travaillé
emprunter	emprunté

Après avoir **travaillé** dur toute la journée, j'arrive à la maison et mon père me fait encore **travailler.**

Il existe un truc relativement simple pour les distinguer et éviter de les mélanger : remplacez le verbe par un verbe du 3e groupe tel **croire.** Si on peut sans difficulté remplacer le verbe problématique par **croire,** c'est l'infinitif qu'il faut utiliser (donc avec la terminaison **er** et ne pas faire l'accord). Sinon, vous êtes en présence d'un participe passé; vous devez utiliser la terminaison **é** et faire l'accord au besoin.

> Après avoir **croire** (incorrect, donc **travaillé** →) dur toute la journée, j'arrive à la maison et mon père me fait encore **croire** (correct, donc **travailler**).

- Le participe passé composé est formé du *participe présent de l'auxiliaire* **avoir** ou **être** + *participe passé du verbe* en question.

> ayant fini étant allé s'étant promené

Il exprime une action passée par rapport à celle du verbe principal.

- Le participe passé composé peut être employé sans son auxiliaire, en particulier avec les mots **sitôt, dès, une fois.**

> Le beau temps **revenu (étant revenu),** nous avons allongé nos vacances.
> Le chat **parti,** les souris dansent. (proverbe)
> Sitôt le jour **apparu,** l'oiseau se met à chanter.
> Une fois les examens **terminés,** les étudiants commencent leur emploi d'été.

APPLICATION IMMÉDIATE

A

N. Écrivez l'infinitif et le participe passé des verbes suivants.

1. tu lèves ______
2. ils jettent ______
3. je répète ______

- Le participe passé des verbes du 3e groupe est irrégulier et doit donc être appris par cœur. Dans la liste suivante, les verbes qui forment leur participe passé de la même façon sont classés ensemble.

Infinitif	Participe passé	Verbes de formation similaire
acquérir	acquis	conquérir → conquis
asseoir	assis	
attendre	attendu	rendre → rendu ; tendre → tendu ; vendre → vendu
avoir	eu	
boire	bu	croire → cru

(Page suivante)

(Suite)

Infinitif	Participe passé	Verbes de formation similaire
conclure	conclu	
conduire	conduit	construire → construit; cuire → cuit; déduire → déduit; détruire → détruit; instruire → instruit; produire → produit; traduire → traduit (*Exceptions*: luire, nuire. *Voir ci-dessous*.)
connaitre	connu	apparaitre → apparu; disparaitre → disparu; paraitre → paru
correspondre	correspondu	pondre → pondu; répondre → répondu; tondre → tondu
coudre	cousu	découdre → décousu
courir	couru	convenir → convenu; devenir → devenu; secourir → secouru; tenir → tenu; venir → venu; vêtir → vêtu
craindre	craint	atteindre → atteint; éteindre → éteint; feindre → feint; joindre → joint; peindre → peint; plaindre → plaint
croître	crû	
cueillir	cueilli	accueillir → accueilli; dormir → dormi; faillir → failli; mentir → menti; partir → parti; recueillir → recueilli; sentir → senti; servir → servi; sortir → sorti
décevoir	déçu	apercevoir → aperçu; concevoir → conçu; percevoir → perçu; recevoir → reçu
devoir	dû*, due	*(avec un accent circonflexe au *masculin singulier seulement* pour le distinguer de **du** = **de le**); *féminin*: due
devenir	(*voir* courir)	
dire	dit	décrire → décrit; écrire → écrit; inscrire → inscrit; interdire → interdit; maudire → maudit
dormir	(*voir* cueillir)	
être	été (*invariable*)	
faillir	(*voir cueillir*)	
faire	fait	défaire → défait; distraire → distrait; satisfaire → satisfait
falloir	fallu	valoir → valu; voir → vu; vouloir → voulu
fuir	fui	s'enfuir → s'étant enfui

(Page suivante)

(Suite)

Infinitif	Participe passé	Verbes de formation similaire
lire	lu	relire → relu; élire → élu; réélire → réélu
luire	lui	nuire → nui
mettre	mis	admettre → admis; commettre → commis; permettre → permis; promettre → promis; remettre → remis
mourir	mort	
naitre	né	
nuire	(*voir luire*)	
ouvrir	ouvert	couvrir → couvert; découvrir → découvert; offrir → offert; souffrir → souffert
partir	(*voir cueillir*)	
plaire	plu	déplaire → déplu
pleuvoir	plu	
pouvoir	pu	émouvoir → ému
prendre	pris	apprendre → appris; comprendre → compris; entreprendre → entrepris; reprendre → repris; surprendre → surpris
résoudre	résolu	
rire	ri	sourire → souri; suffire → suffi
rompre	rompu	corrompre → corrompu; interrompre → interrompu
savoir	su	
sortir	(*voir* cueillir)	
suivre	suivi	poursuivre → poursuivi
taire (se)	tu, tue*	*(ne confondez pas avec **tué** de **tuer**)
tenir	(*voir* courir)	
vaincre	vaincu	convaincre → convaincu
vivre	vécu (*prononcez* [veky])	survivre → survécu

Pour connaitre le participe passé des verbes irréguliers, vous pouvez aussi consulter l'Appendice A, p. 421 à 439.

APPLICATION IMMÉDIATE

A

O. Donnez le participe passé des verbes suivants après avoir reconnu s'ils sont réguliers ou irréguliers.

1.	interrompre ______	15.	vaincre ______	29.	soutenir ______
2.	instruire ______	16.	lire ______	30.	médire ______
3.	nettoyer ______	17.	défaire ______	31.	apprendre ______
4.	démolir ______	18.	se souvenir ______	32.	étendre ______
5.	découdre ______	19.	pleurer ______	33.	reluire ______
6.	consentir ______	20.	percevoir ______	34.	agir ______
7.	déplaire ______	21.	repartir ______	35.	faillir ______
8.	endormir ______	22.	suffire ______	36.	teindre ______
9.	haïr ______	23.	repeindre ______	37.	parcourir ______
10.	crier ______	24.	vivre ______	38.	découvrir ______
11.	écrire ______	25.	créer ______	39.	maudire ______
12.	démettre ______	26.	cueillir ______	40.	ressentir ______
13.	fondre ______	27.	ouvrir ______	41.	reconnaitre ______
14.	prévoir ______	28.	appartenir ______	42.	jeter ______

Emplois

- Le participe passé *s'emploie dans les formes composées* des verbes. Un temps composé est formé de *deux mots* : auxiliaire **avoir** ou **être** + *participe passé du verbe* en question.
- Le participe passé *est une forme verbale ; ce n'est pas un temps.* Il constitue le deuxième mot des formes composées.

ai **regardé** être **entré** étiez **venus**

Il constitue aussi les deuxième et troisième mots des formes surcomposées, rarement utilisées à l'écrit.

ai **eu fait**

Il indique le verbe dont il s'agit. Regardez le participe passé pour trouver l'infinitif du verbe en question.

- C'est le temps de l'auxiliaire qui, généralement, donne au temps composé son nom (voir aussi Appendice A, p. 421 à 439).

LES TEMPS COMPOSÉS

présent de l'auxiliaire	+	participe passé du verbe en question	= passé composé
imparfait de l'auxiliaire	+	"	= plus-que-parfait
futur de l'auxiliaire	+	"	= futur antérieur
conditionnel présent de l'auxiliaire	+	"	= conditionnel passé
passé composé de l'auxiliaire	+	"	= passé surcomposé
infinitif de l'auxiliaire	+	"	= infinitif passé
passé simple de l'auxiliaire	+	"	= passé antérieur
participe présent de l'auxiliaire	+	"	= participe passé composé

- Revoir les *règles d'accord du participe passé* pour les verbes transitifs et intransitifs dans le chapitre sur le passé composé (chapitre 16, p. 228 et 230), et pour les verbes pronominaux, dans le chapitre 25, p. 350 à 353.
- Le participe passé constitue le deuxième mot des verbes à la voix *passive* (voir chapitre 30, p. 405 et 406).

APPLICATION IMMÉDIATE

A

P. Écrivez le passé composé des verbes suivants à la personne indiquée. Attention aux accents.

1. ils infèrent ____________
2. elle promène ____________
3. nous prospérons ____________
4. vous appelez ____________

Mots dérivés du participe passé

- Plusieurs noms sont dérivés du participe passé. Certains sont masculins, d'autres sont féminins.

  Avez-vous **un permis** de conduire ? (permettre) (*masc.*)
  Les produits de beauté sont chers. (produire) (*masc.*)
  D'ici, vous aurez **un aperçu** de la région. (apercevoir) (*masc.*)
  L'étendue des dégâts est considérable. (étendre) (*fém.*)
  Si vous allez en Suisse, mangez **une fondue.** (fondre) (*fém.*)
  La prise de la Bastille a eu lieu en 1789. (prendre) (*fém.*)

Notez bien : Le nom **mort** est féminin bien que le participe passé soit employé au masculin; **la mort ≠ la vie, la naissance.**

Mais on dit **un mort, une morte** pour parler d'un homme mort ou d'une femme morte respectivement.

La morte sera exposée ce soir au Salon mortuaire La Tombe. (la femme morte)
Depuis l'explosion, on ne cesse de trouver des morts. (gens tués)
mais : Sa vie s'est terminée par **une mort** tragique. (la fin de la vie)

APPLICATION IMMÉDIATE

A

Q. Donnez l'infinitif des verbes dans les phrases suivantes.

1. Ils ont été. ____________
2. La porte avait été laissée ouverte. ____________
3. Nous les aurions eus. ____________
4. Ne l'avez-vous pas vendue ? ____________
5. Vous les aurez mises en valeur. ____________

B

R. Donnez le nom dérivé du participe passé des verbes suivants. Indiquez le genre (masculin ou féminin) avec un article.

1. sortir ____________
2. aller ____________
3. mettre ____________
4. voir ____________
5. devoir ____________
6. craindre ____________
7. conduire (2 réponses) ____________
8. penser ____________
9. passer ____________
10. recevoir ____________

- Certains *adjectifs* sont dérivés du participe passé. Quand le participe passé accompagne un nom, il suit toujours ce nom. Il s'accorde comme un adjectif (voir aussi chapitre 4, p. 64).

Je suis **satisfait** de votre progrès en général, mais je suis **déçu** de votre dernière composition.
Le tapis était **couvert** de confettis.
C'est une personne bien **élevée.**
Les jeunes gens **assis** là-bas sont mes amis.

APPLICATION IMMÉDIATE

B

S. Employez le participe passé des verbes suivants comme adjectif dans une phrase simple.

Modèle : gâter
→ Un enfant **gâté** deviendra un adulte insatisfait.

1. détruire
____
2. vêtir
____
3. élire
____
4. peindre
____
5. distraire
____

- Certaines **prépositions** sont dérivées de participes passés **(vu, passé, à l'insu de, excepté, y compris)**. Le participe passé est alors *invariable* et est placé devant le nom ou le pronom. **À l'insu de** (= sans qu'on le sache) est une locution prépositive formée de **su,** participe passé masculin de **savoir,** et de **in,** qui indique l'opposition.

Vu la longueur de la thèse, il faudrait donner plus de temps aux lecteurs.
Passé neuf heures du soir, tu as toujours envie de dormir.
J'ai tout compris l'histoire, **excepté** le mobile du meurtre.
Nous aimons tous les champignons, **y compris** cette variété.
Il est entré **à l'insu de** tous.

EN RÉSUMÉ...

- Le participe présent est formé avec le radical de la 1re personne du pluriel du présent de l'indicatif, auquel on ajoute la terminaison **-ant.**
- Le participe présent est employé avec la préposition **en** dans la formation du gérondif ou seul comme complément d'un nom ou d'un pronom.
- Le participe passé des verbes réguliers des 1er et 2e groupes se forme à partir du radical de l'infinitif auquel on ajoute **-é** et **-i** respectivement. Le participe passé des verbes du 3e groupe est irrégulier.
- Le participe passé est employé dans les temps composés, à la voix active et la voix passive, et comme épithète.

EXERCICES RÉCAPITULATIFS

A. *Rédigez une phrase avec chacun des participes qui suivent.*

1. lu

____

2. tordue

____

3. déçu

____

4. produisant

____

5. brisant

____

6. couverte

____

B. *Faites trois phrases (une au présent, une au passé et la dernière au futur) qui s'appliquent à vos activités, en employant des gérondifs. Rappelez-vous que le gérondif modifie un verbe.*

Modèle : Elle mange **en marchant.**
En allant au laboratoire, nous avons rencontré Julie.
Je répondrai aux questions **en faisant** bien attention.

C. *Choisissez trois des participes passés suivants, employés comme prépositions, et faites une phrase avec chacun d'eux.*

vu passé excepté y compris

____

____

____

____

____

3e partie : Le groupe verbal

24

L'infinitif

- Présent
- Passé

OBJECTIFS DU CHAPITRE

À la fin de ce chapitre, vous serez en mesure :

- d'identifier l'infinitif dans un texte, peu importe sa fonction syntaxique ;
- de connaitre les emplois de l'infinitif et de les appliquer correctement ;
- de choisir adéquatement la préposition qui accompagne l'infinitif selon le contexte.

L'infinitif remplit plusieurs fonctions importantes, dont celle d'identifier les verbes ; c'est effectivement par l'infinitif qu'on trouve les verbes dans les conjugateurs. Ainsi, l'infinitif peut agir comme nom (**Lire** un livre me détend), comme verbe central à la phrase (**Lire** un livre, quelle détente !), mais il peut aussi être complément d'un verbe (J'aime **lire** des romans policiers). La simplicité de sa forme et la richesse de son emploi en font un mode important à étudier.

L'infinitif est un mode verbal qui n'indique ni le nombre, ni la personne. L'infinitif assume des *fonctions verbales*, mais il remplit aussi des *fonctions du nom*.

FORMES

L'infinitif a deux temps: *l'infinitif présent* et *l'infinitif passé* (voir App. A, p. 421 à 439).

Infinitif présent

On identifie normalement un verbe avec l'infinitif présent.

- Les verbes *réguliers* se terminent par **-er** ou **-ir** à l'infinitif présent.

  aim**er**, fin**ir**

- Les verbes *irréguliers* se terminent également par **-er**, **-ir** ou **-re.**

  all**er**, sort**ir**, vo**ir**, prend**re**

ATTENTION

L'infinitif des verbes du 1er groupe se prononce de façon identique au participe passé de ces verbes. Ceci amène souvent les étudiants à mélanger ces structures à l'écrit (voir chapitre 23, p. 313, pour un truc).

infinitif	participe passé
tomber	tombé
manger	mangé
prêter	prêté

- Tous les verbes, réguliers et irréguliers, se divisent en trois catégories :

  1. *verbes transitifs* (qui ont un complément direct ou indirect),
  2. *verbes intransitifs* (qui n'ont pas de complément direct ou indirect),
  3. *verbes pronominaux* (accompagnés du pronom réfléchi **se**).

Infinitif passé

C'est une forme composée : deux mots.

- Il est formé *de l'infinitif de l'auxiliaire* **avoir** ou **être** + *participe passé* du verbe en question.

Formation de l'infinitif passé

verbe		avoir ou être	+	*participe passé*
finir	→	avoir	+	fini
aller	→	être	+	allé
se lever	→	s'être	+	levé

Le participe passé suit les mêmes règles d'accord que celles des autres temps composés.

Nous mangerons les fruits après les avoir pelés.

- L'infinitif passé indique :
  - ▶ une action *antérieure* à l'action du verbe principal ;

    Nous regrettons de vous **avoir annoncé** cette nouvelle par courriel.
    (L'action d'**annoncer** est antérieure à l'action de **regretter.**)
    Mireille a remercié Anne d'**être allée** au magasin avec elle.
  - ▶ ou une action qui s'accomplira à un certain moment dans le futur.

    Les candidats doivent **avoir rempli** tous les formulaires avant de se présenter.

APPLICATION IMMÉDIATE

A. Lisez en petits groupes le poème suivant à haute voix en notant les infinitifs. Recherchez les mots inconnus dans Wikipédia.

Châteaux en Espagne

Je rêve de marcher comme un conquistador,
Haussant mon labarum triomphal de victoire,
Plein de fierté farouche et de valeur notoire,
Vers des assauts de ville aux tours de bronze et d'or.

Comme un royal oiseau, vautour, aigle ou condor,
Je rêve de planer au divin territoire,
De bruler au soleil mes deux ailes de gloire
À vouloir dérober le céleste Trésor.

Je ne suis hospodar, ni grand oiseau de proie ;
À peine si je puis dans mon cœur qui guerroie
Soutenir le combat des vieux Anges impurs ;

Et mes rêves altiers fondent comme des cierges
Devant cette Ilion éternelle aux cent murs,
La ville de l'Amour imprenable des Vierges !

« Châteaux en Espagne », *Œuvre intégrale*, Émile Nelligan.

B. Donnez la forme de l'infinitif passé du verbe. Attention à l'accord du participe passé. **A**

1. Je crois ____________ ce film il y a longtemps. (voir)
2. Lucie ne regrette pas d' ____________ en haut de la tour de Calgary. (monter)
3. Ils sont contents de ____________ cet après-midi. (se promener)
4. Il a remis les livres sur l'étagère après les ____________. (lire)

3e partie : Le groupe verbal

B

C. Complétez les phrases avec l'infinitif présent ou passé du verbe entre parenthèses, selon le sens. Attention à l'accord du participe passé.

1. Vous semblez ____________ (faire) des progrès depuis votre dernière composition.
2. Il est interdit de ____________ (marcher) nu-pieds dans les restaurants.
3. Elle a acheté le vélo après l' ____________ (essayer).
4. Ne nous reprochez pas de vous ____________ (appeler) hier soir.
5. Après ____________ (arriver) au sommet de la montagne, ils ont dû redescendre immédiatement.

Forme négative

On place **ne pas** devant l'infinitif et devant les pronoms objets. Pour la place des autres négations, voir chapitre 28, p. 379.

J'espère **ne pas** rencontrer les Girard. J'espère **ne pas** les rencontrer.

APPLICATION IMMÉDIATE

A

D. Mettez l'infinitif au négatif.

1. Vous m'avez dit de venir. ____________
2. Il m'accuse d'y être allé. (deux possibilités) ____________
____

B

E. Faites une phrase avec les mots donnés en mettant l'infinitif au négatif. Employez l'infinitif présent ou passé, selon le sens. Ajoutez une préposition si elle est nécessaire (voir p. 329). Attention au pronom des verbes pronominaux.

Modèle : Je vous demande/être en retard.
→ Je vous demande de ne pas être en retard.

1. On vous a conseillé/l'acheter.
____
2. Elle préfère/sortir ce soir.
____
3. Nous regrettons/venir.
____
4. Elle a décidé/se présenter aux prochaines élections.
____
5. Je tiens/travailler le jour de mon anniversaire.
____

Voix passive de l'infinitif

La voix passive de l'infinitif se forme avec *l'infinitif* **être** + *participe passé d'un verbe transitif direct*. Le participe passé s'accorde avec le mot auquel il se rapporte, comme si c'était un adjectif.

Il cherche à **être aimé** par tout le monde, mais c'est illusoire.
Ces tableaux viennent d'**être vendus.**

Le passé de la voix passive de l'infinitif est formé de **avoir été** et du participe passé.

Il aurait aimé **avoir été élu.**

APPLICATION IMMÉDIATE

A

F. Complétez les phrases avec la voix passive de l'infinitif du verbe entre parenthèses. Attention à l'accord du participe passé.

1. Nos vêtements devraient ______________ ici même. (confectionner)
2. La décision venait d' ______________ . (prendre)

A

G. Mettez les phrases à la forme passive.

Modèle : On vient d'annoncer la nouvelle.
→ La nouvelle vient d'être annoncée.

1. Les étudiants vont préparer ces questions.
____
2. On vient de finir le chapitre.
____
3. Les visiteurs vont remplir les demandes de visa à la frontière.
____

EMPLOIS

Comme nom

- Certains infinitifs sont employés comme noms *avec un article.*

le manger	le savoir-faire	le lever	un être humain
le boire	le savoir-vivre	le coucher	

- D'autres ont parfois la valeur d'un nom *sans article, avec la fonction de sujet.* C'est l'équivalent de « to ________ » ou « ________ -ing » en anglais.

  Boire ne vous aidera pas à régler vos problèmes. (« to drink, drinking »)
  Mourir n'est pas de mise aux Marquises. (Jacques Brel) (« to die, dying »)

APPLICATION IMMÉDIATE

A

H. Complétez ces phrases en traduisant les verbes entre parenthèses.

1. ________ en ville par cette chaleur, c'est de la folie ! (« Going »)
2. ________ une bière après la partie me détend. (« To take »)

Comme centre de la phrase

L'infinitif peut être employé sans verbe conjugué :

- *Seul* dans une phrase habituellement interrogative ou exclamative.

  Marcher le long de la plage en regardant les voiliers passer, quel plaisir !
  Comment **commencer** mon accusation ? (Michel Tremblay)

- Pour donner *des directives écrites d'une façon impersonnelle,* à la place d'un impératif.

  Placer les truites dans une poêle ; les saler et les poivrer. **Ajouter** des amandes.

APPLICATION IMMÉDIATE

A

I. Complétez les consignes du professeur avec des verbes appropriés à l'infinitif.

Pour demain, ________ aux questions de l'exercice A et ________ une composition de deux pages. Puis ________ le texte à haute voix pour la prononciation.

Comme complément d'un verbe

Lorsqu'il est complément d'un verbe, l'infinitif est souvent précédé d'une préposition. Les plus fréquentes sont **à** et **de.** La présence et le choix de la préposition sont purement grammaticaux et l'étudiant doit en apprendre l'usage pour chaque verbe.

Verbes et expressions sans préposition		
affirmer	entendre (quelque chose ou quelqu'un)	penser (avoir l'intention de)
aimer	entrer	pouvoir
aimer mieux	envoyer	préférer
aller	espérer	prétendre
apercevoir	être censé	se rappeler (+ inf. passé)
assurer	faillir	reconnaitre
avoir beau	faire	regarder
avouer	falloir	rentrer
compter	se figurer	retourner
courir	s'imaginer	revenir
croire	jurer	savoir
daigner	laisser	sembler
declarer	mener	sentir
descendre	monter	sortir
désirer	nier	souhaiter
détester	oser	valoir mieux
devoir	ouïr	venir
dire (déclarer)	paraitre	voir
écouter	partir	vouloir
emmener		

Il **dit avoir trouvé** de l'or.
On **entend** les oiseaux **chanter.**
Il **faut essayer** d'accepter l'autre comme il est.

ATTENTION

Ne confondez pas la construction **aller** (dans le sens de **se déplacer**) + *infinitif* avec le futur proche **aller** (auxiliaire) + *infinitif.*

Va étudier maintenant. (deux verbes distincts : « Go and study »)
Tu **vas étudier** cet après-midi. (action dans le futur : « You are going to study... »)

Ne confondez pas la construction **venir** + *infinitif* avec le passé récent **venir de** + *infinitif.*

Vous **venez** la **voir.** (deux verbes distincts : « You are coming to see her. »)
Vous **venez de** la **voir.** (venir de = évènement dans le passé récent : « You have just seen her. »)

3e partie : Le groupe verbal

Verbes et expressions avec la préposition ***à***		
s'accoutumer	être décidé	perdre (du temps)
aider	demander (vouloir)	persister
aimer (littéraire)	destiner	se plaire
s'amuser	encourager	pousser
s'appliquer	s'engager	prendre plaisir
apprendre	enseigner	se préparer
arriver	forcer	renoncer
s'attendre	s'habituer	se résoudre
autoriser	hésiter	réussir
avoir (obligation)	inciter	servir
chercher	s'intéresser	songer
commencer (*ou* de)	inviter	suffire
condamner	jouer	surprendre
conduire	se mettre	tarder
consentir	mettre (du temps)	tenir
consister	obliger (*ou* de)	travailler
continuer (*ou* de)	parvenir	en venir
décider (quelqu'un)	passer (du temps)	
se décider	penser	

Pourrais-tu **m'aider à faire** du pain ?
J'**ai perdu** beaucoup de temps **à chercher** mes clés dans le salon.
Marc dit que tu **songes à quitter** ton emploi ; as-tu **pensé à créer** ta propre entreprise ?

Verbes et expressions avec la préposition ***de***		
s'abstenir	continuer (*ou* à)	s'excuser
accepter	convaincre	faire bien
accuser	craindre	faire exprès
achever	crier	faire semblant
admirer	décider	se fatiguer
s'agir (il)	défendre	feindre
s'arrêter	demander	(se) féliciter
avoir besoin, la chance, envie, honte, l'air, soin, le temps, tort, l'intention, peur, raison	se dépêcher	finir
	désespérer	se garder
	dire	se hâter
	écrire	inspirer
	s'efforcer	interdire
	empêcher	juger bon
blâmer	s'empresser	jurer
cesser	entreprendre	se lasser
choisir	essayer	manquer
commander	s'étonner	menacer
commencer (*ou* à)	être obligé	mériter

(Page suivante)

Verbes et expressions avec la préposition ***de*** *(Suite)*		
conseiller	éviter	mourir
négliger	se presser	reprocher
obtenir	prier	résoudre
s'occuper	promettre	rire
offrir	proposer	risquer
ordonner	punir	souffrir
oublier	rappeler	soupçonner
pardonner	se rappeler	se souvenir
permettre	refuser	suggérer
persuader	regretter	tâcher
se plaindre	remercier	tenter
prendre soin	se repentir	venir (passé récent)

Il ne s'**agit** pas **de trouver** qui a tort, mais bien de régler le problème.
Vous **avez l'air de** vous **amuser.**
Le bruit m'**empêche de dormir.**

Changement de sens selon la préposition

Le sens de certains verbes à l'infinitif change selon la préposition qui les accompagne.

commencer à, commencer par

- **commencer à** indique le début d'une action. — Je **commence à** être fatigué.
- **commencer par** indique la première action. — Nous allons **commencer par** manger, puis nous discuterons.

décider de, décider (quelqu'un) à, se décider à, être décidé à

- **décider de** = prendre une décision — À la fin de la réunion, nous avons **décidé de** nous revoir bientôt.
- **décider (quelqu'un) à** = persuader quelqu'un de faire quelque chose — Elle **a décidé** Marie **à** l'épouser.
- **se décider à** = prendre la détermination de, se résoudre à — Quand **vous déciderez-vous à** prendre des vacances?
- **être décidé à** (forme passive) = être fermement déterminé à — Il **est décidé à** la suivre.

demander de, demander à

- **demander de** = ordonner, commander — Je vous **demande de** me répondre.
- **demander à** = avoir envie de, vouloir — Il a **demandé à** parler devant l'assemblée.

finir de, finir par	
• **finir de** = cesser de	Il **finit de** garer la voiture et rentre.
• **finir par** = arriver à	Elle **finira par** m'énerver !
passer du temps à, mettre du temps à, avoir le temps de	
• **passer du temps à** = mettre du temps à	Je **passe** (Je **mets**) **beaucoup de temps à** écrire un essai.
• **avoir le temps de** = avoir suffisamment de temps	Je n'**ai** pas **le temps de** vous voir aujourd'hui.
penser, penser à	
• **penser** = avoir l'intention de, compter, projeter	Yves **pense** partir ce soir.
• **penser à** = ne pas oublier	Il faut que je **pense à** acheter du pain.
rappeler, se rappeler, se rappeler de	
• **rappeler à quelqu'un** de faire quelque chose = « to remind »	Le professeur **rappelle aux étudiants** qu'il y a un examen demain.
• **se rappeler** + *infinitif passé* = « to remember »	Je ne **me rappelle** pas avoir dit cela.
• **se rappeler de** + *infinitif présent* = « not to forget »	**Rappelle**-toi **d'**acheter du pain.
venir, venir de, en venir à	
• **venir, venir de** (voir p. 329, Attention)	Nous **sommes venus** acheter du lait d'amandes.
• **en venir à** = en arriver à	Vous **venez de** la réveiller. Quand il est en colère, il **en vient à** dire des choses regrettables.

APPLICATION IMMÉDIATE

B

J. Complétez les phrases avec le temps correct du verbe entre parenthèses et une préposition, si nécessaire.

1. Je ________ me préparer, puis j'arrive. (finir)
2. Pourriez-vous ________ l'aider ? (venir)
3. Nous essayons de le ________ changer d'avis. (décider)

4. Jean était malade hier, alors il __________ reprendre son examen final. (demander)
5. Alex __________ saluer l'enseignante en entrant, ce qui l'a insultée. (oublier)

K. Faites une seule phrase avec les deux propositions en employant une structure infinitive. Attention à la construction verbe + *infinitif.*

B

Modèle : Je voudrais/j'irai vous voir bientôt.
Je voudrais aller vous voir bientôt.

1. Il pense/il pourra venir.
____
2. Ils ont décidé/ils iront à la campagne samedi.
____
3. Il aime mieux/il s'occupe de cette affaire.
____
4. Nous nous rappelons/nous avons eu cette occasion inespérée.
____
5. J'espérais/je pourrais lui parler.
____

L. Complétez les phrases suivantes avec la préposition **à** ou **de,** si cela est nécessaire.

B

1. Il vaut mieux __________ aller jouer dehors quand il neige.
2. J'ai tellement de travail __________ faire aujourd'hui que je préfère __________ ne pas y penser.
3. Je vais __________ essayer __________ me décider __________ prendre des cours de peinture.
4. Julie est partie __________ s'entrainer à Milan.
5. Faudrait-il __________ le prévenir de notre arrivée ?
6. Vous auriez dû __________ lui demander __________ vous permettre __________ partir.
7. Auriez-vous l'obligeance __________ accepter __________ venir chez moi __________ prendre une tasse de café.
8. Vous aimeriez __________ lui demander __________ parler __________ son expérience devant le groupe ?
9. As-tu réussi __________ décider ton père __________ te prêter sa voiture ?
10. Vous faites semblant __________ ne pas comprendre, j'en suis sûr.

Comme complément d'un nom ou d'un adjectif

1. On emploie **de** avec certains noms (ou les pronoms qui les remplacent) et certains adjectifs, quand ils ont un infinitif comme complément.

Noms	Adjectifs	
l'habitude de	aimable de	heureux de
l'ordre de	capable de	obligé de
la permission de	certain de	raisonnable de
le temps de	content de	ravi de
le droit de	courageux de	satisfait de
l'honneur de	enchanté de	sensé de
la fierté de	forcé de	sûr de
l'humilité de	gentil de	

Elle n'a pas **le temps de** vous rencontrer.
Ce chercheur n'a même pas **l'humilité de** mentionner ses collègues.
Je suis **enchanté de** faire votre connaissance.
Vous êtes si **gentil de** m'avoir invité.

2. On emploie **à** :

- Quand l'infinitif se joint à un nom pour *indiquer le rôle ou la fonction* de ce nom.

une salle à manger
une machine à écrire, à laver, à coudre
une chambre à coucher
un fer à repasser

APPLICATION IMMÉDIATE

 B

M. Pour cet exercice, travaillez en petits groupes avec un dictionnaire. Comment s'appelle :

1. une chanson où l'on répète le refrain en chœur ? Une chanson ________
2. une pierre pour aiguiser les couteaux ? Une pierre ________
3. une aiguille pour faire du tricot ? Une aiguille ________

- Quand l'infinitif exprime la réaction que le nom ou l'adjectif produit sur quelqu'un :

Il m'a raconté une histoire **à dormir debout.** (invraisemblable)
C'est un film **à éclater de rire.** (tellement amusant qu'on en éclate de rire)
Cette musique est triste **à pleurer.** (tellement triste que les gens pleurent)

- Quand l'infinitif est l'objet :
  - ▶ d'un nombre ordinal : **le premier, le deuxième, le dernier**, etc. ;

    Vous êtes **le deuxième à** m'en parler.
  - ▶ de l'adjectif *seul* ;

    Tu es **la seule à** connaitre le fond de l'histoire.
  - ▶ ou de quelques adjectifs : **agréable, aisé, amusant, beau, commode, facile, gai, habitué, intéressant, léger, lent, long, passionnant, possible, prêt, rapide.**

    L'avion est **lent à** arriver.
    Es-tu **prêt à** commencer ton travail ?
    La cuisine au beurre est **difficile à digérer.**
    C'est une situation **pénible à voir.**
    Mon amie est **agréable à écouter parler.**
    C'est **long à faire,** ce genre de travail.

APPLICATION IMMÉDIATE

N. Ajoutez **à** ou **de.** **A**

1. Vous n'êtes pas content _______________ l'avoir vu ?
2. Voilà un texte _______________ taper à l'ordinateur.
3. N'es-tu pas fatigué _______________ entendre cette musique ?
4. Vous êtes le seul _______________ le savoir.
5. Stéphane est convaincu _______________ vous avoir invitées.
6. Votre problème est difficile _______________ résoudre.
7. Mon grand-père racontait toujours des histoires _______________ dormir debout.
8. Il a reçu l'ordre _______________ retourner chez lui.
9. Êtes-vous prêts _______________ partir ?
10. J'ai été forcé _______________ arrêter.

O. Complétez avec **à** ou **de** devant l'infinitif objet d'un nom (ou pronom) ou d'un adjectif (constructions personnelles). **B**

1. Je ne suis pas sûr _______________ pouvoir aller à la conférence avec vous ce soir.
2. La mort d'un de nos enfants est un évènement horrible _______________ passer.
3. Votre idée, celle _______________ retourner à la maison, est excellente.
4. Elle m'a bien donné l'impression _______________ vouloir vous parler.
5. C'est vous qui m'avez donné l'idée _______________ tenter ma chance.
6. Ils sont ravis _______________ avoir eu de si bons résultats.

7. Il lui a donné un exercice amusant _______________ pratiquer en paires.
8. Je vous remercie beaucoup d'avoir été si rapide _______________ imprimer ces fichiers.
9. Ce chansonnier raconte des histoires tristes _______________ pleurer.
10. Hélène est très heureuse _______________ avoir pu vous rencontrer.

Dans des constructions impersonnelles

Il (impersonnel) /ce + être + adjectif + de + infinitif

- On emploie **de** devant l'infinitif quand cet infinitif, placé après **être** + *adjectif,* est le *sujet réel* de **être** + *adjectif.*

Il est agréable **de** lire des romans. (= Lire des romans est agréable.)
(sujet apparent) (sujet réel)

- **Il** impersonnel, sujet apparent de **est agréable,** annonce la proposition infinitive **lire des romans,** qui est le sujet réel de **est agréable.**
Dans la langue parlée, on emploie **ce (c')** au lieu de **il.**

Il (C') est agréable **de** lire des romans.

Ce + être + groupe nominal + de + infinitif

- On emploie toujours **de** devant l'infinitif dans cette construction parce que le sujet réel de **être** + *groupe nominal* est toujours cet infinitif, placé après le nom.

C'est de la folie de partir maintenant. (= Partir maintenant est de la folie.)
(sujet apparent) (sujet réel)

- **C',** sujet apparent de **est de la folie,** annonce la proposition infinitive **partir maintenant,** qui est le sujet réel de **est de la folie.**

Ce + être + adjectif + à + infinitif

- On emploie **à** devant l'infinitif quand **ce** représente le sujet réel qui se trouve avant **être** + *adjectif.* Dans ce cas, l'infinitif n'est pas le sujet.

Vous avez passé de bonnes vacances; c'est facile **à** voir.
(sujet réel) (sujet apparent)

- **C',** sujet de **est facile,** représente la phrase **Vous avez passé de bonnes vacances,** placée avant le verbe **être.**

APPLICATION IMMÉDIATE

A

P. Modifiez les phrases suivantes à l'aide des constructions impersonnelles avec **il** ou **ce.**

1. Apprendre une langue étrangère est enrichissant.
   ____
2. Donner de l'argent aux pauvres est une bonne action.
   ____
3. Partir de la maison est excitant.
   ____
4. Courir un marathon est exténuant.
   ____
5. Dépenser tout son argent n'est pas un malheur.
   ____

B

Q. Complétez les phrases avec **il** ou **ce (c')** et **à** ou **de** (constructions impersonnelles).

1. ______________ n'est pas rassurant ______________ rouler le long de ce précipice. ______________ est cependant plus beau que ______________ rouler dans les champs.
2. ______________ serait de la folie ______________ ne pas profiter de la situation.
3. ______________ est impossible ______________ comprendre ce qui est arrivé ; ______________ est un mystère pour tout le monde.
4. ______________ n'est pas la peine ______________ venir.
5. ______________ est bon signe ______________ avoir faim.

B

R. Finissez les phrases en utilisant l'adjectif entre parenthèses. Variez l'infinitif.

Modèle : Vous êtes heureux, ... (facile)
→ c'est facile à voir.

1. Dépenser de l'argent, ... (facile)
   ____
2. Quand il y a des émissions de sport à la télévision, ... (intéressant)
   ____
3. La hauteur des chutes du Niagara, ... (impressionnant)
   ____
4. Écrire une dictée sans oublier d'accents, ... (difficile)
   ____

La proposition infinitive

- Une proposition infinitive *remplace une proposition subordonnée conjonctive complétive* à l'indicatif ou au subjonctif, introduite par **que,** quand *le sujet* du verbe subordonné est *le même* que celui du verbe principal.
- On emploie l'infinitif, avec **à** ou **de** ou bien *sans préposition,* d'après la construction du verbe principal (voir p. 329 à 331).

> L'infinitif *présent* remplace *les temps simples* des verbes subordonnés.
> L'infinitif *passé* remplace *les temps composés* des verbes subordonnés.

- Notez le changement de sens.

  Il prétend que **vous** mentez. (deux sujets différents)
  Il prétend **mentir.** (le même sujet; donc proposition infinitive)
  Il est triste que **vous** ne soyez pas venue. (deux sujets différents)
  Il est triste de ne pas **être allé** à la fête. (le même sujet; donc proposition infinitive)

APPLICATION IMMÉDIATE

A

S. Faites une seule phrase avec les deux propositions en utilisant **à** ou **de** si cela est nécessaire.

Modèle : Nous avons hâte/nous sommes en vacances.
→ Nous avons hâte d'être en vacances.

1. Je tiens/je pars tôt.
   ___
2. Les voyageurs espèrent/ils n'auront pas trop chaud pendant le voyage.
   ___
3. Il s'excuse/il a menti.
   ___
4. Ma camarade de chambre a décidé/elle mettra ses affaires en ordre.
   ___

- Dans le cas d'une **proposition subordonnée introduite par une conjonction,** on remplace la conjonction par **la préposition correspondante,** suivie de **l'infinitif.**

Conjonctions et prépositions correspondantes	
Conjonctions (+ *subjonctif*)	Prépositions (+ *infinitif*)
pour que	pour
afin que	afin de
de peur que (+ ne)	de peur de
de crainte que (+ ne)	de crainte de
jusqu'à ce que, en attendant que	jusqu'à, en attendant de
de manière que	de façon à, de manière à
de sorte que, en sorte que	en sorte de
à moins que (+ ne)	à moins de
sans que	sans
à condition que	à condition de
avant que (+ ne)	avant de

Je vous appellerai **avant que vous** ne partiez. (deux sujets différents)
Je vous appellerai **avant de** partir. (le même sujet)

- Quand une conjonction n'a pas de préposition correspondante (comme **bien que, quoique**), on garde la conjonction avec le subjonctif et on répète le sujet.

Tu veux sortir bien que **tu** sois malade.
Quoiqu'**elle** aime la ville, **elle** vit à la campagne.

APPLICATION IMMÉDIATE

A

T. Utilisez dans la proposition subordonnée au subjonctif le même sujet que celui de la proposition principale. Effectuez les changements nécessaires pour en faire une proposition infinitive. Remarquez le changement de sens.

Modèle : J'irai faire des courses **à moins que** tu n'aies la fièvre.
→ J'irai faire des courses **à moins d'**avoir la fièvre.

1. J'ai fait ça de peur qu'ils ne se trompent.
____
2. Vous appellerez avant que je ne sois de retour.
____
3. Simon a écrit cette lettre pour que tu puisses expliquer la situation.
____
4. Je veux bien y aller à condition que nous ne restions pas tard.
____

EN RÉSUMÉ...

- L'infinitif présent est la forme utilisée pour nommer les verbes et il est invariable.
- L'infinitif passé est constitué de l'auxiliaire **avoir** ou **être** à l'infinitif et du participe passé du verbe en question. Le participe passé suit les mêmes règles d'accord que celles des autres temps composés.
- L'emploi de l'infinitif est vaste. Utilisé comme nom, il prend habituellement un article. Il peut être employé seul dans des exclamatives et des interrogatives, ou dans des directives écrites. On le retrouve souvent comme complément d'un verbe soit avec une préposition, soit sans préposition. Comme complément du nom, il est habituellement introduit par **à** ou **de.**

EXERCICES RÉCAPITULATIFS

A. *Choisissez un des sujets suivants. Partagez ensuite votre travail avec vos pairs.*

1. *Vous êtes le professeur et, comme lui (ou elle), vous préparez par écrit en deux ou trois lignes le travail à donner aux étudiants, en employant des infinitifs à la place de l'impératif. Faites un peu d'humour. Choisissez les verbes avec soin. « Pour mercredi… »*
2. *Écrivez la recette du plat que vous préparez quand il y a une fête à votre résidence. Employez des infinitifs.*
3. *Trouvez deux conseils qu'on vous demande de suivre dans vos activités sur le campus : à la bibliothèque, au laboratoire ou à votre résidence. Employez des infinitifs.*

B. *Faites deux longues phrases indépendantes dans lesquelles vous emploierez le plus possible de constructions verbe +* ***infinitif.*** *N'hésitez pas à consulter les listes fournies aux pages 329 à 331. Partagez ensuite votre travail avec vos pairs.*

Modèle : Il est défendu de fumer dans l'université; alors quand Patrick a allumé une cigarette, le professeur lui a dit de l'éteindre et d'aller la jeter dehors.

____

____

C. *Écrivez un petit paragraphe sur votre vie d'étudiant(e). Dites à vos pairs quel travail est intéressant ou difficile à faire, ce que vous avez le temps, la permission ou l'habitude de faire sur le campus, ce qu'il est utile d'y faire, etc.*

25

Les verbes pronominaux

OBJECTIFS DU CHAPITRE

À la fin de ce chapitre, vous serez en mesure :

- d'identifier les trois catégories de verbes pronominaux ;
- de conjuguer correctement les verbes pronominaux, notamment aux temps composés et à l'impératif ;
- de bien placer les pronoms réfléchis, mais aussi les autres pronoms autour de ces verbes ;
- d'accorder correctement le participe passé des verbes pronominaux des trois catégories.

Ce qui distingue le verbe pronominal des autres verbes qui possèdent un pronom complément est que le pronom d'un verbe pronominal doit se rapporter à la personne qui fait l'action. Ainsi, dans une phrase comme « Le vent **se frayait** un chemin », le vent fraie un chemin pour lui-même, d'où la présence du **se.** Il existe trois catégories de verbes pronominaux, qui seront présentées de façon systématique. Cette distinction permettra d'expliquer les règles d'accord du participe passé de ces verbes.

Le verbe pronominal est *un verbe accompagné d'un pronom personnel réfléchi désignant le même référent que le sujet* du verbe. Le pronom réfléchi qui accompagne l'infinitif est **se.**

se lever
s'habituer

ATTENTION

Quand un pronom objet n'est pas à la même personne que le sujet, le verbe n'est pas pronominal.

Tu te promènes. (verbe pronominal : **se promener**)
Tu nous promènes. (verbe non pronominal : **promener**)
Ma sœur se regarde. (verbe pronominal : **se regarder**)
Ma sœur nous regarde. (verbe non pronominal : **regarder**)

FORMES

Conjugaison

Dans la conjugaison d'un verbe pronominal, le pronom réfléchi change aux différentes personnes ; il est toujours à la même personne que le sujet. Cela s'applique aussi à l'infinitif et au participe présent.

pronom sujet	pronom réfléchi
je	me (m')
tu	te (t')
il, elle, on	se (s')
nous	nous
vous	vous
ils, elles	se (s')

Voici le présent de l'indicatif du verbe pronominal **se lever** :

je me lève	nous nous levons
tu te lèves	vous vous levez
il, elle, on se lève	ils, elles se lèvent

Infinitif et participe présent

Le pronom réfléchi correspond au sujet réel de l'infinitif ou du participe présent même s'il ne correspond pas au sujet grammatical des verbes conjugués.

Vous **les** forcez à **se** défendre.
(Qui se défend ? **les,** sujet réel de **défendre.**)
Nous allons **nous** promener.
(Qui se promène ? **Nous,** sujet de **allons.**)
Me rendant compte qu'il était tard, **je** suis parti.
(Qui se rend compte ? **Je,** sujet de **suis parti.**)

APPLICATION IMMÉDIATE

A

A. Écrivez le verbe pronominal à la forme correcte de l'infinitif ou du participe présent.

1. Mon amie et moi aimerions __________ avant le souper. (se reposer)
2. Tu vas __________ les mains. (se laver)
3. En __________ , vous vous êtes dit bonjour. (se rencontrer)
4. Ils veulent __________ tôt demain. (se lever)
5. Je les encourage à __________ . (s'exprimer)

Temps composés

Tous les verbes pronominaux sont conjugués avec **être,** sans exception. Voici trois *temps composés* du verbe **se lever**:

passé composé	
je me suis levé(e)	nous nous sommes levés(es)
tu t'es levé(e)	vous vous êtes levé(e, s, es)
il, elle, on s'est levé(e, s, es)	ils, elles se sont levés(es)
infinitif passé	***participe passé composé***
s'être levé(e, s, es)	s'étant levé(e, s, es)

Impératif

Le pronom réfléchi accompagne toujours l'impératif, mais il devient un pronom disjoint à l'impératif affirmatif:

- *après* le verbe à l'impératif affirmatif: **toi (te, t'), nous, vous**
- *devant* le verbe à l'impératif négatif: **te (t'), nous, vous**

impératif affirmatif	***impératif négatif***
se regarder	
regarde-toi	ne te regarde pas
regardons-nous	ne nous regardons pas
regardez-vous	ne vous regardez pas
s'en aller	
va-t'en	ne t'en va pas
allons-nous-en	ne nous en allons pas
allez-vous-en	ne vous en allez pas

3e partie : Le groupe verbal

APPLICATION IMMÉDIATE

A

B. Mettez les impératifs à la forme affirmative.

1. Ne vous levez pas. ______
2. Ne te coupe pas les cheveux. ______
3. Ne nous méfions pas des autres. ______
4. Ne nous dites pas bonjour. ______
5. Ne t'arrête pas de parler. ______

Place du pronom réfléchi

La place du pronom réfléchi est la même que pour les autres pronoms personnels compléments, c'est-à-dire *directement avant le verbe sauf à l'impératif affirmatif* (voir p. 343).

Elle ne **se** brosse jamais les cheveux. (verbe à la forme négative)
Se souvient-il de son rendez-vous? (verbe à la forme interrogative)
Nous **nous** sommes bien amusés. (verbe à un temps composé)
Lève-**toi.** (impératif affirmatif)

Lorsqu'un autre pronom personnel complément accompagne le verbe, le pronom réfléchi se place entre le pronom sujet et les autres pronoms.

Ils se **le** disent tout bas.
Vous **vous en** faites pour rien. (s'en faire = s'inquiéter)
Vous **vous y** plairez.

APPLICATION IMMÉDIATE

A

C. Refaites les phrases en utilisant les mots entre parenthèses.

1. Ils ne s'inquièteront pas. (en) ______
2. Elles se sont amusées. (ne... pas) ______
3. Vous êtes-vous amusé? (y) ______
4. Rappelez-vous. (le) ______

A

D. Déterminez si les verbes suivants sont pronominaux en écrivant leur infinitif.

1. Lave-toi les mains. ______
2. Lave-lui les mains. ______
3. Ils se cherchent un logis. ______
4. Tout le monde se parle. ______
5. Elle nous appelle. ______
6. Ne me dérange pas. ______
7. Ne te dérange pas. ______
8. Elle leur écrit. ______
9. Nous ne nous aimons pas. ______
10. Vous vous disputez. ______

CATÉGORIES

Il y a trois catégories de verbes pronominaux :

1. les verbes pronominaux *réfléchis* ou *réciproques ;*
2. les verbes *essentiellement* pronominaux ;
3. les verbes pronominaux à *sens passif.*

1re catégorie : verbes pronominaux réfléchis ou réciproques

Un verbe de cette catégorie se forme en ajoutant le pronom réfléchi **se** à un verbe transitif dont le sens reste le même quand il passe à la forme pronominale.

1. Le verbe **regarder** est un verbe *transitif.*
2. Le verbe **se regarder** est le verbe *pronominal* correspondant.
3. Le sens du verbe **regarder** ne change pas à la forme pronominale.

- Le verbe pronominal est *réfléchi* quand le sujet du verbe agit sur lui-même.

  Je **me** lèverai à sept heures. (**me** renvoie à **je**)
  Elle **se** pose des questions. (**se** renvoie à **elle**)

- Le verbe pronominal est *réciproque* quand l'action est faite par *au moins deux personnes (ou choses)* qui exercent cette action *l'une sur l'autre (ou les unes sur les autres).* L'action est à la fois faite et reçue par chacune d'elles. Le verbe est presque *toujours pluriel ; les verbes conjugués avec le pronom **on*** constituent la seule exception.

  Ils **se battaient** souvent.
  Samuel et toi **vous appelez** constamment.
  On **s'est parlé.** (et non « on se sont parlé »)

- Pour insister sur la réciprocité ou pour la rendre plus claire, on peut ajouter **l'un l'autre** ou **les uns les autres** au verbe pronominal. Si le verbe est suivi d'une préposition, on la place entre **l'un** et **l'autre** (ou entre **les uns** et **les autres**).

  Ils se cherchent **les uns les autres.** (se chercher)
  Nous nous sommes approchés **les uns des autres.** (s'approcher de)
  Ils se regardent dans un miroir. (sens réfléchi)
  Ils se regardent **l'un l'autre.** (sens réciproque)

3e partie : Le groupe verbal

APPLICATION IMMÉDIATE

B

E. Ajoutez une préposition quand elle est nécessaire.

1. Elles se chatouillent __________ l'une l'autre.
2. Vous vous accusez les __________ uns les autres.
3. Ils s'attachent l'un __________ l'autre.

- Comme le verbe transitif garde son sens à la forme pronominale, le pronom réfléchi peut être soit complément direct, soit complément indirect, selon son rôle dans la construction active.

s'aider → Ils **s'**aident beaucoup.
(on dit **aider quelqu'un** ; **se** est donc complément *direct*)

se téléphoner → Ils **se** téléphonent souvent.
(on dit **téléphoner à quelqu'un** ; **se** est donc complément *indirect*)

Verbes à pronom réfléchi complément direct		
s'accuser	se cacher	se marier
s'aider	se chercher	se perdre
s'aimer	se comprendre	se regarder
s'arrêter	se fiancer	se rencontrer
se battre	se laver	se réunir
se blesser	se lever	se voir
se demander	se nuire	se ressembler
se dire	se parler	se sourire
s'écrire	se plaire	se succéder
se faire mal (**mal** est l'objet direct)	se promettre	se téléphoner

PRÉCISIONS

Quand le verbe pronominal a un objet complément *autre que le pronom réfléchi, le pronom réfléchi* est alors indirect.

Tu **te** laves. (complément direct : **te**)
Tu te laves **les mains.** (complément direct : les mains ; **te** est complément indirect)
ou : Tu te **les** laves. (complément direct : les ; complément indirect : **te**)

APPLICATION IMMÉDIATE

B

F. Indiquez si le pronom réfléchi est complément direct ou indirect dans les phrases suivantes. Employez la construction active du verbe pour vérifier votre réponse.

1. Je me suis fait mal à la main. ______
2. Elle ne se demande pas pourquoi. ______

3. Elles s'aiment depuis longtemps. ______________________________
4. Vous vous ressemblez beaucoup. ______________________________
5. Ils se sont imposés à nous. ______________________________

2e catégorie : verbes essentiellement pronominaux

Pronom sans rôle grammatical

On ne peut identifier à qui ou à quoi renvoie le pronom réfléchi des verbes essentiellement pronominaux. *Le pronom n'a pas de rôle grammatical.* Voici quelques-uns de ces verbes :

Pronom sans rôle grammatical	
s'écrier (« to exclaim »)	s'empresser de (« to hasten »)
s'écrouler (« to collapse »)	s'enfuir (« to flee »)
s'efforcer de (« to strive »)	s'envoler (« to fly away »)
s'évanouir (« to faint »)	se soucier de (« to mind »)
se méfier de (« to distrust »)	se souvenir de (« to remember »)
se moquer de (« to make fun of »)	se suicider (« to kill oneself »)
se réfugier (« to take refuge »)	se taire (« to be silent »)

Dans cette liste, seuls **moquer** (mais c'est une tournure vieillie et littéraire) et **taire** s'emploient parfois sans pronom. Tous les autres verbes n'existent qu'à la forme pronominale. Le pronom fait corps avec le verbe.

Verbes non pronominaux dont le sens change à la forme pronominale

Ces verbes sont regroupés avec les verbes essentiellement pronominaux (on les dit parfois « accidentellement pronominaux ») puisqu'ils ont un sens différent de leur contrepartie non pronominale et que le participe passé de la plupart s'accorde comme les verbes essentiellement pronominaux.

Verbes non pronominaux dont le sens change à la forme pronominale		
agir (« to act »)	→	**s'agir de** (« to be about ») (sujet : **il** impersonnel ; p.p. invariable)
aller (« to go »)	→	**s'en aller** (« to leave »)
apercevoir (« to perceive »)	→	**s'apercevoir de** (« to realize »)
attendre (« to wait »)	→	**s'attendre à** (« to expect »)

(Page suivante)

Verbes non pronominaux dont le sens change à la forme pronominale *(Suite)*		
douter (« to doubt »)	→	**se douter de** (« to suspect »)
ennuyer (« to annoy »)	→	**s'ennuyer** (« to be bored »)
	→	**s'ennuyer de** (« to miss, to long for »)
entendre (« to hear »)	→	**s'entendre avec** (« to get along »)
faire (« to do »)	→	**se faire à** (« to get used to »)
imaginer (« to imagine »)	→	**s'imaginer** (« to fancy »; p.p. invariable s'il est suivi de **que**)
jouer (« to play »)	→	**se jouer de** (« to deride »)
mettre (« to put »)	→	**se mettre à** (« to begin »)
passer (« to pass ») -	→	**se passer** « to arrive, to happen »
	→	**se passer de** (« to do without »)
plaire (« to please »)	→	**se plaire à** (« to enjoy »; p.p. invariable)
prendre (« to take »)	→	**s'y prendre** (« to go about »)
rappeler (« to remind »)	→	**se rappeler** (« to remember »; p.p. invariable sans préposition)

Notez que **se rappeler** au sens de « to call each other back » est un pronominal réfléchi et s'accorde conséquemment.

rendre (« to give back »)	→	**se rendre** (« to go » *ou* « to surrender »)
rendre compte (« to give an account »)	→	**se rendre compte de** (« to realize »; p.p. invariable)
servir (« to serve »)	→	**se servir de** (« to use »)
tromper (« to deceive »)	→	**se tromper de** (« to be mistaken »)
trouver (« to find »)	→	**se trouver** (« to be found »)
vouloir (« to want »)	→	**s'en vouloir** (« to be angry with oneself, each other »; p.p. invariable)

Nous **nous rappelons** bien ce voyage.
Il **s'attendait à** la voir.
Il **s'agit de** bien savoir comment lui parler. (« The trick is... »)
Je **m'entendrai** bien **avec** vous.
Allez-vous-en tout de suite.
Au revoir ! Je **m'en vais.** (= partir)
Le train **s'est mis à** rouler tout seul. (= commencer à)
Je **me souviens de** tout. (= se rappeller)
Maintenant je vais **me rendre** à la conférence. (= aller)

Le Parthénon **se trouve** à Athènes. (= être)
Mon frère **s'est** vite **fait à** la vie simple des moines. (= s'habituer à)
Je ne peux pas **me passer de** musique. (= vivre sans)
Ce qui **se passe** est troublant. (= arriver)

APPLICATION IMMÉDIATE

G. Complétez les phrases avec un verbe pronominal au temps convenable.

1. L'Assemblée nationale __________ à Québec.
2. Mes amis vont __________; il faut que je leur dise au revoir.
3. Ton ami veux que tu __________ une tuque avant de sortir.
4. J'ai entendu une sirène. Qu'est-ce qui __________ ?
5. Il faut qu'il __________ à l'étranger le mois prochain.

PRÉCISIONS

Un verbe pronominal peut appartenir à deux catégories selon son sens et sa construction.

se mettre	(**mettre** ne change pas de sens) → Ils **se sont mis** près de la porte pour partir plus vite.	*catégorie 1*
se mettre à	(**mettre** change de sens) → Elles **se sont mises à** chanter.	*catégorie 2*
se faire	(**faire** ne change pas de sens) → Ils **se sont fait** harceler.	*catégorie 1*
se faire à	(**faire** change de sens) → Ils **se sont faits** à l'idée.)	*catégorie 2*

3e catégorie : verbes pronominaux à sens passif

Ils sont employés *à la place d'un verbe au passif* (**être** + *participe passé d'un verbe transitif*) dont *l'agent n'est pas exprimé.* Ces verbes expriment *une action habituelle ou une coutume.* Le sujet du verbe est *une chose*; le verbe est donc toujours à la troisième personne.

Le *pronom réfléchi* est incorporé au verbe ; il *ne peut donc pas être analysé.*

Le français **est parlé** dans beaucoup de pays. (verbe à la voix passive)
Le français **se parle** dans beaucoup de pays. (verbe pronominal à sens passif)
Ce mot **s'emploie** souvent avec une connotation négative.
Ça **se faisait** autrefois.
La vengeance est un plat qui **se mange** froid. (proverbe)

APPLICATION IMMÉDIATE

B

H. Traduisez les verbes suivants.

1. Cette opération ________ sans incision. (« is done »)
2. Ce mot ________ par un verbe pronominal. (« is translated »)
3. C'est une langue qui ________ autrefois. (« was spoken »)
4. Cette expression ________ depuis longtemps. (« is not used »)

ACCORD DU PARTICIPE PASSÉ

L'accord du participe passé aux temps composés dépend de la catégorie du verbe.

1re catégorie

Le participe passé des verbes pronominaux réfléchis ou réciproques *s'accorde avec le complément direct si celui-ci précède le verbe.* On les traite donc comme s'ils étaient conjugués avec l'auxiliaire **avoir** (voir chapitre 16, p. 227).

Pour trouver le complément direct, *substituez le verbe transitif (conjugué avec **avoir**)* au verbe pronominal.

Elle s'est maquillée.
Question : Elle a maquillé **qui** ? *Réponse :* **se (s').**
Se est complément direct → il y a un accord.
Elle s'est maquillé **les yeux.**
Question : Elle a maquillé **quoi** ? *Réponse :* **les yeux.**
S' est maintenant indirect → il n'y a pas d'accord.
Ils se sont écrit.
Question : Ils ont écrit **quoi** ? *Réponse :* on l'ignore.
Pas de complément direct.
Se est complément indirect → il n'y a pas d'accord.

APPLICATION IMMÉDIATE

B

I. Substituez *le verbe transitif* au verbe pronominal pour déterminer s'il y a un accord du participe passé.

1. Hélène s'est ________ (coucher) sur le divan.
2. Manon s'est ________ (couper) l'oreille.
3. Elles se sont ________ (promettre) de se revoir.
4. Je (*fém.*) me suis ________ (assoir) au premier rang.

J. Donnez le participe passé des verbes pronominaux réfléchis ou réciproques suivants. Substituez le verbe transitif (avec **avoir**) au verbe pronominal quand c'est nécessaire pour trouver le complément direct.

B

1. Marie était en retard parce qu'elle s'était ________ (lever) trop tard.
2. Ils se sont ________ (frotter) les mains pour les réchauffer.
3. Les lunettes qu'elle s'est ________ (acheter) lui vont à merveille.
4. Ils se sont ________ (rencontrer) au travail et se sont longtemps ________ (parler). Ils se sont ________ (revoir) ; ils se sont ________ (fréquenter) pendant un an. Ils se sont ________ (fiancer), mais ils se sont tellement ________ (disputer) qu'ils ne se sont jamais ________ (marier).
5. Ta camarade de chambre s'est peut-être ________ (demander) si tu étais honnête.

K. Donnez le participe passé des verbes pronominaux suivants. Attention aux exceptions.

B

1. La policière s'est ________ (interroger) sur la pertinence de sortir son Taser.
2. Je ne voulais pas lui dire que je n'allais pas bien, mais elle s'en est ________ (apercevoir).
3. Malheureusement, des usines qui risquent de polluer se sont ________ (établir) dans cette jolie région.
4. Pauline s'est ________ (mettre) à pleurer quand elle s'est ________ (retrouver) seule.
5. L'assistance s'est ________ (lever) dès que la juge est arrivée.

2e et 3e catégories

Avec les verbes essentiellement pronominaux et à sens passif, le pronom réfléchi *ne peut pas être analysé. Le participe passé s'accorde alors avec le sujet du verbe.*

Elle s'est **évanouie.** (s'évanouir)
Elles se sont **aperçues** de leur erreur. (s'apercevoir de)
Je (fém.) ne me suis pas **souvenue** de la réponse. (se souvenir de)
Ils se sont **trompés** de route. (se tromper de)
Elle s'y est mal **prise.** (s'y prendre)
Vous vous êtes **tus.** (se taire)
Mes baguettes se sont **vendues** comme des petits pains chauds. (se vendre)
Une boutique s'est **ouverte** ici récemment. (s'ouvrir)
Nous nous en sommes **allés.** (s'en aller)

Exceptions

Le participe passé de quelques verbes pronominaux reste invariable :

se plaire	se déplaire
se complaire	se rire

De plus, **se faire** et **se laisser** suivis d'un infinitif sont invariables.

Nous nous sommes **ri** de tous ces projets.
Elle s'était **plu** à le taquiner.
Elles se sont **fait** arrêter au bistro du coin où elles célébraient bruyamment la réussite du cambriolage.
Elles se sont **laissé** tomber en boule.

APPLICATION IMMÉDIATE

B

L. Écrivez le participe passé des verbes entre parenthèses.

1. Elle s'est __________ (laisser) attendrir par les douces paroles de la balade.
2. Ils se sont bien __________ (rire) des touristes.
3. Simone et Jean se sont __________ (plaire) à revoir ce vieux film.
4. Ces étudiants se sont __________ (déplaire) dès le début du cours.
5. Vous vous êtes __________ (faire) embrasser par toutes vos tantes.

B

M. Donnez le participe passé des verbes pronominaux suivants (cas mélangés).

1. Les militaires se sont __________ (emparer) du pouvoir par un coup d'État.
2. Les enfants se sont __________ (cacher) de leur grand-père.
3. Nous nous sommes __________ (dire) des mots doux pendant le cours de français (en français, naturellement !).
4. Marc et sa sœur se sont beaucoup __________ (amuser) ensemble.
5. Elles se sont __________ (poser) des tas de questions à son sujet.
6. Ils se sont __________ (plaire) dès qu'ils se sont __________ (regarder).
7. Nous nous en sommes __________ (vouloir) de vous avoir fait de la peine.
8. De nombreux bâtiments se sont __________ (écrouler) pendant le tremblement de terre.
9. Deux criminels se sont __________ (enfuir) de la prison. Comment s'y sont-ils __________ (prendre) ? Personne ne sait comment ils se sont __________ (échapper), mais ils se sont probablement (faire) passer pour des gardes.
10. Les étudiants se sont __________ (souvenir) de l'explication du professeur.

N. Complétez les phrases avec le temps convenable du verbe pronominal entre parenthèses. Ajoutez le pronom approprié au besoin.

1. Elle ________ (se faire) lentement à l'idée de partir pour trois mois.
2. Dès que je serai rentré de la fête, je ________ (se mettre) au travail.
3. Le vin rouge ________ (se boire) chambré.
4. En jouant au hockey, elle ________ (se faire mal) quand elle et une autre joueuse ________ (se heurter).
5. Voyons, Sophie ! ________ (ne pas se fâcher).
6. Je ________ (s'en vouloir) de ne pas t'avoir embrassée plus tôt.
7. Si le voyage avait eu lieu, nous ________ (se promener) le long de la rue Saint-Jean.
8. Ils ________ (se rencontrer) il y a six mois.
9. Quand elle était petite, elle ________ (s'obstiner) à penser qu'elle serait un jour une étoile de cinéma. Mais cela ________ (ne pas se concrétiser).
10. Nous allons ________ (se redonner) les lettres que nous ________ (s'écrire).
11. Je ________ (s'en aller) quand tu ________ (se sentir) mieux.
12. J'ai fait ma toilette. Je ________ (se laver) la figure et les mains, je ________ (se brosser) les dents et les cheveux, et je ________ (se mettre) du gel dans les cheveux. Puis je ________ (s'habiller) rapidement parce qu'il faut toujours que je ________ (se dépêcher) le matin. En ________ (se regarder) dans le miroir, je ________ (se rendre compte) que j'avais l'air en pleine forme, alors je ________ (se dire) que la journée commençait bien.
13. Vous ________ (se faire) des idées si vous pensiez être élu lundi.
14. Le soleil ________ (se coucher) il y a quelques instants.
15. Autrefois la Suisse ________ (s'appeler) l'Helvétie.

EN BREF...

Le participe passé des verbes pronominaux s'accorde avec:

- *le complément direct du verbe s'il précède le verbe ;*
- *le sujet du verbe* pour les verbes dont le complément direct n'est pas analysable. Il existe quelques exceptions.

EMPLOIS

Les verbes pronominaux sont *très fréquents* en français.

- Quand le sujet fait l'action sur une partie de son corps, on emploie un verbe pronominal et l'article défini (voir chapitre 3, p. 33) à la place du possessif.

  Je **me brosse les** dents. « I brush my teeth. »

- Les constructions « *get* » + *participe passé* et « *get* » + *adjectif* sont souvent traduites par des verbes pronominaux.

  Il **s'est perdu** dans la forêt. « He *got lost...* »
  Il est maintenant inutile de **se marier.** « It is now useless to *get married.* »
  Je **me fâche** souvent. « I often *get angry.* »
  Il faut **vous préparer.** « You must *get ready.* »

- Le passif anglais est souvent traduit par un verbe pronominal français (voir, p. 349).

  Ce mot **s'employait** autrefois. « ... *was used...* »
  Notre affiche **se voit** de loin. « ... *can be seen...* »
  Cela ne **se dit** pas. « ... *is not said.* »

ATTENTION

Ne confondez pas :

Action		*État*
s'assoir	et	**être assis(e)**
se lever	et	**être levé(e)** (être debout)
s'allonger	et	**être allongé(e)**
se coucher	et	**être couché(e)** (être au lit)

Ces verbes pronominaux indiquent *l'action,* alors que l'expression passive indique *un état,* le résultat de cette action.

Il **s'est assis** sur les genoux de son père. (action)
Quand je l'ai vu, il **était** confortablement **assis** dans son fauteuil. (état)
Je **me couche** généralement à vingt-trois heures. (action)
J'**étais** déjà **couché** à vingt-deux heures. (état)

APPLICATION IMMÉDIATE

A

O. Corrigez les phrases mal formulées en utilisant la forme pronominale du verbe.

Modèle : Il lave son visage.
→ **Il se lave le visage.**

1. Ils brossent leurs dents. ______
2. Je coupe mes ongles. ______
3. Nicolas a cassé son bras. ______
4. Elle a lavé ses mains. ______

P. Complétez les phrases suivantes en traduisant les expressions anglaises entre parenthèses.

B

1. Il __________ de lui avoir dit qu'il ne l'aimait plus. (« is angry with himself »)
2. Ils __________ . (« accuse each other »)
3. Elle __________ . (« brushed her hair »)
4. Il __________ . (« killed himself »)
5. Ce formulaire __________ à l'ordinateur. (« is filled »)

Q. Répondez en groupes de deux aux questions suivantes par des phrases complètes. Même si vous faites l'exercice avec un(e) camarade de classe, employez le **vous** de politesse.

B 

1. Comment vous appelez-vous? Comment s'appelle votre camarade de chamber? Se trouvait-il (elle) déjà dans la chambre quand vous êtes arrivé(e) le premier jour? Vous entendez-vous bien avec lui (elle)? Vous disputez-vous quelquefois? De quoi vous plaignez-vous à son sujet?
2. Quand vous êtes-vous inscrit(e) à cette université?
3. Vous êtes-vous facilement habitué(e) à la vie universitaire? Vous ennuyez-vous de votre famille?
4. Avez-vous le temps de vous reposer? Que vous empressez-vous de faire quand vous avez un moment de libre?
5. Que préférez-vous, vous coucher tard et vous lever tard ou vous coucher tôt et vous lever tôt?
6. Comment vous distrayez-vous durant la fin de semaine?

EN RÉSUMÉ...

- Un verbe pronominal doit comporter un pronom personnel réciproque qui renvoie à la même personne que le sujet de ce verbe.
- Tous les verbes pronominaux sont conjugués avec l'auxiliaire **être.**
- À l'impératif, le pronom réfléchi est maintenu, mais devient disjoint à l'impératif affirmatif.
- Il existe trois catégories de verbes pronominaux: (1) les pronominaux réfléchis ou réciproques (pour lesquels le participe passé s'accorde avec l'objet direct s'il le précède), (2) les verbes essentiellement pronominaux (pour lesquels l'accord du participe passé se fait avec le sujet, sauf exceptions) et (3) les pronominaux à sens passif (pour lesquels l'accord du participe passé se fait avec le sujet).

EXERCICES RÉCAPITULATIFS

A. *Racontez en 4 ou 5 lignes une rencontre imprévue que vous avez faite récemment ou une dispute que vous avez eue avec quelqu'un. (Employez un grand nombre de verbes pronominaux.)*

B. *Rédigez une phrase avec chacun des verbes suivants.*

1. se coucher

   ____

2. être couché(e, s, es)

   ____

3. s'assoir

   ____

4. être assis(e, s, es)

   ____

C. *Complétez les phrases suivantes selon votre imagination en employant les verbes pronominaux suggérés entre parenthèses ou d'autres de votre choix.*

Modèle : (se rendre compte, se tromper) Comme nous ne reconnaissions pas notre chemin…
→ nous nous sommes rendu compte que nous nous étions trompés de route.

1. (se faire mal, se casser quelque chose, se relever) Quand je suis tombé(e)…

   ____

2. (s'aimer, se comprendre, s'écrire, se téléphoner) Je me demandais s'ils…

   ____

3. (s'efforcer, se changer les idées, se secouer) Il (Elle) était un peu déprimé(e), alors…

   ____

4. (s'occuper, se mettre à, s'amuser) Pour ne plus vous ennuyer, …

   ____

5. (s'enfuir, s'empresser) Après s'être emparés du sac de la vieille dame, ils…

   ____

6. (se plaindre, s'inquiéter) La vieille dame…

   ____

7. (se servir de, s'en vouloir) Comme j'avais oublié ma clé, ...

____

8. (s'attendre à, se douter) L'enfant n'avait pas été obéissant, alors...

____

D. *Quand vous rencontrerez la personne de vos rêves, que vous promettrez-vous ? (Répondez en employant le plus de verbes pronominaux possible.)*

E. *Expliquez en quelques lignes comment vous vous comportez généralement. Employez des verbes comme :*

se sentir	s'énerver	se fâcher	se calmer	s'entendre
se plaire à	se passer de	se plaindre	se lamenter	etc.

26
Les verbes impersonnels

OBJECTIFS DU CHAPITRE

À la fin de ce chapitre, vous serez en mesure :

- de savoir identifier les verbes impersonnels ;
- de les utiliser adéquatement avec la bonne conjugaison.

Le verbe impersonnel est un verbe dont *le sujet grammatical est le pronom impersonnel* **il,** mais qui ne renvoie à rien en particulier. Cette sorte de verbe se conjugue donc *seulement à la 3e personne du singulier* de tous les temps.

Les constructions impersonnelles sont plus employées en français qu'en anglais.

VERBES IMPERSONNELS ET EXPRESSIONS IMPERSONNELLES

Ce sont :

- Les verbes, ainsi que les expressions construites avec le verbe **faire,** qui expriment *les conditions atmosphériques.*

  il pleut (ou **il va pleuvoir**), **il neige, il gèle, il grêle, il tonne,** etc.
  il fait beau, mauvais, chaud, froid, frais, bon, humide, sec, etc.
  il fait jour, nuit, sombre, clair, etc.
  il fait du soleil, du vent, de l'orage, du tonnerre, du brouillard, etc.

- **falloir**
  Ce verbe peut être suivi d'un nom, d'un infinitif ou d'un subjonctif. Son sujet est toujours **il** impersonnel.

  Il (me) **faut** du courage. (*nom*)
  Il a fallu lui enlever son pansement. (*infinitif*)
  Il faudra que j'y aille. (**que** + *subjonctif*)

- **s'agir de** (verbe pronominal)

  De qui **s'agit-il** ? — **Il s'agit de** vous.
  De quoi **s'agit-il** dans cette histoire ? — Cette histoire porte sur un enfant qui vit sans abri. (« This story is about... »)

APPLICATION IMMÉDIATE

A

A. Indiquez si le pronom **il** est personnel ou impersonnel.

1. Pourriez-vous me dire l'heure qu'il est, s'il vous plait ? ____________
2. Il est difficile à contenter. ____________
3. Il est intéressant comparer les nouvelles dans différents pays. ____________
4. Il était une fois un enfant qui n'aimait pas dormir. ____________
5. Il convient que nous lui répondions dès aujourd'hui. ____________

- **il y a** (singulier ou pluriel)

  ▶ Pour *indiquer l'existence de quelque chose* ;

  Il n'**y a** personne qui nait raciste.

  ▶ Pour *exprimer le temps écoulé* (voir chapitre 15, p. 216) ;

  Il y a une heure qu'il l'attend. Je l'ai vu **il y a** une heure.

  ▶ Dans l'expression **Qu'est-ce qu'il y a ?** (= Qu'est-ce qui se passe ?)

  Qu'est-ce qu'il y a ? Tout le monde regarde en l'air. Il y a des aurores boréales.

- **il est**

  ▶ Pour exprimer *l'heure* ;

  Quelle heure **est-il** ? — **Il est** cinq heures.
  Il est temps de partir.
  Il sera tard quand je reviendrai.
  Il est trop tôt pour l'appeler.

  ▶ Dans les constructions suivantes avec *un adjectif* :
  il (*impersonnel*) + **être** + *adjectif* + **de** + *infinitif* (voir chapitre 24, p. 336)

  Il est important **d'**y **aller**.

il *(impersonnel)* + **être** + *adjectif* + **que** + *indicatif*

Il est évident **que** vous n'avez pas mangé, car vous êtes impatient.

il *(impersonnel)* + **être** + *adjectif* + **que** + *subjonctif* (voir chapitre 21, p. 279)

Il est rare **qu'**il vienne me voir.

- **il est** à la place de **il y a**
  - ▶ *en littérature ;*

    Il est des choses qu'on ne peut pas dire à sa mère. (= **Il y a** ...)
  - ▶ ou *au commencement d'un conte.*

    Il était une fois une petite fille qui... (« Once upon a time there was... »)
- Les *verbes personnels peuvent être employés à la forme impersonnelle pour mettre en relief l'action du verbe.* Le participe passé, variable avec un verbe personnel, est invariable quand le verbe est impersonnel. Cela mène parfois à des phrases à la voix passive, qu'il est souhaitable d'éviter.

  Une pluie diluvienne tombe. *(verbe personnel)*
  Il tombe une pluie diluvienne. (*verbe impersonnel; sujet réel*: **une pluie diluvienne**)
  Il me **manque** quelques sous.
  Il ne **faut** pas faire de bruit.
  Des choses étranges se sont passées ici. *(verbe personnel)*
  Il s'est passé des choses étranges ici. *(verbe impersonnel)*
  Quelle tempête **il a fait** hier !

APPLICATION IMMÉDIATE

B. Mettez les phrases à la forme impersonnelle. **A**

1. Des malheurs arrivent à tout le monde.

   ____
2. Une compétition féroce se prépare.

   ____
3. Plusieurs candidats restent à interviewer.

   ____

C. Mettez les phrases suivantes à la forme impersonnelle. **A**

1. Quelques semaines de vacances restent encore.

   ____
2. Un brouillard épais arrivait de l'océan.

   ____

3e partie : Le groupe verbal

3. Douze voitures sont entrées en peu de temps.

____

4. Un grand silence se fera quand il entrera.

____

5. Des personnes louches viennent parfois lui rendre visite.

____

B

D. Répondez aux questions suivantes.

1. Quel temps fait-il ? Quel temps fait-il au printemps, en été, en automne, en hiver ?

____

2. Que vous faut-il pour être heureux ?

____

3. Quelle heure-est-il à Montréal, s'il est midi à Edmonton ?

____

4. De quoi s'agit-il dans ce chapitre ?

____

5. Il y a combien de temps que vous m'attendez ici ?

____

B

E. Donnez la forme correcte du participe passé du verbe entre parenthèses.

1. (se produire)
   a. Des tas de choses se sont __________ .
   b. Il s'est __________ des tas de choses.

2. (venir)
   a. Une foule nombreuse est __________ au défilé.
   b. Il est __________ une foule nombreuse au défilé.

EN RÉSUMÉ ...

- Les verbes impersonnels sont conjugués avec le pronom sujet **il,** mais ce pronom ne renvoie à rien en particulier ; **il** est alors impersonnel.
- On retrouve ces structures dans les verbes exprimant des conditions atmosphériques, avec les verbes **falloir** et **s'agir,** puis dans les expressions **il y a** et **il est.** De plus, quelques verbes personnels peuvent être employés impersonnellement.

EXERCICES RÉCAPITULATIFS

A. *Faites une phrase avec chacun des verbes (ou expressions) impersonnels suivants.*

1. falloir

____

2. il y a

____

3. s'agir de

____

4. il est

____

B. *Composez trois phrases contenant des verbes personnels employés impersonnellement.*

____

____

____

C. *Commencez un conte de fée. Employez le plus possible de verbes impersonnels. (cinq ou six lignes)*

Il était une fois ... ______________________________

____

____

____

____

____

27

Les verbes semi-auxiliaires

OBJECTIFS DU CHAPITRE

À la fin de ce chapitre, vous serez en mesure :

- de savoir reconnaitre les verbes semi-auxiliaires dans un texte ;
- d'utiliser adéquatement les verbes semi-auxiliaires.

Les auxiliaires courants du français sont **avoir** et **être.** Cependant, certains autres verbes peuvent remplir ce rôle, bien que secondaire pour eux. L'auxiliaire et le semi-auxiliaire perdent en partie leur sens propre, tout en ajoutant une nuance au verbe principal. Ils sont presque toujours suivis d'un infinitif, quoique certains puissent être suivis d'un gérondif ou d'un participe (ces cas plutôt rares ne seront pas étudiés ici). Le verbe **aller** utilisé dans la formation du futur proche est un cas de verbe semi-auxiliaire ; celui-ci est expliqué au chapitre 19, p. 256. Certains autres verbes peuvent remplir la fonction de semi-auxiliaire, mais leur description exhaustive dépasse le présent ouvrage. Les plus importants sont **arrêter, croire, faillir, manquer, paraitre, risquer, savoir, sembler, sortir, venir, vouloir.**

DEVOIR + INFINITIF

(Voir conjugaison du verbe **devoir,** Appendice A, p. 432.)

Quand le verbe **devoir** est suivi d'un *infinitif,* on le dit *semi-auxiliaire.* Il exprime :

L'obligation

Il signifie **falloir, être obligé de,** et s'emploie au présent, à l'imparfait, au passé composé et au futur. Le sens de nécessité est *un peu moins fort* avec **devoir** qu'avec **falloir.**

> Je **dois** lui dire si j'accepte ou non cet après-midi. (« must, have to »)
> Elle **devait** avoir mal dormi. (« had to »)
> Vous **devrez** m'apporter votre travail demain midi au plus tard. (« will have to, must »)

L'intention

Il signifie **être censé** ou **supposé** et s'emploie au présent ou à l'imparfait.

> Je **dois** partir mardi prochain. (« am supposed to »)
> Vous **deviez** aller à la campagne ; y êtes-vous allée ? (« were supposed to »)

La probabilité

Dans ce sens, il s'emploie au présent, à l'imparfait ou au passé composé.

> William est absent. Il **doit** être malade. (« probably is, must be »)
> Le diner **devait** être très épicé. (« probably was »)
> Ils **ont dû** avoir un accident pour être si en retard. (« must have had... »)

Remarquez que le verbe **devoir** est suivi de l'infinitif **être** quand le sens est « must be, probably is, probably was ».

Un conseil, une suggestion ou l'anticipation

Dans ces sens, il s'emploie au conditionnel présent (« should, ought to »).

> Tu **devrais** aller la voir.
> Vous **devriez** expliquer votre décision.
> Je **devrais** faire un effort plus constant.
> Je **devrais** avoir fini demain, je pense.

Un reproche ou un regret

Dans ces sens, il s'emploie au conditionnel passé (« should have, ought to have »).

> Elle **aurait dû** être plus patiente.
> Vous **auriez dû** l'aider.
> J'**aurais dû** faire attention à sa jambe.

Équivalents anglais des temps de *devoir*		
obligation	(« must, have to »)	le présent
intention	(« is supposed to »)	
probabilité	(« must be, probably is, probably does »)	
obligation	(« had to »)	l'imparfait
intention	(« was supposed to »)	
probabilité	(« probably was, probably did »)	
obligation	(« had to »)	le passé composé
probabilité	(« must have, probably did »)	
obligation	(« will have to »)	le futur
conseil, anticipation	(« should, ought to »)	le conditionnel présent
reproche ou regret	(« should have, ought to have »)	le conditionnel passé

APPLICATION IMMÉDIATE

A. Donnez le sens du verbe **devoir** dans chaque phrase (obligation, intention, etc.).

B

1. Nous avons dû repeindre notre maison. ________________
2. Tu devrais aller voir un chiropraticien. ________________
3. Ce film doit être très drôle. ________________
4. Elle a dû encore rater son autobus. ________________
5. Il devait appeler aujourd'hui. ________________

B. Traduisez avec une forme de **devoir.**

B

Modèle : Les enfants devaient se coucher tôt tous les soirs. (« had to »)

1. Tout le monde ________ se lever tôt. (« will have to »)
2. Nous ________ vous présenter à nos amis. (« should have, ought to have »)
3. Elle ________ vous voir à six heures. (« was supposed to »)
4. Le directeur ________ le renvoyer à cause de son mauvais travail. (« had to »)
5. Julie ________ aimer le hockey. (« probably does »)
6. Il ________ lui dire plus tôt. (« should have »)
7. Cette grève ________ s'arrêter. (« must »)
8. J' ________ paraitre timide, car j'ai rougi. (« must have »)
9. Il ________ pleuvoir ce matin, mais il neigeait. (« was supposed to »)
10. Elle ________ avoir une greffe du cœur pour recouvrer sa santé. (« had to »)

POUVOIR + INFINITIF

C'est un verbe semi-auxiliaire quand il est suivi d'un infinitif. Il exprime :

La capacité

Il signifie **être capable de, être en état de, avoir la faculté de.**

Au passé composé, **j'ai pu** = j'ai réussi à.

> Je **peux** vous décrire la théorie polyvagale si vous voulez. (« can, am able to »)
> Quand il était en forme, il **pouvait** faire rire tout le monde. (« could, was able to »)
> Nous **n'avons pas pu** finir les mots croisés, car ils étaient trop difficiles. (« could not, were not able »)
> Tu **pourrais** y aller toi-même si c'est si pressant. (« could, would be able »)
> Vous **auriez pu** le faire aussi bien que nous. (« could have, would have been able »)

Attention à la traduction de « could » qui peut se faire soit avec un conditionnel présent, soit avec un imparfait ou un passé composé (voir aussi chapitre 20, p. 266).

La permission ou la possibilité

> Leurs enfants **peuvent** fumer à la maison, ce qui me parait aberrant.
> **Puis**-je vous demander quelque chose ?
> **Pourriez**-vous déposer le colis au bureau de poste ?
> Tu **aurais pu** y aller si tu en avais eu envie.

Un reproche

Le verbe **pouvoir** au conditionnel passé est quelquefois employé à la place de **devoir.**

> Vous **auriez pu** me le dire plus tôt ! (= Vous auriez dû)
> Tu **aurais pu** faire attention !

APPLICATION IMMÉDIATE

B

C. Expliquez le sens du verbe **pouvoir** dans chaque phrase (capacité, possibilité, etc.).

1. Je vous ai dit qu'elle peut courir plus vite que moi. ____________
2. Elle n'a pas pu répondre à trois des cinq questions. ____________
3. Pouvez-vous venir tout de suite ? ____________
4. Vous auriez pu faire mieux, vous ne croyez pas ? ____________
5. Je pouvais y aller, mais j'ai préféré rester ici. ____________

D. Refaites les phrases suivantes en employant un temps de **devoir** ou de **pouvoir** et en faisant les changements nécessaires.

Modèle : Il a probablement eu un accident.
→ Il a dû avoir un accident.

1. Vous avez tort faire des farces sexistes.
____
2. Je n'ai pas réussi à le convaincre.
____
3. Il est probablement encore là.
____
4. Vous étiez censé recevoir cet argent hier ?
____
5. Elle est capable de faire ce travail.
____

FAIRE, LAISSER ET LES VERBES DE PERCEPTION + INFINITIF

Quand les verbes **faire, laisser,** ainsi que *les verbes de perception* sont suivis d'un infinitif, leur construction est spéciale ; les règles qui gouvernent *l'emploi* et la *place des pronoms* et des *noms compléments* changent.

Faire + infinitif

- La construction **faire** + *infinitif* est employée *quand le sujet cause l'action, mais ne l'accomplit pas.* On appelle cet emploi le **faire causatif.**

  Le premier ministre **a fait taire** les rumeurs d'élections.
  Mes cheveux étaient trop longs, alors je les **ai fait couper.**

  ▶ *Celui qui accomplit l'action* n'est pas toujours mentionné, comme dans les exemples ci-dessus.

  ▶ *Le participe passé* de **faire** est *invariable* dans cette construction.

  ▶ Le groupe **faire** + *infinitif est inséparable.* On ne peut donc pas placer de noms ni de pronoms entre les deux verbes.

Voici les différents cas.

- L'infinitif a *un sujet réel.*

  ▶ Si ce sujet est un nom, il est placé après l'infinitif ; il devient donc un complément direct.

  Je fais chanter **l'enfant.**

▶ Si ce sujet est un pronom, il précède le verbe **faire** ; c'est un pronom complément direct puisque le sujet devient complément direct.

Je **le** fais chanter.

- L'infinitif a *un complément direct.*

▶ Si ce complément est un nom, il est après l'infinitif, à sa place normale.

Je fais chanter **les enfants.**

▶ Si c'est un pronom, il précède le verbe **faire.**

Je **les** fais chanter.

- L'infinitif a un sujet réel et un complément direct.

▶ Si ce sont des noms, ils suivent l'infinitif ; le complément direct ne change pas ; le sujet devient complément indirect.

Je fais chanter **les chansons à l'enfant.**

▶ Si ce sont des pronoms, ils précèdent le verbe **faire** ; le complément direct est remplacé par un pronom complément direct et le sujet par un pronom complément indirect.

Je **les lui** fais chanter.

Autres expressions employant le verbe faire

- Le **faire causatif** peut aussi être pronominal : **se faire.**

Je **me suis fait** couper les cheveux.
Je **me** les **suis fait** couper.

- **faire voir** = montrer

Fais-lui **voir** tes photos. (= Montre-lui...)

- **faire savoir** = apprendre

Le bureau vous **fera savoir** si vous avez le poste. (= Le bureau vous apprendra...)

Laisser et les verbes de perception + infinitif

1. Le verbe **laisser** et les verbes de perception (**regarder, voir, apercevoir, écouter, entendre, sentir,** etc.) ne sont pas inséparables de l'infinitif comme le verbe **faire.** Les pronoms et les noms peuvent donc se trouver entre le verbe et l'infinitif. Voici les différents cas.

a. L'infinitif a *un sujet réel.*

- Si ce sujet est *un nom,* il est placé devant ou après l'infinitif. Il est équivalent à un complément direct.

  Je vois **mes amis** partir.
  ou : Je vois partir **mes amis.**

Remarquez que le sujet de l'infinitif **(mes amis)** est aussi le complément direct du verbe principal **(vois)**, ce qui n'était pas le cas avec le verbe **faire.**

- S'il y a *un complément circonstanciel* après l'infinitif, le sujet se place devant l'infinitif.

  Je vois **mes amis** partir **par-derrière.**

- Si un pronom remplace le nom sujet, il est placé devant le verbe principal.

  Je **les** vois partir.

b. L'infinitif a *un complément direct.*

- Si ce complément est *un nom,* il suit l'infinitif.

  Il laissera arrêter **la course.**

- Si c'est *un pronom,* il précède le verbe principal.

  Il **la** laissera arrêter.

c. L'infinitif a *un sujet réel et un complément direct.*

- Si ce sont *des noms,* ils prennent leur place normale devant et après l'infinitif.

  Nous laissons parfois **les enfants** regarder **la télévision.**

- Si ce sont *des pronoms,* il y a deux possibilités :

  ▶ Les pronoms sont placés devant le verbe dont ils sont le complément. Il y a un pronom complément direct devant chaque verbe. C'est le cas le plus simple et le plus courant.

  Nous **les** laissons parfois **la** regarder. (deux compléments directs)

  On pourrait aussi employer un nom et un pronom.

  Nous **les** laissons parfois regarder la télévision.
  ou : Nous laissons parfois les enfants **la** regarder.

  ▶ Les deux pronoms sont placés devant le verbe principal. Le sujet de l'infinitif devient un complément indirect et le complément direct ne change pas.

  Nous **la leur** laissons parfois regarder. (complément direct et complément indirect)

PRÉCISIONS

- Quand deux pronoms incompatibles (voir chapitre 5, p. 91) se trouvent devant le verbe principal, il faut mettre un pronom devant chaque verbe.

  J'ai vu **Laurent vous** défendre auprès de **Pierre.**
  J'ai vu **Laurent vous** défendre auprès d'**eux. (Vous** et **lui** sont incompatibles.)

- Quand le complément direct de l'infinitif est le pronom partitif **en,** le sujet réel de l'infinitif devient le complément indirect (construction normale).

  Vous avez vu **Ursule** acheter **des livres.**
  Vous **lui en** avez vu acheter.
  ou : Vous **l'**avez vue **en** acheter. (préférable)

Mais si **en** est un pronom adverbial **(de là)**, le sujet réel de l'infinitif reste un complément direct, car **en** n'est pas un complément direct.

Ils ont vu **les petits** revenir de l'école.
Ils **les en** ont vu revenir.
ou : Ils **les** ont vus **en** revenir. (préférable)

2. Le *participe passé* d'un verbe de perception peut *s'accorder avec le complément direct qui précède, si ce complément direct est complément du verbe* et non de l'infinitif. On a cependant tendance à ne pas accorder le participe passé dans ces cas, comme pour les verbes **faire** et **laisser,** pour lesquels il n'y a jamais accord (pour l'accord de **laisser,** voir Appendice B, p. 443).

   Les enfants que j'**ai entendus** chanter. (j'ai entendu les enfants qui chantaient)
   Les chansons que j'**ai entendu** chanter. (j'ai entendu chanter les chansons)
   Voilà la femme que nous **avons vue** pleurer.
   Ils **se sont sentis** perdre au jeu.
   Je les **ai laissé** partir.

APPLICATION IMMÉDIATE

C

E. Remplacez les mots soulignés par des pronoms et placez-les dans la phrase. Donnez les deux constructions possibles, le cas échéant.

1. Nous avons entendu <u>la jeune fille</u> jouer <u>la sonate</u>.

   ____

2. Il a laissé <u>son ami</u> aller <u>en ville</u>.

   ____

3. J'ai senti <u>la lame</u> me frôler le bras.

   ____

F. Remplacez les mots soulignés par des pronoms et placez-les dans la phrase. S'il y a deux constructions possibles, donnez-les toutes les deux.

C

1. Vous laisserez les enfants entrer dans la salle.

______

2. Nous faisons toujours inspecter notre voiture par la même personne.

______

3. J'ai vu les oiseaux prendre leur vol.

______

4. Faites savoir à votre employeur que vous devez comparaitre lundi prochain.

______

5. Il s'est fait raser la barbe.

______

G. Répondez à la question en remplaçant les noms (et la préposition qui les précède, le cas échéant) par des pronoms.

C

a. Avec **faire** + *infinitif*.

Modèle : Faites-vous souvent laver votre voiture ?
— Non, je ne la fais pas souvent laver. Généralement, je la lave moi-même.

1. Ferez-vous chercher la personne responsable de l'accident ?

______

2. Faites-vous lire le journal de votre école à vos parents ?

______

3. As-tu fait faire une promenade à ton chien aujourd'hui ?

______

4. Vas-tu me faire voir ton projet ?

______

5. A-t-on fait annoncer la nouvelle aux intéressés ?

______

b. Avec **laisser** et les verbes de perception + *infinitif*. Donnez les deux constructions possibles, le cas échéant.

1. Le professeur laisse-t-il les étudiants apporter leurs compositions en retard ?

______

2. M'écouterez-vous faire ma conférence ?

______

3. Entendez-vous les enfants crier dans le jardin ?

______

4. Voyez-vous approcher l'orage ?

______

5. As-tu entendu ton ami dire des blagues hier soir ?

______

C

H. Complétez la phrase en employant une des constructions : **faire, laisser** ou **verbe de perception** + infinitif.

Modèle : Il y a des gens qui sont très amusants ; ...
→ j'ai un camarade qui fait rire tout le monde.

1. Les enfants étaient fatigués ; ils ne voulaient pas se lever.
   Alors leur mère... ____________________
2. Nous ne pourrons pas aller au concert que cette chanteuse va donner ; mais comme elle a une répétition la veille, nous...
   ____
3. Ils se chicanent tout le temps. — Comment le sais-tu ?
   — Je... ____________________
4. Je suis très occupée ; je n'ai pas le temps de faire la vaisselle.
   Je... ____________________
5. Pour apprendre comment il fait ce tour incroyable, ...
   ____

EN RÉSUMÉ...

- Les verbes semi-auxiliaires accompagnent généralement un infinitif.
- Le verbe semi-auxiliaire est conjugué à la personne qui fait l'action principale.

EXERCICES RÉCAPITULATIFS

A. *Faites une phrase donnant un conseil et une autre exprimant un regret en employant le verbe **devoir**.*

____

____

B. *Faites une phrase avec chacune des expressions : **faire voir, faire savoir**.*

____

____

28

La négation

OBJECTIFS DU CHAPITRE

À la fin de ce chapitre, vous serez en mesure :

- de connaitre les structures linguistiques permettant la négation ;
- de bien former une phrase négative.

Les mots et les groupes de mots peuvent être transformés à la forme négative en ajoutant simplement deux particules de négation. Ainsi, pour rendre la phrase « Elle aime les pâtes au pesto » à la forme négative, il suffit d'ajouter **ne** et **pas** de part et d'autre du verbe pour obtenir « Elle n'aime pas les pâtes au pesto ». Certaines formules négatives nécessitent cependant des modifications mineures et il existe plusieurs autres particules de négation que **ne... pas,** mais la négation est généralement une transformation simple. Notez que le mot **ne** peut s'employer seul avec certains verbes comme **savoir** (je **ne** savais qu'en faire) et **pouvoir** suivis d'un infinitif (nous **ne** pouvons les délivrer). Notez aussi que le **ne** explétif s'emploie seul (voir p. 8). Cet élément ajoute une légère coloration négative sans être une négation. La préposition **sans** est un peu dans la même position, puisqu'elle évoque un manque, une exclusion, mais elle n'est pas une formule de négation.

FORMES

On distingue les mots négatifs suivants : *les adverbes, les déterminants, les pronoms et les conjonctions.*

LES MOTS NÉGATIFS

Adverbes	Déterminants	Pronoms	Conjonctions
ne... pas **ne... point**			
ne... aucunement	**aucun... ne** (nom sujet) **ne... aucun** (nom compl.)	**aucun... ne** (sujet) **ne... en... aucun** (compl.)	
ne... nullement	**nul... ne** (nom sujet) **ne... nul** (nom compl.)	**nul... ne** (sujet)	
ne... pas du tout	**pas un... ne** (nom sujet) **ne... pas un** (nom compl.)	**pas un... ne** (sujet) **ne... en... pas un** (compl.)	
ne... pas encore **ne... toujours pas** **ne... plus** **ne... jamais** **ne... guère** **ne... nulle part** **ne... pas... non plus** **ne... que**		**personne... ne** (sujet) **ne... personne** (compl.) **rien... ne** (sujet) **ne... rien** (compl.) **pas grand-chose... ne** (sujet) **ne... pas grand-chose** (compl.)	**ni... ni... ne** (relie des sujets) **ne... pas... ni...** (relie des verbes, des compléments ou des attributs) **ne... ni... ni** (équivaut à **ne... pas... ni**)

PLACE DE LA NÉGATION

Ne... pas

La phrase négative la plus courante est formée avec *l'adverbe négatif* **ne (n')... pas.**

- *Aux temps simples,* **ne** (**n'** devant une voyelle ou un **h** muet) est placé *devant* le verbe; **pas** est placé *après* le verbe. À l'oral, à moins de vouloir insister sur la négation, le **ne** est généralement omis. À l'écrit, il est cependant de mise.

Je vais bien.	→	Je **ne** vais **pas** bien.
Il arrivera à deux heures.	→	Il **n'**arrivera **pas** à deux heures.
Allez la voir.	→	**N'**allez **pas** la voir.

- *Aux temps composés,* **ne** est placé *devant* l'auxiliaire; **pas** est placé *après* l'auxiliaire.

Nous avons perdu la course.	→	Nous **n'**avons **pas** perdu la course.
Vous avez vu Yong.	→	Vous **n'**avez **pas** vu Yong.

- Quand il y a *des pronoms compléments,* **ne** précède ces pronoms; **ne** est donc placé immédiatement après le sujet (voir aussi chapitre 5, p. 87).

Il la voit.	→	**Il ne** la voit **pas**.
Je le leur ai dit.	→	**Je ne** le leur ai **pas** dit.

- Lors de *l'inversion du verbe et du pronom sujet,* **ne** est placé devant le groupe inséparable [verbe-pronom sujet] ou [auxiliaire-pronom sujet] et devant les pronoms compléments; **pas** est placé après le groupe [verbe-pronom sujet].

[Voulez-vous] cette copie ?	→	**Ne** [voulez-vous] **pas** cette copie ?
Lui [a-t-il] demandé pourquoi ?	→	**Ne** lui [a-t-il] **pas** demandé pourquoi ?
Peut-être le [saviez-vous].	→	Peut-être **ne** le [saviez-vous] **pas.**

APPLICATION IMMÉDIATE

A. Déterminez si le mot **ne** dans les phrases suivantes a un sens négatif ou explétif.

	négatif	*explétif*
1. À moins que le temps **ne** change,	______	______
nous **ne** ferons aucun projet.	______	______
2. Je **n'**aurais jamais compris l'histoire si tu	______	______
ne m'en avais expliqué que le commencement.	______	______
3. Elle l'apprécie plus qu'elle **ne** l'avait prévu.	______	______
4. Il **n'**est pire eau que l'eau qui dort. (proverbe)	______	______

A

B. Mettez les phrases suivantes à la forme négative.

1. Vous trouverez le bonheur dans les livres. ______
2. Elle a vendu sa maison. ______
3. Vous les lui avez apportés. ______
4. Lui en as-tu parlé ? ______

A

C. Mettez les phrases suivantes à la forme négative avec **ne... pas** et faites les changements nécessaires.

1. Nous marcherons le long de la plage. ______
2. Nous hésitons à partir. ______
3. Offre-les-lui. ______
4. Elle a pu y aller. ______
5. Lui avez-vous expliqué ? ______
6. On y en rencontrera. ______
7. Entendez-vous ce bruit étrange ? ______
8. Leur prêteriez-vous votre voiture ? ______
9. Peut-être faudrait-il l'appeler. ______
10. On y sert habituellement du café. ______

- Quand il n'y a pas de verbe, on omet **ne** (phrase elliptique) ; on emploie seulement **pas.**

  Qui est fatigué ? — **Pas** moi.
  Il fait beau ; regardez le ciel, **pas** un nuage dans le ciel.
  Faut-il tout manger ce qu'il y a dans notre assiette ? — Non, **pas** tout.
  Pouvez-vous venir tout de suite ? — Bien sûr, **pas** de problème.

- *À l'infinitif,* **ne** et **pas** précèdent le verbe (voir aussi chapitre 24, p. 326). À l'infinitif passé, ils précèdent généralement l'auxiliaire et le participe passé ou ils encadrent l'auxiliaire (formule littéraire).

  Elle pense **ne pas** pouvoir venir.
  Il a été puni pour **ne pas** avoir fait ses devoirs. (préférable)
  ou : Il a été puni pour **n'**avoir **pas** fait ses devoirs.

- On peut omettre **pas** avec les verbes suivants à l'écrit. Notez qu'à l'oral, on omet la plupart du temps le **ne** :

savoir + *infinitif*	Je **ne saurais** vous dire pourquoi. (*ou :* Je ne saurais pas...)
cesser + *infinitif*	Elle **ne cesse** de l'interrompre. (*ou :* Elle ne cesse pas...)
oser + *infinitif*	Il **n'osait** l'embrasser. (*ou :* Il n'osait pas...)
pouvoir + *infinitif*	Il craignait de **ne pouvoir** s'y rendre. (*ou :* de ne pas pouvoir...)

- Quand *un adverbe* accompagne le verbe, **pas** précède généralement l'adverbe.

J'ai **bien** compris le texte. → Je **n'**ai **pas bien** compris le texte.
Je suis **souvent** chez moi. → Je **ne** suis **pas souvent** chez moi.

Mais, si l'adverbe porte sur **pas,** ce dernier le suit. C'est souvent le cas avec les adverbes suivants : **certainement pas, généralement pas, peut-être pas, probablement pas, sans doute pas.**

Vous êtes **peut-être** intéressé par cela.
→ Vous **n'**êtes **peut-être pas** intéressé par cela.
Je serai **probablement** en classe demain.
→ Je ne serai **probablement pas** en classe demain.

APPLICATION IMMÉDIATE

A

D. Mettez les phrases suivantes à la forme négative. Attention aux changements apportés aux articles par la négation.

1. Il a accepté l'invitation de sa patronne. ______________________
2. C'étaient des blagues. ______________________
3. Vous avez acheté une maison. ______________________
4. Donnez-moi de l'argent. ______________________
5. Tu as bien parlé. ______________________
6. Je peux vous apporter du miel. ______________________
7. Célébrez-vous Noël ? ______________________
8. Je suis une athlète. ______________________
9. Nous avons été des spectateurs indifférents. ______________________
10. Elle travaille certainement trop. ______________________

Autres négations

- Les règles précédentes sur l'emplacement de la négation s'appliquent aussi aux autres adverbes négatifs (voir tableau, p. 376) à deux exceptions près : **nulle part** et **non plus** *suivent* le participe passé et l'infinitif.

Elle **ne** vient **jamais** me voir.
Il **n'**est **pas encore** revenu.
Elles ont décidé de **ne plus** manger de produits avec gluten.
Nous **ne** sommes allés **nulle part** pendant les vacances.
Je **ne** voulais **pas** vous ennuyer **non plus.**

PRÉCISIONS

Ne... que = seulement. Le sens restrictif de cet adverbe le place parmi les mots négatifs, *mais ce n'est pas une négation.* **Que** précède immédiatement les mots qui subissent la restriction.

Je **n'**ai **que de la malchance**. (seulement de la malchance)
Ces tartes **ne** coutent **que trois bahts.** (seulement trois bahts)
Il **ne** m'a donné mon argent **que quand je l'ai réclamé**. (seulement quand)
On **ne** peut réussir **qu'en travaillant dur**. (seulement en travaillant dur)

On ne peut pas employer **ne... que** (on emploie donc **seulement**) :

- quand il n'y a pas de verbe dans la phrase. — Qui avez-vous vu ? — **Seulement** trois personnes.
- quand le verbe n'a pas de complément. — Je ne parlais pas, je pensais **seulement.**
- quand c'est le sujet du verbe qui subit la restriction. — **Seulement (seule)** l'égalité entre tous peut générer la liberté.
- quand il y a déjà le mot **que** dans la phrase. — Il m'a **seulement** dit qu'il fallait partir.

Ne faire que + *infinitif* = ne pas arrêter de, ne pas cesser de.

Il **ne fait que** se plaindre. (Il ne cesse pas de se plaindre.)
Les enfants **n'ont fait que** pleurer pendant le voyage. (Les enfants n'ont pas arrêté de pleurer...)

APPLICATION IMMÉDIATE

A

E. Placez la négation entre parenthèses dans la phrase.

1. Je vais à la mosquée. (ne... jamais) ____________
2. Sa lettre est arrivée. (ne... pas encore) ____________
3. Appelez-moi. (ne... plus) ____________
4. J'ai envie de lui parler. (ne... guère) ____________
5. Elle l'a trouvé. (ne... nulle part) ____________

B

F. Substituez **ne... que** à **seulement** quand c'est possible.

1. J'y suis resté seulement deux jours. ____________
2. Il parle seulement quand c'est nécessaire. ____________
3. Je te taquinne seulement. ____________
4. Nous regrettons seulement qu'il soit trop tard. ____________

- À l'exception de **ne ... rien**, les pronoms négatifs (voir tableau, p. 376) suivent le participe passé ou l'infinitif quand ils sont compléments du verbe :

  Nous n'allons inviter **personne** de ma famille.
  Des faveurs, il **n'**en a accepté **aucune**.
  Vous **n'**avez **pas** appris **grand-chose**.
  On nous a dit que le voyage **ne** couterait **pas grand-chose**.
  Vous **n'**avez **rien** fait de mal.

APPLICATION IMMÉDIATE

G. Mettez le texte suivant à la forme négative. **B**

La ferme est animée. Les vaches sont encore dans les étables ; les chevaux sont impatients d'aller travailler dans les champs et les bœufs aussi. Le chien est quelque part ; on entend quelques aboiements. Les poulets sont soit dans le poulailler, soit dans la cour. Il y a toujours quelqu'un qui passe avec ses sabots : c'est un va-et-vient continuel parce que tout le monde a quelque chose d'intéressant à faire. Dans le verger, il y a des cerises et des pêches à ramasser. Cette ferme a de la valeur et les terres donnent des revenus appréciables.

H. Ajoutez une à une les négations entre parenthèses dans la phrase et placez-les convenablement. Faites les changements ou les substitutions nécessaires. **C**

1. Je vais au cinéma. (ne... pas, ne... point, ne... plus, ne... jamais)
   ____
2. Ils sont tout endormis. (ne... pas du tout, ne... plus, ne... aucunement)
   ____
3. Vous avez fini votre travail. (ne... pas encore, ne... toujours pas)
   ____
4. Tu l'as retrouvé. (ne... pas... non plus, ne... nulle part, ne... jamais)
   ____
5. Lucie est responsable du désastre. (personne ne..., nul ne...)
   ____

EMPLOIS

Adverbes négatifs (voir tableau, p. 376)

- Dans la langue parlée, on omet généralement la particule **ne**.

- **Ne... pas** rend négative une phrase qui contient *un verbe conjugué, un infinitif* ou *un participe* (voir chapitre 3, p. 37 et 38 pour changement des articles dans une négation).

  Vous **n'**êtes **pas** content.
  N'achetez pas **de** cigarettes.
  Je préfèrerais **ne pas** manger si tôt.
  Ne voulant **pas** l'interrompre, il partit sans bruit.

- **Ne... point = ne... pas**, mais il est *plus littéraire*. Cette formule est archaïque et rarement employée.

  Il n'apprécie **point** mes plaisanteries.

- **Ne... aucunement, ne... nullement, ne... pas du tout** sont des formes *emphatiques* de **ne... pas.**

  Sa lettre **ne** répondait **nullement** à mes questions.
  C'est curieux, je **ne** suis **pas du tout** fatigué après cette longue marche.

- **Ne... pas encore** est l'opposé de **déjà**.

  Vous avez **déjà** fini ? — Non, je **n'**ai **pas encore** fini.
  ou : Non, pas encore.
  Est-ce que vous lui avez parlé ? — Non, **pas encore**.
  Il est midi et le courrier **n'**est **pas encore** arrivé.
  Pourriez-vous **ne pas encore** lui annoncer la mauvaise nouvelle ?

PRÉCISIONS

Ne... toujours pas = ne... pas encore (≠ pas toujours)

Cette expression évoque de l'impatience ou une crainte.

Je **ne** l'ai **toujours pas** vu et je ne sais pas pourquoi.
Elle **ne** m'a **toujours pas** rappelé.

- **Ne... plus** est l'opposé de **encore, toujours** (« still ») et indique qu'une action (ou un état) dans le passé est maintenant terminée.

  Avez-vous **toujours (encore)** froid ? — Non, **plus** maintenant.
  À une heure du matin, je **n'**étudie **plus**, je dors.

- **Ne... jamais** est l'opposé de **toujours, quelquefois, parfois, souvent, de temps en temps, de temps à autre.**

  Le voyez-vous **parfois** ? — Non, je **ne** le vois **jamais.**
  Allez-vous au bar **de temps en temps** ? — Non, je **n'**y vais **jamais.**

ATTENTION

Jamais signifie « ever » quand le verbe n'est pas accompagné de **ne**.

Avez-vous **jamais** vu un individu pareil ?
Si **jamais** vous le rencontrez, dites-lui bonjour de ma part.

- **Ne... guère = pas beaucoup, pas très, peu de, presque pas, à peine.**

  Je **n'**ai **guère** le temps de lui parler. (pas beaucoup)
  Vous **ne** répondez **guère** aux questions. (à peine)

- **Ne... nulle part** est l'opposé de **partout, quelque part** (pour la place de cet adverbe, voir p. 379).

  J'ai cherché mon livre partout, mais je **ne** l'ai trouvé **nulle part**.
  Je ne vais **nulle part** ce soir, j'ai un examen à préparer.

- **Ne... pas... non plus** est l'opposé de **aussi** (pour la place de cet adverbe, voir p. 379).

  J'ai faim, et toi ?
  — Moi **aussi**. — Moi, **non**. (*ou* **Pas** moi *ou* Moi, **pas**.)
  Je ne suis pas fatigué, et toi ?
  — Moi **non plus**. — Moi, oui. (*ou* Moi, si.)

APPLICATION IMMÉDIATE

A

I. Répondez aux questions suivantes en employant une expression négative.

1. Allez-vous encore au chalet à chaque fin de semaine ?
   — Non, ____________________
2. Faites-vous du sport de temps en temps ?
   — Non, ____________________
3. Voyez-vous mes lunettes quelque part ?
   — Non, ____________________
4. Sommes-nous déjà arrivés ?
   — Non, ____________________ (réponse elliptique)
5. Je ne suis pas encore décidée, et toi ?
   ____________________ (réponse elliptique)

Déterminants négatifs (voir tableau, p. 376)

Aucun(e), nul(le), pas un(e) sont l'opposé de **plusieurs, quelques, tous, un.**

Ils *s'accordent* en genre avec le nom qu'ils qualifient et sont employés *au singulier* (excepté avec un nom toujours pluriel).

Aucun, nul, pas un signifient **zéro.**

Nul est moins employé que **aucun**; il est plus emphatique et plus formel.

Pas un est beaucoup plus emphatique que **nul** et **aucun**; il est quelquefois accompagné de **seul** ou **pas un seul** (voir aussi chapitre 5, p. 84).

Ne précède toujours le verbe ou l'auxiliaire.

> **Aucun** ami **n'**est venu me rendre visite à l'hôpital.
> Vous **n'**avez fait **aucune** faute dans votre dictée.
> Est-ce qu'elle va venir? — **Aucune** idée.
> Votre travail a été écrit en vitesse, **sans aucun** effort.
> Nous **n'**aurons **aucunes** vacances cette année. (**Vacances** dans le sens de *séjour, voyage, congé* est toujours pluriel.)
> **Nul** homme **ne** peut l'affirmer.
> Je **n'**avais **nulle** envie d'y aller.
> **Pas un** étudiant **n'**a répondu correctement à la question.

Pronoms négatifs (voir tableau, p. 376)

Les pronoms négatifs peuvent être *sujets ou compléments* du verbe, excepté **nul,** qui peut seulement être *sujet.*

Aucun(e), nul(le), pas un(e) sont l'opposé de **plusieurs, quelques-uns, tous, un.**

Employez-les *au singulier,* sauf s'ils remplacent un nom toujours pluriel. Il faut ajouter **en,** quand ils sont *compléments du verbe.*

Ils signifient **zéro.** (pour la place de ces pronoms, voir p. 381)

- **aucun(e)... ne** (sujet)
  ne... en... aucun(e) (complément)

> J'ai commencé tes livres, mais **aucun ne** m'intéresse. (sujet)
> Avez-vous des ennemis? — Non, je **n'en** ai **aucun**. (complément)

- **Nul(le)... ne** (sujet seulement) est plus littéraire que **aucun.**

> **Nul ne** peut le remplacer.
> À l'impossible **nul n'**est tenu. (proverbe)

- **Pas un(e)... ne** (sujet) est plus emphatique que **aucun, nul.**

> **Pas un** de mes amis **ne** peut sortir ce soir.

- **ne... en... pas un(e)** (complément)

> J'ai rencontré plusieurs orthophonistes, mais je **n'**en connaissais **pas une seule.**

- **Personne… ne** (sujet) et **ne… personne** (complément) s'opposent à **quelqu'un, tout le monde** (pour la place de ce pronom, voir p. 381).

 Personne ne l'aime. (sujet)
 As-tu vu quelqu'un sur la plage ? — Non, je **n'**ai vu **personne.** (complément)
 Elle préfèrerait **ne** rencontrer **personne** d'ici la fin de la semaine.
 Je **n'**ai trouvé **personne** à qui parler.
 Il est parti **sans** voir **personne.**

PRÉCISIONS

- Quand **personne** est suivi d'un *adjectif,* il faut ajouter **de** et l'adjectif est invariable (voir aussi chapitre 4, p. 62).

 J'ai bien regardé, mais je **n'**ai vu **personne d'**intéressant.

- Quand **personne** est suivi d'un *infinitif,* ajoutez **à.**

 Nous **n'**avons **personne à** visiter.

- Ne confondez pas le pronom négatif **personne** avec le nom **une personne,** qui est féminin.

 Je n'ai vu **personne de méchant.**
 mais : J'ai vu **une personne méchante.**

- **Rien… ne** (sujet) et **ne… rien** (complément) sont l'opposé de **quelque chose, tout** (pour la place de **ne rien…**, voir p. 381).

 Je m'ennuie et **rien ne** m'intéresse. (sujet)
 Qui **ne** risque **rien n'a rien.** (complément)(proverbe)
 Je vous ai dit de **ne rien** demander à vos enseignants. (complément)

PRÉCISIONS

- Quand **rien** est suivi d'un **adjectif,** il faut ajouter **de** ; l'adjectif est alors invariable (voir aussi chapitre 4, p. 62).

 Il **n'**y a **rien de** drôle dans cette caricature.

- Quand rien est suivi d'un **infinitif,** il faut ajouter **à**.

 As-tu quelque chose à dire ? — Non, je **n'**ai **rien à** dire.

ATTENTION

Faites bien la distinction entre **rien** et **aucun.**

Je **n'**ai **rien** vu de plus beau. (« nothing »)
Je **n'**en ai vu **aucun** de plus beau. (« none, not any »)

- **Ne... pas grand-chose** (« not much ») (pour la place de ce pronom, voir p. 381) est construit avec **de** + *adjectif invariable*, **à** + *infinitif*, ou sans complément.

  As-tu beaucoup travaillé hier ? — Non, parce que je **n'**avais **pas grand-chose à** faire.
  Il **ne** possède **pas grand-chose.**
  La conférencière **n'**a **pas** dit **grand-chose qui m'intéressait.**
  Quoi de nouveau chez toi ? — Ah, **pas grand-chose.**
  Il a décidé de **ne pas** faire **grand-chose.**

APPLICATION IMMÉDIATE

A

J. Mettez la phrase à la forme négative.

1. Tout le groupe est arrivé ce matin. ______________________________
2. J'ai quelque chose d'extraordinaire à te dire. ______________________________
3. Il a beaucoup de choses à vous annoncer. ______________________________
4. Plusieurs prisonniers se sont évadés. ______________________________
5. Elle a lu quelques journaux pendant la fin de semaine. ______________________________

B

K. Mettez les phrases suivantes à la forme affirmative.

Modèle : Vous n'êtes jamais malade.
→ Vous êtes toujours malade.

1. Je n'ai pas besoin de manteau ni toi non plus. ______________________________
2. Nous ne voulons pas vous voir ni vous parler. ______________________________

3. Votre chambre n'est pas encore propre? ______________________________
   ____
4. Aucun invité ne s'est présenté. ______________________________
   ____
5. Je n'ai plus d'argent. Je n'ai plus d'amour. Je n'ai plus rien. ____________
   ____

L. Répondez négativement aux questions suivantes. Attention à **en** dans la réponse. Variez les mots négatifs: **plus, pas encore, pas du tout,** etc.

B

Modèle: Avez-vous quelquefois de l'argent sur vous?
→ Non, je n'en ai jamais.

1. Avez-vous des idées pour notre projet? ______________________________
2. Connaissez-vous une personne qui puisse vous aider? ____________________
3. Avez-vous un crayon? Et vous? ______________________________
4. Êtes-vous en amour? ______________________________
5. Avez-vous un dollar sur vous? ______________________________

Conjonctions négatives (voir tableau, p. 376)

- **Ni** est l'opposé de **et, ou, ou bien, soit.** Dans les structures qui suivent, la particule de négation **pas** est utilisée à titre de modèle, étant la forme la plus fréquente. Cependant, les autres adverbes de négation (**point, aucunement, nullement, pas du tout, pas encore, toujours pas, plus, jamais, guère** et **nulle part**) peuvent prendre la même position, comme les exemples le démontreront.

ni... ni... ne
ne... ni... ni
ne... pas (de)... ni (de)

- **Ni... ni... ne** est employée avec *deux noms* ou *deux pronoms*. Le verbe est *au pluriel* quand les deux noms ou les deux pronoms sont *sujets.*

  Votre livre **et** votre stylo sont sur la table.
  → **Ni** votre livre **ni** votre stylo **ne** sont sur la table.
  Tracy **ou** Frédéric peuvent y entrer.
  → **Ni** Tracy **ni** Frédéric **ne** peuvent y entrer.

- **Ne... ni... ni** et **ne... pas (de)... ni (de)** sont employées:

  ▶ Pour relier *deux participes passés ou deux infinitifs.*

  Veux-tu **écouter** la radio **ou regarder** la télévision?
  Je **ne** veux **ni** écouter la radio **ni** regarder la télévision.
  ou: Je **ne** veux **pas** écouter la radio **ni** regarder la télévision.

- Pour relier *deux verbes qui ont le même sujet*. On emploie **ne... pas** avec le premier verbe (**pas** est facultatif) et **ni ne** avec les verbes qui suivent. Ne répétez pas le sujet.

  Il la regarde **et il** l'écoute.
  Il **ne** la regarde **ni ne** l'écoute.
  Nous buvons et mangeons avant d'aller au lit.
  Nous ne buvons **ni ne** mangeons **(jamais)** avant d'aller au lit.

- Pour relier *deux compléments directs. L'article partitif* **(du, de la, de l')** et *l'article indéfini* **(un, une, des)** *disparaissent* avec **ne... ni... ni**, mais pas avec la forme **ne... pas (de)... ni (de)**. Les autres déterminants restent intacts.

  Je trouve mon sac **et** mes clés.
  Je **ne** trouve **ni** mon sac **ni** mes clés.
  ou : Je **ne** trouve **nulle part** mon sac **ni** mes clés.
  Il y a **des** œufs **et du** beurre dans son réfrigérateur.
  Il **n'**y a **ni** œufs **ni** beurre dans son réfrigérateur.
  mais : Il **n'**y a **plus d'**œufs **ni de** beurre dans son réfrigérateur.

- Pour relier *deux compléments indirects* (donc introduits par des prépositions).

  J'irai **à** Londres **et à** Rome l'été prochain.
  Je **n'**irai **ni** à Londres **ni** à Rome l'été prochain.
  ou : Je **n'**irai **pas** à Londres ni à Rome l'été prochain.

- Pour relier *deux propositions subordonnées*.

  Nous acceptons **que** vous remettiez votre démission **et que** vous partiez.
  Nous **n'**acceptons **ni** que vous remettiez votre démission **ni** que vous partiez.
  ou : Nous **n'**acceptons **aucunement** que vous remettiez votre démission **ni** que vous partiez.

APPLICATION IMMÉDIATE

A

M. Transformez négativement les phrases suivantes en utilisant **ni... ni... ne** ou **ne... ni... ni**, selon le cas.

1. Mon cahier et mon crayon sont sur le bureau. ______________________
   ____
2. Vous avez une bougie et des allumettes. ______________________
   ____
3. Elle a le temps et l'argent pour le faire. ______________________
   ____

4. J'ai pleinement confiance en toi et en tes capacités. ______________________

5. Il a compris et aimé votre conférence. ______________________

N. Mettez les phrases suivantes à la forme négative en employant un ou deux **ni,** comme indiqué.

A

Modèle : Il va téléphoner et venir me voir. (1)
→ Il ne va pas téléphoner ni venir me voir.

1. Je veux aller au restaurant et au théâtre. (2) ______________________
2. Vous savez programmer l'ordinateur et éditer des textes. (1) ______________________
3. Elle veut du pain et de la confiture. (2) ______________________
4. Il a été intéressé et même amusé par l'histoire. (1) ______________________
5. Vous pouvez lui parler ou lui écrire. (2) ______________________

O. Réunissez les deux actions simultanées en employant **sans.** Attention à la forme infinitive des verbes pronominaux.

B

Modèle : Tu me parles et tu ne me regardes pas.
→ Tu me parles sans me regarder.

1. Ils ont mangé et ne se sont pas parlé. ______________________
2. Je travaille et je n'écoute jamais la radio. ______________________
3. Nous avons écouté et nous n'avons rien compris. ______________________
4. Elle l'a quitté et elle n'a aucun regret. ______________________
5. Vous souffrez et vous ne vous plaignez pas. ______________________

NÉGATION MULTIPLE

En français, il est possible d'avoir plusieurs négations dans la même proposition, à condition de ne pas employer **pas.** Il faut donc enlever le mot **pas** des négations le contenant : **ne... pas encore** devient **ne... encore.** Le tableau, p. 390, indique l'ordre des négations multiples dans une phrase.

ORDRE DES NÉGATIONS DANS UNE NÉGATION MULTIPLE

adverbe	*adjectifs et pronoms* **sujets**	*adverbes*				*adjectifs et pronoms* **compléments**	*adverbes*	
plus	aucun rien personne	plus	guère	encore	jamais	aucun rien personne	nulle part	non plus

PRÉCISIONS

- On dit **jamais plus** aussi bien que **plus jamais.**
- Voici quelques exemples de combinaisons :

  Il est très triste et **plus rien ne** le fait **jamais** rire.
  Elle **ne** va **plus jamais nulle part** seule le soir. C'est trop dangereux.
  Pierre n'en a **plus aucun** et moi je **n'**en ai **plus aucun non plus.**
  Simon **n'a encore rien** mangé depuis trois jours.
  Personne ne veut **plus rien,** alors nous pouvons partir.
  Nous **n'**avons **encore jamais** vu **personne** comme ça.
  Il **n'**amène **plus jamais personne** chez moi. (*ou :* **jamais plus personne**)
  Vous **ne** l'avez **encore** trouvé **nulle part non plus** ?

- Avec **ne... que,** on peut employer une négation, y compris celle avec **pas,** car **ne... que** n'est pas une négation.

  Il **ne** parle **pas que** le français ; il parle deux autres langues.
  Je **n'**ai **plus que** quelques jours à travailler.

- **Non plus** s'intercale parfois entre le sujet et le verbe, avant les autres négations, s'il ne porte que sur le sujet.

  Vous **non plus n'**allez **nulle part.**

APPLICATION IMMÉDIATE

A

P. Faites une phrase de dix à quinze mots avec chacune des négations suivantes.

1. ne... plus ______________________________

2. ne... pas... non plus ______________________________

3. rien... ne ______________________________

4. rien + *adjectif* + *infinitif* ______________________________

____

5. aucun (*pronom objet*) ______________________________

____

6. pas encore ______________________________

____

7. ne... pas (de)... ni (de) ______________________________

____

8. personne + *adjectif* ______________________________

____

EN RÉSUMÉ...

- La transformation de la phrase affirmative en phrase négative se fait en ajoutant la particule **ne** ainsi qu'une autre particule de part et d'autre du verbe (voir tableau, p. 376).
- Certaines structures se placent différemment.
- À l'oral, le **ne** est généralement omis.

EXERCICES RÉCAPITULATIFS

A. *Faites deux phrases avec* ***ne... que****.*

____

____

B. *Tout va mal aujourd'hui pour vous. Montrez en quelques lignes à quel point tout est négatif. Employez beaucoup de mots négatifs. (quatre lignes)*

____

____

____

____

C. *Vous venez d'étudier pendant de nombreuses heures pour un examen que vous allez passer dans quelques minutes. Vous pensez que vous n'êtes pas assez préparé(e). Expliquez vos craintes en employant des mots négatifs. (quatre ou cinq lignes)*

____

____

____

____

____

29

L'interrogation

OBJECTIFS DU CHAPITRE

À la fin de ce chapitre, vous serez en mesure :

- de connaitre les éléments qui servent à transformer la phrase en interrogative ;
- de connaitre les deux types d'interrogatives ;
- de savoir choisir les particules interrogatives de façon appropriée ;
- de bien former des phrases interrogatives.

On distingue deux sortes de phrases interrogatives : celles qui demandent *une réponse affirmative ou négative* (interrogation totale) et celles qui demandent *des renseignements spécifiques* (interrogation partielle).

Il y a toujours un point d'interrogation à la fin d'une phrase interrogative. Il faut noter qu'il est fréquent de poser une question sans avoir recours à la phrase interrogative dans la langue parlée, simplement en imposant une intonation montante à une phrase affirmative.

PHRASES INTERROGATIVES QUI DEMANDENT UNE RÉPONSE AFFIRMATIVE OU NÉGATIVE (OUI, NON, SI)

On peut rendre une phrase interrogative de quatre façons :

1. En plaçant **est-ce que** (ou **est-ce qu'**) devant la phrase sans changer l'ordre des mots.

Le livre est sur la table.	→	**Est-ce que** le livre est sur la table ?
Il est arrivé.	→	**Est-ce qu'**il est arrivé ?

2. En utilisant *l'inversion.*

- Quand le sujet du verbe est un pronom, on fait l'inversion du verbe et du pronom sujet. Il y a un trait d'union entre le verbe et le pronom (voir aussi chapitre 5, p. 75) et il faut ajouter un **t** euphonique entre le verbe et le pronom inversé si on met deux voyelles en contact direct.

Il est heureux.	→	**Est-il** heureux ?
Elle a un chien.	→	**A**-t-**elle** un chien ?
Cette femme est arrivée hier.	→	Cette femme **est-elle** arrivée hier ?

PRÉCISIONS

- Quand le sujet d'un verbe est **je,** on peut faire l'inversion *verbe*-**je** avec certains verbes seulement :

être	→	suis-je ?
devoir	→	dois-je ?
aller	→	vais-je ?
avoir	→	ai-je ?
pouvoir	→	puis-je ? (*mais :* est-ce que je peux ?)

Autrement, on utilise la formule **est-ce que** (voir numéro 1 ci-dessus). Il faut noter qu'on évite généralement l'inversion avec le pronom **je** dans la langue courante.

- Avec un verbe *négatif,* **pas** est placé après le groupe [verbe + pronom sujet] (voir aussi chapitre 28, p. 377).

Il n'est pas content.	→	N'est-il **pas** content ?

- Quand le verbe est à *un temps composé,* on fait l'inversion de l'auxiliaire et du pronom sujet.

Ils ont vu ce film.	→	**Ont-ils** vu ce film ?
Vous ne les avez pas connus.	→	Ne les **avez-vous** pas connus ?

- Quand le sujet du verbe est un nom, on fait l'inversion du verbe et du pronom qui remplace le nom. Le nom reste à sa place.

Le livre est sur la table.	→	Le livre **est-il** sur la table ?
Mes amis cherchent un appartement.	→	Mes amis cherchent-ils un appartement ?

3. En ajoutant **n'est-ce pas** à la fin de la phrase déclarative. (Cette expression est invariable.)

Le livre est sur la table.
Le livre est sur la table, **n'est-ce pas** ?
Nous débutons demain.
Nous débutons demain, **n'est-ce pas** ?

4. En utilisant un ton de voix interrogatif, façon employée très couramment dans la langue parlée.

Vous n'avez pas fait votre travail ?

APPLICATION IMMÉDIATE

A. Mettez les phrases suivantes à la forme interrogative avec inversion, quand c'est possible.

1. Vous suivez beaucoup de cours. ______________________________ ?
2. Cet ours mange des ordures. ______________________________ ?
3. Tu n'as pas compris l'explication. ______________________________ ?
4. Je peux vous l'indiquer. ______________________________ ?
5. Je travaille très dur. ______________________________ ?

A

4e partie : Les transformations syntaxiques

B

B. Mettez chaque phrase à la forme interrogative en employant les quatre façons possibles (voir p. 394 et 395).

1. Elles sont parties. ______________________________ ?
2. Mon chat mange trop. ______________________________ ?
3. Nous ne les lui avons pas apportés. ______________________________ ?

PRÉCISIONS

On emploie habituellement **oui** pour répondre affirmativement à une phrase interrogative positive au Canada et en Europe. Pour donner *une réponse affirmative à une question négative*, on emploie généralement **si** en Europe et **oui** au Canada. On emploie généralement **non** pour donner une réponse négative, tant au Canada qu'en Europe.

Tu as faim ?	→	Oui, j'ai faim.
	→	Non, je n'ai pas faim.
Tu n'as pas faim ?	→	Si, j'ai faim. (Europe)
	→	Oui, j'ai faim. (Canada)

PHRASES INTERROGATIVES QUI DEMANDENT UNE RÉPONSE SPÉCIFIQUE

Ces questions commencent par des *mots interrogatifs* (**quand, comment, pourquoi, quel**, etc.).

ATTENTION

Après tous les mots interrogatifs, la phrase doit être à la forme interrogative, soit avec l'inversion du verbe et du pronom sujet, soit avec **est-ce que** sans changer l'ordre des mots. (Notez que **est-ce** est une inversion de **c'est.**)

Vous êtes en colère.	→	Pourquoi **êtes-vous** en colère ?
	→	Pourquoi **est-ce que** vous êtes en colère ?

Combien, comment, où, pourquoi et quand

- **Combien, comment, où, pourquoi** et **quand** sont des adverbes interrogatifs.

Combien payez-vous par mois pour ce loyer?
ou: **Combien** est-ce que vous payez par mois pour ce loyer?
Comment voulez-vous y aller?
ou: **Comment** est-ce que vous voulez y aller?
Où sommes-nous?
ou: **Où** est-ce que nous sommes?
Pourquoi la porte est-elle ouverte?
ou: **Pourquoi** est-ce que la porte est ouverte?
Quand viendrez-vous me voir?
ou: **Quand** est-ce que vous viendrez me voir?

APPLICATION IMMÉDIATE

C. Écrivez les deux formes interrogatives de la phrase suivante: **A**

Votre ami va venir?

1. Quand ______________________________?
2. Quand ______________________________?

D. À l'aide d'un adverbe interrogatif, écrivez les questions correspondant aux réponses suivantes en plaçant le nom sujet après le verbe, quand c'est possible. **A**

Modèle: Julie vient demain.
→ Quand vient Julie?

1. Les invités partiront bientôt. ______________________________?
2. David est à la bibliothèque. ______________________________?
3. Mon frère gagne deux mille dollars par mois. ______________________________?
4. Ce jeune homme s'impatiente, car sa voiture est en panne. ______________________________?
5. Samuel travaille très bien. ______________________________?

E. À l'aide d'un adverbe interrogatif, formulez une question pour chacune des réponses suivantes. **A**

Modèle: Je vais au laboratoire.
→ Où allez-vous (vas-tu)?

1. Ma voiture fonctionne bien. ______________________________?
2. J'ai dépensé cinquante dollars dans ce magasin. ______________________________?

3. Le parc des Champs-de-Bataille se trouve à Québec. ____________________ ____________________?
4. Le parc est ouvert du lundi au samedi. ____________________ ____________________?
5. Il a laissé tomber le cours juste avant l'examen final. ____________________ ____________________?

A

F. Changez la question en évitant l'inversion verbe-sujet.

Modèle : Quand as-tu rencontré Philippe ?
→ Quand est-ce que tu as rencontré Philippe ?

1. Combien de temps es-tu resté à la bibliothèque ? ____________________?
2. Pourquoi êtes-vous tellement en retard ? ____________________?
3. Où est-il passé ? ____________________?
4. Quand le professeur va-t-il rendre les examens ? ____________________?
5. À quel moment voulez-vous votre café ? ____________________?

B

G. Complétez les phrases suivantes avec les mots interrogatifs qui traduisent le mot interrogatif anglais « what ».

1. ____________ vous voulez ?
2. ____________ est arrivé ?
3. À ____________ pensez-vous ?
4. ____________ dites-vous ?
5. ____________ sont les raisons de son départ ?

Déterminant quel

- Le déterminant interrogatif **quel (quelle, quels, quelles)** s'accorde en genre et en nombre avec le nom qu'il détermine. Il est placé *directement avant ce nom,* au *commencement* de la question.

Avec **quelle** équipe sommes-nous ?
Quel avion vient d'arriver ?
Quels exercices avez-vous préparés ?
De **quel film** est-ce que vous parlez ?
À **quelles filles** a-t-il souri ?
Pour **quelles raisons** est-ce que vous êtes ici ?

- Le déterminant **quel** est parfois attribut. Il est alors *variable* **(quelle, quels, quelles)** et il est *suivi du verbe* **être**, qui le sépare du nom déterminé.

  Quelle est **la différence** entre un désert et un dessert ?
  Quel sera **le but** du club ?

APPLICATION IMMÉDIATE

B

H. Complétez avec le déterminant interrogatif **quel à** la forme correcte.

1. ________________ réaction avez-vous eue ?
2. ________________ sont leurs intentions ?
3. ________________ sera le résultat de tout cela ?

PRÉCISIONS

Le déterminant interrogatif variable est aussi employé dans des *exclamations*.

Quelle vie !
Quel beau temps !
Quelle chance ! Je pars demain.
Quelle belle journée !

Pronoms interrogatifs

- **Lequel (laquelle, lesquels, lesquelles)** est un pronom interrogatif variable. C'est une forme composée : **le, la, les** + **quel.** L'article se contracte avec :

à	→	**auquel, auxquels, auxquelles**
de	→	**duquel, desquels, desquelles**

  Notez que **la** ne se contracte pas : **à laquelle, de laquelle.**

- **Lequel** remplace **quel** + *nom* et s'accorde en genre et en nombre avec ce nom. Il est placé *au commencement de la question*. Il indique *un choix*.

  Voilà deux pommes. **Laquelle** est la plus rouge ? (Quelle pomme ?)
  ou : **Laquelle** de ces deux pommes est la plus rouge ?
  Lequel de ces exercices est oral ?
  Auxquels as-tu parlé ?
  Il y avait trois candidats. Pour **lequel** as-tu voté ?
  Desquelles parliez-vous ? Les bleues ou les roses ?
  Lesquels avez-vous lus ?

APPLICATION IMMÉDIATE

A

I. Complétez avec une forme de **quel** ou de **lequel.**

1. ______________ des trois sujets avez-vous choisi ?
2. ______________ questions as-tu posées ?
3. ______________ de ces deux livres as-tu besoin ?
4. De ces deux bouquets de roses, ______________ vous plait le plus ?
5. Vous allez mieux maintenant ? ______________ bonne nouvelle !

A

J. Complétez avec une forme de **quel** ou de **lequel.**

1. J'ai deux tableaux à donner ; ______________ aimerais-tu ?
2. ______________ est le sens du mot québécois « enfirouaper » ?
3. ______________ de ces deux tableaux préférez-vous ?
4. Dans ______________ état vais-je trouver ma maison ?

- Il y a aussi des pronoms interrogatifs qui sont invariables.
  On distingue les pronoms à *forme courte* et à *forme longue* (voir le tableau ci-dessous).

LES PRONOMS INTERROGATIFS INVARIABLES

	PERSONNES		CHOSES	
	formes courtes	*formes longues*	*formes courtes*	*formes longues*
Sujet	**qui**	**qui est-ce qui**		**qu'est-ce qui**
Complément direct	**qui** (+ *inversion possible*)	**qui est-ce que**	**que (qu')** (+ *inversion possible*)	**qu'est-ce que**
Complément indirect (introduit par *à, pour, chez, de, sur,* etc.)	*préposition* + **qui** (+ *inversion possible*)	*préposition* + **qui est-ce que**	*préposition* + **quoi** (+ *inversion possible*)	*préposition* + **quoi est-ce que**

Pronoms à formes courtes (voir tableau ci-dessus)

Pour *une personne,* on emploie toujours **qui,** suivi d'une inversion du pronom sujet et du verbe, excepté après **qui** *sujet.*

Pour *une chose,* on emploie **que** (*complément direct*) et **quoi** (*complément d'une préposition*), suivis d'une inversion du pronom sujet et du verbe. Il n'y a pas de forme courte sujet.

Qui est à la porte ? (personne : *sujet*)
Qui aimeriez-vous inviter pour la soirée de la Saint-Valentin ? (personne : *complément direct*)
À qui as-tu parlé ? (personne : *complément d'une préposition*)
Que veulent-ils ? (chose : *complément direct*)
Avec quoi écrivez-vous ? (chose : *complément d'une préposition*)

PRÉCISIONS

- **Que** devient **qu'** devant une voyelle ou un **h** muet ; **qui** ne change jamais.

  Qu'arrive-t-il ?

- Dans une phrase courte (qui ne contient qu'un verbe et un nom sujet), on fait l'inversion verbe–nom sujet après **que.**

  Que demande cet homme ?

- **Quoi** et **qui** sont quelquefois employés seuls.

  Quoi ? Qu'est-ce que tu as dit ?
  Quoi de neuf ? (verbe sous-entendu)
  J'attends quelqu'un. — **Qui** ?

Pronoms à formes longues (voir tableau p. 400)

On les obtient en ajoutant **est-ce qui** à la forme courte sujet, **est-ce que** à la forme courte complément direct, et une préposition + **quoi est-ce que** à la forme courte complément indirect.

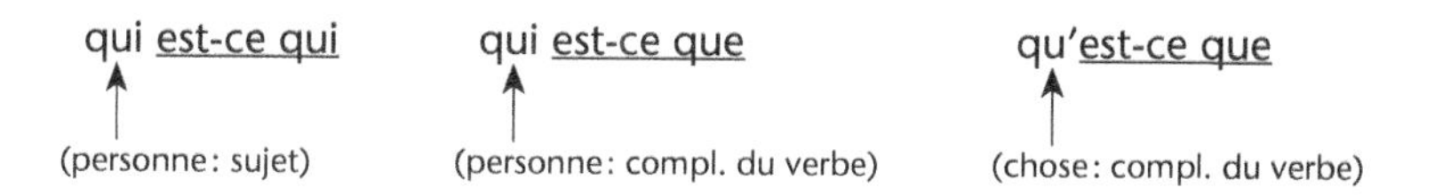

Qui est-ce qui va acheter le café ce matin ? (personne : *sujet*)
Qui est-ce que vous avez-vu ? (personne : *complément direct*)
À **qui est-ce que** tu as parlé ? (personne : *complément d'une préposition*)
Qu'est-ce qui te déprime ainsi ? (chose : *sujet*)
Qu'est-ce que tu veux ? (chose : *complément direct*)
Avec **quoi est-ce que** vous écrivez ? (chose : *complément d'une préposition*)

PRÉCISIONS

- Les pronoms sujets **qui** et **qui est-ce qui** sont interchangeables, car il n'y a pas d'inversion après l'une ou l'autre de ces formes.

  Qui aimerait une crème-glacée ?
  ou : **Qui est-ce qui** aimerait une crème-glacée ?

- Pour demander une définition, on pose la question,

  Qu'est-ce que c'est que... ?
  ou : **Qu'est-ce que... ?**
  Qu'est-ce que c'est que ça ?
  Qu'est-ce que c'est que le Tour du Grand Montréal ?
  Qu'est-ce que le Tour du Grand Montréal ?

APPLICATION IMMÉDIATE

A

K. Complétez les phrases avec le pronom interrogatif, à la forme courte ou longue qui convient, et une préposition quand elle est nécessaire.

1. ______________ riez-vous ? — D'une bonne blague.
2. ______________ a-t-il parlé si longtemps au téléphone ? — À son amie.
3. ______________ est venu vous parler ?
4. ______________ débuterons-nous aujourd'hui ? — Par une dictée.
5. ______________ elle a demandé ?

A

L. Remplacez **qui** par **qui est-ce qui,** ou inversement.

1. Qui vient d'entrer ? ______________________________?
2. Qui est allé à la conférence hier soir ? ______________________________?
3. Qui est-ce qui l'aidera ? ______________________________?
4. Qui viendra avec nous ? ______________________________?
5. Qui est-ce qui t'a fait mal ? ______________________________?

A

M. Remplacez **que** par **qu'est-ce que** et faites les changements nécessaires.

1. Que m'apportez-vous ? ______________________________?
2. Que direz-vous à vos parents ? ______________________________?
3. Qu'êtes-vous en train de faire ? ______________________________?
4. Que voulez-vous lui imposer ? ______________________________?
5. Que voulez-vous que j'apporte demain ? ______________________________?

N. Remplacez la forme courte du pronom interrogatif par la forme longue et faites les changements nécessaires.

1. Qui n'a pas encore été évalué? ______________________?
2. De quoi voulais-tu parler? ______________________?
3. À qui voulez-vous faire ce cadeau? ______________________?
4. Qui vient d'arriver? ______________________?
5. De quoi vous plaignez-vous? ______________________?

EN RÉSUMÉ...

- Il existe deux types de phrases interrogatives: les interrogatives à réponse oui/non et celles qui demandent une réponse spécifique.
- La phrase affirmative peut être transformée en interrogative de diverses façons, selon le type d'interrogative.
- Pour l'interrogative de type oui/non, on peut ajouter **est-ce que** au début de la phrase, inverser le sujet et le verbe, ajouter **n'est-ce pas** à la fin de la phrase ou changer l'intonation.
- Pour l'interrogative qui demande une réponse spécifique, on utilise généralement un mot interrogatif, soit un adverbe, un déterminant ou un pronom interrogatif.

EXERCICES RÉCAPITULATIFS

A. *Posez toutes les questions possibles sur cet extrait.*

La tempête qui, la nuit précédente, avait cessé alors que le corps du malheureux Guillemette était devenu le jouet des flots, ébranlait de nouveau la petite maison où gisait le meurtrier, et quelques gouttes de grosse pluie frappaient de temps à autre les vitrages. Sur un matelas, dans un coin de la chambre encore teinte de sang, était couché Lepage, le dos tourné aux assistants, et sa tête enveloppée d'une couverture.

L'influence d'un livre, Philippe Aubert de Gaspé, fils.

B. *Rédigez deux questions sans inversion avec deux des adverbes interrogatifs suivants:* ***combien, comment, où, pourquoi, quand.***

____

____

Complétez les questions suivantes.

1. Avec quoi est-ce que? ______________________

2. À qui ? ______________________________

3. Où ? ______________________________

4. Qu'est-ce que ? ______________________________

5. Qu'est-ce qui ? ______________________________

C. *Vous êtes un(e) reporter et vous interviewez la personne de votre choix. Posez beaucoup de questions en variant les mots interrogatifs. (5 ou 6 lignes)*

____

____

____

____

____

____

30

La voix passive

OBJECTIFS DU CHAPITRE

À la fin de ce chapitre, vous serez en mesure :

- de savoir reconnaitre la voix passive ;
- de l'éviter dans les textes non scientifiques.

La phrase passive permet de changer l'emphase dans un texte ou de contourner des structures trop lourdes. La formulation passive est cependant faible stylistiquement et on suggère ainsi de l'éviter autant que possible.

FORMES

La voix d'un verbe correspond au *rapport entre l'action et le sujet*. À la voix *active*, l'action est *accomplie par le sujet* ; à la voix *passive*, l'action est *subie par le sujet*. Considérez les phrases suivantes, qui transmettent le même message à des voix différentes :

A – Le chat mange la souris.
B – La souris est mangée par le chat.

Dans la phrase A, l'accent est mis sur le chat (puisqu'il se trouve au début de la phrase). Dans la phrase B, l'accent porte sur la souris. Le message est le même, mais l'importance qu'on donne au sujet et au complément est différente.

La voix passive se construit :

1. en *inversant le complément direct et le sujet* (qui est alors précédé de **par** ou parfois de **de**) ;
2. en *insérant l'auxiliaire* **être** ;
3. en *transformant le verbe principal au participe passé.*

Le sujet devient alors complément d'agent et le complément direct devient sujet du verbe à la voix passive. *Seuls les verbes transitifs directs peuvent être conjugués à la voix passive.* Les verbes transitifs indirects, intransitifs et pronominaux ne peuvent pas être conjugués à la voix passive (exception faite des verbes transitifs indirects **désobéir, obéir** et **pardonner,** qui ont déjà été transitifs directs).

Le policier **arrête** le voleur. → Le voleur **est arrêté** par le policier.
La ministre **signe** cette dispense. → Cette dispense **a été signée** par la ministre.

APPLICATION IMMÉDIATE

A

A. Mettez les phrases suivantes à la voix passive.

1. L'étudiant réussira ce cours. __________
2. La kayakiste a réussi son esquimautage. __________
3. L'oiseau mange le ver. __________

A

B. Mettez les phrases suivantes à la forme passive.

1. Mon cheval a mangé toutes les pommes. __________
2. Les pompiers ont éteint le feu. __________
3. Des bombes ont détruit la ville. __________
4. Le vétérinaire a examiné mon chien. __________
5. Votre travail vous absorbe. __________

PRÉCISIONS

- Quand **on** est le sujet du verbe actif, le verbe passif *n'a pas d'agent exprimé.*

  On a construit un pont. (voix active)
  Un pont a été construit. (voix passive)

- L'agent peut être introduit par **de** (au lieu de **par**) quand le verbe exprime *une situation statique, un état.*

  Il est aimé **de** tous ses amis.

- Ne confondez pas *une action* exprimée par un verbe au passif (qui comporte un complément d'agent) et *un état* exprimé par le verbe **être** + *adjectif.*

La porte est ouverte par le professeur. (*action* faite par le professeur)
≠ La porte est ouverte. (*état* de la porte, qui n'est pas fermée)

APPLICATION IMMÉDIATE

C. Mettez les phrases suivantes à la forme passive. **A**

1. L'arbitre annonce le début de la partie. ____________________
2. On conduit les visiteurs à travers le campus. ____________________
3. Samuel a gagné la course. ____________________
4. Ces petits-enfants aiment leurs grands-parents. ____________________
5. La classe salue le nouvel enseignant. ____________________

D. Complétez avec **par** ou **de.** **C**

1. Cette patineuse est admirée ____________ son public.
2. Les enfants perdus ont été retrouvés ____________ un garde-forestier.
3. Neil Young est encore apprécié ____________ ses auditeurs.
4. Notre maison a été construite ____________ mes grands-parents.
5. Tu es respecté ____________ tout le monde.

ÉVITER LE PASSIF

Le passif est employé plus souvent en anglais qu'en français. En français, on l'évite autant que possible, notamment dans les situations suivantes :

- *Quand l'agent est exprimé;* on emploie la voix active à la place de la voix passive, sauf s'il y a emphase sur le complément direct.

Tout l'argent a été dépensé par les gestionnaires.
→ Les gestionnaires ont dépensé tout l'argent.
(Sauf si on veut attirer l'attention sur **tout l'argent.**)

- *Quand l'agent n'est pas exprimé;* si l'agent non exprimé est une personne, on remplace la voix passive par la voix active avec le sujet **on.** Mais si l'agent non exprimé est une chose, on garde le passif.

Ma maison peut être aperçue du haut de la côte. (par des gens)
→ **On peut** apercevoir ma maison du haut de la côte. (voix active préférable)
mais : En chassant, j'ai été blessé au bras. (par un fusil ; on garde la voix passive)

PRÉCISIONS

Certains verbes transitifs directs en anglais sont transitifs indirects en français; on ne peut alors employer le passif en français et on emploie la forme **on** + *verbe actif.*

On a vendu la maison. (« The house was sold. »)

- *Quand une action habituelle, commune ou connue est exprimée et que le sujet du verbe est une chose;* on emploie alors la forme pronominale du verbe (voir chapitre 25, p. 349) à la place du passif.

  Le sirop **se récolte** au printemps. (plutôt que « Le sirop est récolté au printemps. »)
  Le vin rouge **se boit** chambré. (plutôt que « Le vin rouge est bu chambré. »)
  Ça ne **se dit** pas. (plutôt que « Ça n'est pas dit. »)
  Le français **se parle** dans plus de 100 pays. (plutôt que « Le français est parlé dans plus de 100 pays. »)
- On accepte cependant la formulation passive dans certains domaines spécialisés comme les sciences.

APPLICATION IMMÉDIATE

A

E. Évitez le passif dans les phrases suivantes quand c'est possible.

1. Vous êtes appréciée de tout le monde. ______
2. Ce poisson est mangé cru. ______
3. La banque a encore été dévalisée. ______
4. La ville a été inondée. ______
5. Nous sommes dérangés par le bruit. ______
6. Je suis gêné par votre manque de tolérance. ______
7. Il faut que la rue soit déblayée. ______
8. Le dessert va être servi. ______
9. Le gigot d'agneau est mangé saignant. ______
10. Il est aimé de tous. ______

EN RÉSUMÉ...

- La phrase passive permet de mettre l'accent sur l'être ou l'objet qui subit l'action d'un verbe plutôt que sur l'agent. Elle permet aussi d'éviter des structures parfois trop lourdes.
- On devrait généralement tenter d'éviter la voix passive.

EXERCICE RÉCAPITULATIF

Reprenez le résumé de conférence suivant en le transformant quand c'est possible à la voix active. Corrigez la syntaxe au besoin et faites les accords qui s'imposent.

> Notre présentation résume les recherches en cours sur la perception des couleurs dans notre laboratoire. Les sujets ont été recrutés dans les cours de psychologie d'une grande université canadienne en milieu urbain. Les sujets se sont fait présenter des séquences de trois couleurs différentes pendant 10 millisecondes par couleur et des pauses de 10 millisecondes avaient été insérées entre chaque couleur. Le temps d'identification des couleurs était mesuré par ordinateur afin de déterminer si la représentation des couleurs se fait selon les trois couleurs de base (trichromatisme) ou par opposition des couleurs. L'hypothèse d'interaction entre les deux approches théoriques est confirmée par les résultats.

4e partie : Les transformations syntaxiques

31

Le discours indirect

OBJECTIFS DU CHAPITRE

À la fin de ce chapitre, vous serez en mesure:

- de distinguer le discours direct et indirect;
- de savoir utiliser les expressions de temps relatives au discours indirect;
- d'exprimer une affirmation, une question ou un ordre au discours indirect.

Le discours indirect permet de rapporter les paroles d'autrui sans les citer directement. Il faut savoir que le temps des verbes de la phrase citée doit habituellement être changé lorsqu'on passe du discours direct au discours indirect. Les paroles d'une personne peuvent être rapportées sous *la forme d'une citation entre guillemets*; c'est *le discours direct* (ou *style direct*).

Il m'a dit: « Vous avez l'air fatigué. »

Elles peuvent aussi être rapportées sous *la forme d'une proposition subordonnée*; c'est *le discours indirect* (ou style indirect).

Il m'a dit que vous aviez l'air fatigué.

Dans le changement du discours direct en discours indirect, trois cas se présentent selon la forme de la citation du discours direct:

1. phrase déclarative;
2. ordre (à l'impératif);
3. interrogation.

On distingue le discours indirect *au présent* et le discours indirect *au passé*.

PHRASE DÉCLARATIVE

Au discours indirect, la phrase déclarative est introduite par **que.**

Discours indirect au présent

Quand le verbe de la proposition principale est *au présent, les temps des verbes de la citation ne changent pas* au discours indirect. *Répétez* **que** devant chaque proposition subordonnée.

Elle dit : « Il fera beau demain et nous pourrons sortir. »
Elle dit **qu'**il fera beau demain et **que** nous pourrons sortir.

Les pronoms et les déterminants possessifs peuvent changer de personne.

Elle me dit : « Tu devrais venir me montrer tes tableaux plus souvent. »
Elle me dit **que** je devrais venir **lui** montrer **mes** tableaux plus souvent.

Discours indirect au passé

- Quand le verbe de la proposition principale est *au passé, les temps des verbes de la citation changent* au discours indirect. Les expressions de temps changent aussi. Les pronoms et les déterminants possessifs peuvent changer, comme au présent.
- Le rapport entre le temps du verbe de la proposition subordonnée et le temps du verbe de la proposition principale dont il dépend s'appelle *la concordance des temps*. Il faut parfois modifier la concordance des temps dans le discours indirect. Les temps qui ont déjà les terminaisons **ais, ais, ait, ions, iez** et **aient** (*l'imparfait, le plus-que-parfait, les conditionnels* présent et passé) ne changent pas, mais les autres temps de l'indicatif changent.

Concordance des temps		
présent	→	imparfait
passé composé	→	plus-que-parfait
futur	→	conditionnel présent
futur antérieur	→	conditionnel passé

Je lui ai dit : « Vous **aurez** peut-être de la chance. »
→ Je lui ai dit qu'il **aurait** peut-être de la chance.
Il pensait : « Ils **ont gagné** et ils le **méritaient**. »
→ Il pensait qu'ils **avaient gagné** et qu'ils le **méritaient.**

Le subjonctif ne change pas, puisqu'il dépend du même verbe dans les deux types de discours.

- *Les expressions de temps* dans le discours indirect sont maintenant *relatives au passé* (voir le tableau, p. 413).

LES EXPRESSIONS DE TEMPS DANS LE PRÉSENT ET DANS LE PASSÉ

Expressions relatives au présent	Expressions relatives au passé
maintenant, en ce moment	à ce moment-là, alors
aujourd'hui	ce jour-là (pour un jour du passé)
hier (le jour avant aujourd'hui)	la veille (le jour avant ce jour-là)
demain (le jour après aujourd'hui)	le lendemain (le jour après ce jour-là)
ce matin, ce soir, cette semaine, cette année	ce matin-là, ce soir-là, cette semaine-là, cette année-là
la semaine prochaine (la semaine après cette semaine)	la semaine suivante (la semaine après cette semaine-là)
la semaine dernière ou passée (la semaine avant cette semaine)	la semaine précédente (la semaine avant cette semaine-là)

La semaine dernière vous m'avez dit : « **Hier**, il est resté en ville très **tard** et **aujourd'hui**, il a sommeil. »
→ La semaine dernière vous m'avez dit que **la veille** il était resté en ville très tard et que **ce jour-là**, il avait sommeil.
Ma mère m'avait dit : « **L'année prochaine**, tu dois travailler. »
→ Ma mère m'avait dit **que l'année suivante**, je devais travailler.

APPLICATION IMMÉDIATE

B

A. Mettez les phrases suivantes en discours indirect.

1. Je lui répète : « Tu devras bientôt choisir un métier. » (*verbe principal au présent*)

   ____

2. Il lui avait dit : « Maintenant je ne peux pas vous répondre ; demain ce sera peut-être possible. » (*verbe principal au passé*)

   ____

B

B. Mettez les phrases déclaratives suivantes en discours indirect et faites les changements nécessaires. Remarquez si le verbe principal est au présent ou au passé.

Modèle : Il a dit : « Je serai là à deux heures. »
→ Il a dit qu'il serait là à deux heures.

1. Il pensait tout haut : « Je vais recevoir une augmentation la semaine prochaine ! » ______________________________

   ____

2. Le père dit à son fils : « Tu n'iras pas en classe aujourd'hui parce que tu as de la fièvre. » ____________________
3. Mon ami me dit : « Vous aviez raison et vous auriez dû insister. » ____________________
4. Le professeur disait aux étudiants : « Je veux vos travaux demain à la première heure. » ____________________
5. Elle a déclaré aux journalistes : « Je retire ma candidature et je n'appuie aucun autre candidat. » ____________________

B

C. Mettez les phrases suivantes en discours direct et faites les changements nécessaires.

Modèle : J'ai dit qu'il fallait s'en occuper à ce moment-là.
→ J'ai dit : « Il faut s'en occuper maintenant. »

1. Vous m'avez demandé à qui j'avais parlé. ____________________
2. Il a dit de lui envoyer des cartes postales. ____________________
3. Elle me dit que j'aurais dû la prévenir immédiatement. ____________________
4. Tristan répétait souvent qu'il était heureux avec ses parents. ____________________
5. Il lui demande ce que veut dire le mot « souffleuse ». ____________________

ORDRE À L'IMPÉRATIF

Au discours indirect, *l'impératif devient un infinitif* introduit par **de.**

(verbe principal au présent)
Le professeur dit : « **Préparez** l'exercice numéro 3. »
→ Le professeur dit **de préparer** l'exercice numéro 3.
(verbe principal au passé)
Elle a ordonné : « **Cessez** ce bruit tout de suite ! »
→ Elle a **ordonné de** cesser ce bruit tout de suite.

L'impératif peut aussi devenir un subjonctif introduit par **que.** Cette structure dénote un doute quant à la réalisation de l'ordre.

Il demande : « **Partez** les premiers. »
→ Il demande **que** nous **partions** les premiers.

APPLICATION IMMÉDIATE

B

D. Mettez les ordres suivants en discours indirect et faites les changements nécessaires.

1. Ma grand-mère me demande : « Écris-nous plus souvent. » ______________
2. Vous nous aviez dit : « Tapez votre travail à l'ordinateur et utilisez un correcteur automatique. » ______________

C

E. Mettez les ordres suivants en discours indirect et faites les changements nécessaires.

1. Les parents disent à leurs enfants : « Soyez gentils : conduisez-vous bien. » ______________
2. Je vous ai rappelé : « N'oubliez pas d'apporter les photos. » ______________
3. Il nous a écrit : « Envoyez-moi de l'argent demain parce que je n'en ai plus. » ______________
4. Elle nous a suggéré : « Allez à la cafétéria et prenez un bon café corsé. » ______________
5. Notre patron nous recommande souvent : « Suivez les directives sur vos feuilles. » ______________

INTERROGATION DANS LE DISCOURS INDIRECT

Au discours indirect, *une interrogation directe devient une interrogation indirecte*. Il n'y a pas de point d'interrogation à la fin d'une phrase interrogative indirecte. La forme interrogative de la citation (avec **est-ce que** ou l'inversion) disparait ; *l'ordre des mots est donc celui d'une phrase déclarative*.

Je vous demande : « Comment allez-vous ? »
(*ou* « Comment est-ce que vous allez ? »)
Je vous demande **comment vous allez.**

Les changements de pronoms, de déterminants possessifs, de temps de verbes et d'expressions de temps sont les mêmes que pour la phrase déclarative.

(verbe principal au présent)
Je lui demande : « Pourquoi prendras-tu ta décision demain ? »
→ Je lui demande pourquoi il prendra sa décision demain.
(verbe principal au passé)
Je lui ai demandé : « Pourquoi prendras-tu ta décision demain ? »
→ Je lui ai demandé pourquoi il prendrait sa décision le lendemain.

Il y a deux sortes de phrases interrogatives directes : celles qui demandent une réponse affirmative ou négative et celles qui demandent des renseignements spécifiques (voir chapitre 29, p. 396 à 401).

1. Pour *les phrases interrogatives qui demandent une réponse affirmative ou négative*, la question indirecte est introduite par **si** avec **(se) demander**.

   (verbe principal au présent)
   Tu me demandes : « As-tu fait un bon voyage ? »
   → Tu me demandes si j'ai fait un bon voyage.
   (verbe principal au passé)
   Elle m'a demandé : « Est-ce que je vous ai donné la note de votre examen ? »
   → Elle m'a demandé si elle m'avait donné la note de mon examen.

ATTENTION

Ce **si** (« whether ») est le **si** *d'interrogation indirecte*, qu'il ne faut pas confondre avec le **si** *de condition* d'une phrase conditionnelle.

Je lui ai demandé **si** elle voulait du chocolat. (interrogation indirecte)
Si elle avait voulu du chocolat, elle me l'aurait dit. (phrase conditionnelle)

2. Pour les *phrases interrogatives qui demandent des renseignements spécifiques.*

   - *La question indirecte commence par un adverbe interrogatif* **(combien, comment, où, pourquoi, quand)**, comme dans la question directe.

     Il m'a demandé : « **Où** allez-vous ? »
     → Il m'a demandé **où** j'allais.

   - *La question indirecte commence par* **quel** *ou* **lequel** comme dans la question directe.

     J'ai demandé : « **Quelle** heure est-il et à **quelle** heure faudra-t-il partir ? »
     → J'ai demandé **quelle** heure il était et à **quelle** heure il faudrait partir.
     Il a demandé : « **Lequel** veux-tu ? »
     → Il m'a demandé **lequel** je voulais.

   - *La question indirecte commence par un pronom interrogatif invariable.* Les pronoms interrogatifs invariables du discours direct (revoir tableau chapitre 29, p. 400) *changent au discours indirect* de la façon suivante :

LES PRONOMS INTERROGATIFS INVARIABLES AU DISCOURS INDIRECT

Personnes		Choses	
Discours direct	Discours indirect	Discours direct	Discours indirect
qui, qui est-ce qui (S)	*qui* (S)	*qu'est-ce qui* (S)	*ce qui* (S)
qui, qui est-ce que (CD)	*qui* (CD)	*que, qu'est-ce que* (CD)	*ce que* (CD)
qui, qui est-ce que (CP)	*qui* (CP)	*quoi, quoi est-ce que* (CP)	*quoi* (CP)

S = Sujet CD = Complément direct CP = Complément d'une préposition

Elle m'a demandé : « **Qui est-ce qui est là ?** »
→ Elle m'a demandé **qui** était là. (personne : *sujet*)
Je voudrais bien savoir : « **Qui** connait-elle et à **qui** pense-t-elle ? »
→ Je voudrais bien savoir **qui** elle connait et à **qui** elle pense.
(personne : *complément direct et complément d'une préposition*)
Je t'ai demandé : « **Que** penses-tu de la révolution ? »
→ Je t'ai demandé **ce que** tu pensais de la révolution.
(chose : *complément direct*)
Je lui ai demandé : « Contre **quoi est-ce que** ces gens protestent ? »
→ Je lui ai demandé contre **quoi** ces gens protestaient.
(chose : *complément d'une préposition*)

ATTENTION

N'employez jamais **qu'est-ce qui** ou **qu'est-ce que** dans une interrogation indirecte, seulement dans une interrogation directe.

Qu'est-ce qu'on pourrait apporter ? (interrogation directe)
Je ne sais pas **ce qu'**on pourrait apporter. (interrogation indirecte)

APPLICATION IMMÉDIATE

B

F. Mettez les questions suivantes en discours indirect.

1. Je te demande : « As-tu fini ta dissertation ? » ______________________________
2. Il se demandait : « Pourquoi est-ce qu'elle est si impatiente ? » ______________________________
3. Elle me redemandait : « Laquelle devrais-je porter ? » ______________________________
4. Je vous avais demandé : « De quoi avez-vous parlé aujourd'hui ? » ______________________________
5. Je voudrais savoir : « Qu'est-ce qu'elle t'a dit ? » ______________________________

B

G. Complétez les interrogations indirectes suivantes avec un pronom interrogatif (et une préposition si elle est nécessaire).

1. Je voudrais savoir __________ vous votez. (*personne*)
2. Il ne sait pas __________ sert cet outil.
3. Je n'ose imaginer __________ il pensait quand il a écrit ce poème. (*chose*)
4. Il m'a dit __________ il voulait dédier son poème. (*personne*)
5. Nous n'avons pas compris __________ il parlait. (*chose*)

B

H. Finissez les phrases interrogatives indirectes suivantes en employant un pronom invariable : **qui, ce qui, ce que, quoi.**

1. Il ne savait pas… ______________________________
2. Nous voudrions bien savoir… ______________________________
3. Elle se demande… ______________________________
4. Je n'ai pas compris… ______________________________
5. J'ignore… ______________________________

PASSER DU DISCOURS DIRECT AU DISCOURS INDIRECT

Pour mettre un paragraphe entier en discours indirect, il faut ajouter des verbes variés comme **dire, déclarer, ajouter, suggérer, demander, insister, répondre, répéter, expliquer, remarquer,** etc. Certains mots propres au style direct oral disparaissent : **hein, à propos, eh bien**, etc. Notez les transformations nécessaires au passage du discours direct au discours indirect dans l'extrait suivant.

Discours direct

« Aujourd'hui, maman est morte. Ou peut-être hier, je ne sais pas. J'ai reçu un télégramme de l'asile: "Mère décédée. Enterrement demain. Sentiments distingués." Cela ne veut rien dire. C'était peut-être hier. L'asile de vieillards est à Marengo, à quatre-vingts kilomètres d'Alger. Je prendrai l'autobus à deux heures et j'arriverai dans l'après-midi. Ainsi, je pourrai veiller et je rentrerai demain soir. »

L'étranger, Albert Camus.

Discours indirect au passé

L'auteur annonce que sa mère est morte ce jour-là. Ou peut-être était-ce la veille, il ne savait pas. Il dit qu'il a reçu un télégramme de l'asile qui l'en informait ainsi: « Mère décédée. Enterrement demain. Sentiments distingués. » Il affirme que ce message ne veut rien dire et que c'était peut-être la veille. Il poursuit en précisant que l'asile de vieillards est à Marengo, à quatre-vingts kilomètres d'Alger, et qu'il prendra l'autobus à deux heures pour arriver en après-midi. Il ajoute qu'ainsi, il pourra veiller et rentrer le lendemain soir.

APPLICATION IMMÉDIATE

I. Mettez le passage suivant en discours indirect. Ajoutez les verbes **expliquer, déclarer**, etc. **B**

> Il se tourna vers les autres [et dit].
> « Ne confonds point l'amour avec le délire de la possession, lequel apporte les pires souffrances. Car au contraire de l'opinion commune, l'amour ne fait point souffrir. Mais l'instinct de propriété fait souffrir, qui est le contraire de l'amour. »

Citadelle, Antoine de Saint-Exupéry.

J. Mettez le passage suivant en discours indirect au passé. Employez les verbes **dire, expliquer, ajouter, déclarer, remarquer, demander,** etc. **B**

> « La notion d'obligation prime celle de droit, qui lui est subordonnée et relative. Un droit n'est pas efficace par lui-même, mais seulement par l'obligation à laquelle il correspond; l'accomplissement effectif d'un droit provient non pas de celui qui le possède, mais des autres hommes qui se reconnaissent obligés à quelque chose envers lui. L'obligation est efficace dès qu'elle est reconnue. Une obligation ne serait-elle reconnue par personne, elle ne perd rien de la plénitude de son être. Un droit qui n'est reconnu par personne n'est pas grand-chose. »

L'enracinement, Simone Weil.

EN RÉSUMÉ...

- Le discours indirect sert à rapporter les paroles d'une personne sans les citer directement.
- Le temps du verbe de la citation ne change pas au présent, mais il doit changer selon des règles bien établies aux temps du passé.
- De plus, l'impératif de la citation en discours direct est remplacé par **de** et l'infinitif dans le discours indirect. Il faut aussi transformer l'interrogation directe en interrogation indirecte lorsqu'on passe du discours direct au discours indirect.

EXERCICES RÉCAPITULATIFS

A. *Vous êtes allé(e) au bureau d'un de vos professeurs parce que vous aviez quelques questions à lui poser. Racontez la conversation animée qui a eu lieu entre vous, en discours indirect au passé. Employez des verbes comme* ***demander, expliquer, répondre, ajouter, dire, suggérer,*** *etc.*

B. *Mettez le passage suivant en discours indirect au passé. Employez les verbes* ***dire, déclarer, penser, conseiller,*** *etc.*

L'homme n'est qu'un roseau, le plus faible de la nature ; mais c'est un roseau pensant. Il ne faut pas que l'univers entier s'arme pour l'écraser : une vapeur, une goutte d'eau, suffit pour le tuer... Toute notre dignité consiste donc en la pensée. C'est de là qu'il faut nous relever et non de l'espace et de la durée, que nous ne saurions remplir. Travaillons donc à bien penser ; voilà le principe de la morale.

Pensées, Blaise Pascal.

APPENDICE

A

Les tableaux de conjugaison

Verbe du 1er groupe : **aimer**

MODES	TEMPS SIMPLES	TEMPS COMPOSÉS
infinitif	*présent* aimer	*passé* avoir aimé
indicatif	*présent* aime aimons aimes aimez aime aiment *imparfait* aimais aimions aimais aimiez aimait aimaient *passé simple* aimai aimâmes aimas animates aima aimèrent *futur* aimerai aimerons aimeras aimerez aimera aimeront *conditionnel présent* aimerais aimerions aimerais aimeriez aimerait aimeraient	*passé composé* ai aimé avons aimé as aimé avez aimé a aimé ont aimé *plus-que-parfait* avais aimé avions aimé avais aimé aviez aimé avait aimé avaient aimé **— littéraires —** *passé antérieur* eus aimé eûmes aimé eus aimé eûtes aimé eut aimé eurent aimé *futur antérieur* aurai aimé aurons aimé auras aimé aurez aimé aura aimé auront aimé *conditionnel passé* aurais aimé aurions aimé aurais aimé auriez aimé aurait aimé auraient aimé
impératif	*présent* aime, aimons, aimez	*passé* aie aimé, ayons aimé, ayez aimé
subjonctif	*présent* aime aimions aimes aimiez aime aiment *imparfait* aimasse aimassions aimasses aimassiez aimât aimassent	*passé* aie aimé ayons aimé aies aimé ayez aimé ait aimé aient aimé **— littéraires —** *plus-que-parfait* eusse aimé eussions aimé eusses aimé eussiez aimé eût aimé eussent aimé
participe	*présent* aimant *passé* aimé, ée	*passé composé* ayant aimé

Verbe du 2e groupe : **finir**

MODES	TEMPS SIMPLES		TEMPS COMPOSÉS	
infinitif	*présent*		*passé*	
	finir		avoir fini	
indicatif	*présent*		*passé composé*	
	finis	finissons	ai fini	avons fini
	finis	finissez	as fini	avez fini
	finit	finissent	a fini	ont fini
	imparfait		*plus-que-parfait*	
	finissais	finissions	avais fini	avions fini
	finissais	finissiez	avais fini	aviez fini
	finissait	finissaient	avait fini	avaient fini
	— littéraires —			
	passé simple		*passé antérieur*	
	finis	finîmes	eus fini	eûmes fini
	finis	finîtes	eus fini	eûtes fini
	finit	finirent	eut fini	eurent fini
	futur		*futur antérieur*	
	finirai	finirons	aurai fini	aurons fini
	finiras	finirez	auras fini	aurez fini
	finira	finiront	aura fini	auront fini
	conditionnel présent		*conditionnel passé*	
	finirais	finirions	aurais fini	aurions fini
	finirais	finiriez	aurais fini	auriez fini
	finirait	finiraient	aurait fini	auraient fini
impératif	*présent*		*passé*	
	finis, finissons, finissez		aie fini, ayons fini, ayez fini	
subjonctif	*présent*		*passé*	
	finisse	finissions	aie fini	ayons fini
	finisses	finissiez	aies fini	ayez fini
	finisse	finissent	ait fini	aient fini
	— littéraires —			
	imparfait		*plus-que-parfait*	
	finisse	finissions	eusse fini	eussions fini
	finisses	finissiez	eusses fini	eussiez fini
	finît	finissent	eût fini	eussent fini
participe	*présent*			
	finissant			
	passé		*passé composé*	
	fini, ie		ayant fini	

Verbe **avoir**

MODES	TEMPS SIMPLES			TEMPS COMPOSÉS	
infinitif	*présent* avoir			*passé* avoir eu	
indicatif	*présent*			*passé composé*	
	ai	avons		ai eu	avons eu
	as	avez		as eu	avez eu
	a	ont		a eu	ont eu
	imparfait			*plus-que-parfait*	
	avais	avions		avais eu	avions eu
	avais	aviez		avais eu	aviez eu
	avait	avaient		avait eu	avaient eu
	passé simple		**— littéraires —**	*passé antérieur*	
	eus	eûmes		eus eu	eûmes eu
	eus	eûtes		eus eu	eûtes eu
	eut	eurent		eut eu	eurent eu
	futur			*futur antérieur*	
	aurai	aurons		aurai eu	aurons eu
	auras	aurez		auras eu	aurez eu
	aura	auront		aura eu	auront eu
	conditionnel présent			*conditionnel passé*	
	aurais	aurions		aurais eu	aurions eu
	aurais	auriez		aurais eu	auriez eu
	aurait	auraient		aurait eu	auraient eu
impératif	*présent* aie, ayons, ayez			*passé* aie eu, ayons eu, ayez eu	
subjonctif	*présent*			*passé*	
	aie	ayons		aie eu	ayons eu
	aies	ayez		aies eu	ayez eu
	ait	aient		ait eu	aient eu
	imparfait		**— littéraires —**	*plus-que-parfait*	
	eusse	eussions		eusse eu	eussions eu
	eusses	eussiez		eusses eu	eussiez eu
	eût	eussent		eût eu	eussent eu
participe	*présent* ayant				
	passé eu, ue			*passé composé* ayant eu	

Verbe **être**

MODES	TEMPS SIMPLES		TEMPS COMPOSÉS	
infinitif	*présent*		*passé*	
	être		avoir été	
indicatif	*présent*		*passé composé*	
	suis	sommes	ai été	avons été
	es	êtes	as été	avez été
	est	sont	a été	ont été
	imparfait		*plus-que-parfait*	
	étais	étions	avais été	avions été
	étais	étiez	avais été	aviez été
	était	étaient	avait été	avaient été
	passé simple	— **littéraires** —	*passé antérieur*	
	fus	fûmes	eus été	eûmes été
	fus	fûtes	eus été	eûtes été
	fut	furent	eut été	eurent été
	futur		*futur antérieur*	
	serai	serons	aurai été	aurons été
	seras	serez	auras été	aurez été
	sera	seront	aura été	auront été
	conditionnel présent		*conditionnel passé*	
	serais	serions	aurais été	aurions été
	serais	seriez	aurais été	auriez été
	serait	seraient	aurait été	auraient été
impératif	*présent*		*passé*	
	sois, soyons, soyez		aie été, ayons été, ayez été	
subjonctif	*présent*		*passé*	
	sois	soyons	aie été	ayons été
	sois	soyez	aies été	ayez été
	soit	soient	ait été	aient été
	imparfait	— **littéraires** —	*plus-que-parfait*	
	fusse	fussions	eusse été	eussions été
	fusses	fussiez	eusses été	eussiez été
	fût	fussent	eût été	eussent été
participe	*présent*			
	étant			
	passé		*passé composé*	
	été		ayant été	

Verbe du 3e groupe : **vendre**

MODES	TEMPS SIMPLES		TEMPS COMPOSÉS	
infinitif	*présent*		*passé*	
	vendre		avoir vendu	
indicatif	*présent*		*passé composé*	
	vends	vendons	ai vendu	avons vendu
	vends	vendez	as vendu	avez vendu
	vend	vendent	a vendu	ont vendu
	imparfait		*plus-que-parfait*	
	vendais	vendions	avais vendu	avions vendu
	vendais	vendiez	avais vendu	aviez vendu
	vendait	vendaient	avait vendu	avaient vendu
	passé simple	**— littéraires —**	*passé antérieur*	
	vendis	vendîmes	eus vendu	eûmes vendu
	vendis	vendîtes	eus vendu	eûtes vendu
	vendit	vendirent	eut vendu	eurent vendu
	futur		*futur antérieur*	
	vendrai	vendrons	aurai vendu	aurons vendu
	vendras	vendrez	auras vendu	aurez vendu
	vendra	vendront	aura vendu	auront vendu
	conditionnel présent		*conditionnel passé*	
	vendrais	vendrions	aurais vendu	aurions vendu
	vendrais	vendriez	aurais vendu	auriez vendu
	vendrait	vendraient	aurait vendu	auraient vendu
impératif	*présent*		*passé*	
	vends, vendons, vendez		aie vendu, ayons vendu, ayez vendu	
subjonctif	*présent*		*passé*	
	vende	vendions	aie vendu	ayons vendu
	vendes	vendiez	aies vendu	ayez vendu
	vende	vendent	ait vendu	aient vendu
	imparfait	**— littéraires —**	*plus-que-parfait*	
	vendisse	vendissions	eusse vendu	eussions vendu
	vendisses	vendissiez	eusses vendu	eussiez vendu
	vendît	vendissent	eût vendu	eussent vendu
participe	*présent*			
	vendant			
	passé		*passé composé*	
	vendu, ue		ayant vendu	

INFINITIF et PARTICIPES	**INDICATIF**				
	Présent	**Imparfait**	**Passé composé**	**Passé simple**	**Futur**
acquérir acquérant acquis, ise	j'acquiers tu acquiers il acquiert nous acquérons vous acquérez ils acquièrent	j'acquérais	j'ai acquis	j'acquis	j'acquerrai
		Plus-que-parfait	**Passé surcomposé**	**Passé antérieur**	**Futur antérieur**
		j'avais acquis	j'ai eu acquis	j'eus acquis	j'aurai acquis
aller allant allé, ée	vais vas va allons allez vont	allais	suis allé(e)	allai	irai
		étais allé(e)	ai été allé(e)	fus allé(e)	serai allé(e)
s'assoir (1) s' asseyant s'étant assis, ise	m'assieds t'assieds s'assied nous asseyons vous asseyez s'asseyent	m'asseyais	me suis assis(e)	m'assis	m'assiérai
		m'étais assis(e)		me fus assis(e)	me serai assis(e)
(2) s'assoyant	m'assois t'assois s'assoit nous assoyons vous assoyez s'assoient	m'assoyais			m'assoirai
battre battant battu, ue	bats bats bat battons battez battent	battais	ai battu	battis	battrai
		avais battu	ai eu battu	eus battu	aurai battu
boire buvant bu, ue	bois bois boit buvons buvez boivent	buvais	ai bu	bus	boirai
		avais bu	ai eu bu	eus bu	aurai bu
conclure concluant conclu, ue	conclus conclus conclut concluons concluez concluent	concluais	ai conclu	conclus	conclurai
		avais conclu	ai eu conclu	eus conclu	aurai conclu

	IMPÉRATIF	**SUBJONCTIF**		
Conditionnel présent	**Présent**	**Présent**	**Imparfait (littéraire)**	**Passé**
j'acquerrais	acquiers acquérons acquérez	que j'acquière que tu acquières qu'il acquière que nous acquérions que vous acquériez qu'ils acquièrent	que j'acquisse que tu acquisses qu'il acquît que nous acquissions que vous acquissiez qu'ils acquissent	que j'aie acquis
Conditionnel passé				**Plus-que-parfait (littéraire)**
j'aurais acquis				que j'eusse acquis
irais	va allons allez	aille ailles aille allions alliez aillent	allasse allasses allât allassions allassiez allassent	sois allé(e)
serais allé(e)				fusse allé(e)
m'assiérais	assieds-toi asseyons-nous asseyez-vous	m'asseye t'asseyes s'asseye nous asseyions vous asseyiez s'asseyent	m'assisse t'assisses s'assît nous assissions vous assissiez s'assissent	me sois assis(e)
me serais assis(e)				me fusse assis(e)
m'assoirais	assois-toi assoyons-nous assoyez-vous	m'assoie t'assoies s'assoie nous assoyions vous assoyiez s'assoient		
battrais	bats battons battez	batte battes batte battions battiez battent	battisse battisses battît battissions battissiez battissent	aie battu
aurais battu				eusse battu
boirais	bois buvons buvez	boive boives boive buvions buviez boivent	busse busses bût bussions bussiez bussent	aie bu
aurais bu				eusse bu
conclurais	conclus concluons concluez	conclue conclues conclue concluions concluiez concluent	conclusse conclusses conclût conclussions conclussiez conclussent	aie conclu
aurais conclu				eusse conclu

INFINITIF et PARTICIPES	**INDICATIF**				
	Présent	**Imparfait**	**Passé composé**	**Passé simple**	**Futur**
conduire conduisant conduit, te	conduis conduis conduit conduisons conduisez conduisent	conduisais	ai conduit	conduisis	conduirai
		Plus-que-parfait	**Passé surcomposé**	**Passé antérieur**	**Futur antérieur**
		avais conduit	ai eu conduit	eus conduit	aurais conduit
connaitre connaissant connu, ue	connais connais connait connaissons connaissez connaissent	connaissais	ai connu	connus	connaitrai
		avais connu	ai eu connu	eus connu	aurai connu
coudre cousant cousu, ue	couds couds coud cousons cousez cousent	cousais	ai cousu	cousis	coudrai
		avais cousu	ai eu cousu	eus cousu	aurai cousu
courir courant couru, ue	cours cours court courons courez courent	courais	ai couru	courus	courrai
		avais couru	ai eu couru	eus couru	aurai couru
craindre craignant craint, te	crains crains craint craignons craignez craignent	craignais	ai craint	craignis	craindrai
		avais craint	ai eu craint	eus craint	aurai craint
croire croyant cru, ue	crois crois croit croyons croyez croient	croyais	ai cru	crus	croirai
		avais cru	ai eu cru	eus cru	aurai cru
croître croissant crû, crue	croîs croîs croît croissons croissez croissent	croissais	ai crû	crûs	croîtrai
		avais crû	ai eu crû	eus crû	aurai crû
cueillir cueillant cueilli, ie	cueille cueilles cueille cueillons cueillez cueillent	cueillais	ai cueilli	cueillis	cueillerai
		avais cueilli	ai eu cueilli	eus cueilli	aurai cueilli

	IMPÉRATIF	**SUBJONCTIF**		
Conditionnel présent	**Présent**	**Présent**	**Imparfait (littéraire)**	**Passé**
conduirais **Conditionnel passé** aurais conduit	conduis conduisons conduisez	conduise conduises conduise conduisions conduisiez conduisent	conduisisse conduisisses conduisît conduisissions conduisissiez conduisissent	aie conduit **Plus-que-parfait (littéraire)** eusse conduit
connaitrais aurais connu	connais connaissons connaissez	connaisse connaisses connaisse connaissions connaissiez connaissent	connusse connusses connût connussions connussiez connussent	aie connu eusse connu
coudrais aurais cousu	couds cousons cousez	couse couses couse cousions cousiez cousent	cousisse cousisses cousît cousissions cousissiez cousissent	aie cousu eusse cousu
courrais aurais couru	cours courons courez	coure coures coure courions couriez courent	courusse courusses courût courussions courussiez courussent	aie couru eusse couru
craindrais aurais craint	crains craignons craignez	craigne craignes craigne craignions craigniez craignent	craignisse craignisses craignît craignissions craignissiez craignissent	aie craint eusse craint
croirais aurais cru	crois croyons croyez	croie croies croie croyions croyiez croient	crusse crusses crût crussions crussiez crussent	aie cru eusse cru
croîtrais aurais crû	croîs croissons croissez	croisse croisses croisse croissions croissiez croissent	crûsse crûsses crût crûssions crûssiez crûssent	aie crû eusse crû
cueillerais aurais cueilli	cueille cueillons cueillez	cueille cueilles cueille cueillions cueilliez cueillent	cueillisse cueillisses cueillît cueillissions cueillissiez cueillissent	aie cueilli eusse cueilli

INFINITIF et PARTICIPES	INDICATIF				
	Présent	**Imparfait**	**Passé composé**	**Passé simple**	**Futur**
devoir devant dû, due (dus, dues)	dois dois doit devons devez doivent	devais	ai dû	dus	devrai
		Plus-que-parfait	**Passé surcomposé**	**Passé antérieur**	**Futur antérieur**
		avais dû	ai eu dû	eus dû	aura dû
dire disant dit, ite	dis dis dit disons dites disent	disais	ai dit	dis	dirai
		avais dit	ai eu dit	eus dit	aurai dit
écrire écrivant écrit, ite	écris écris écrit écrivons écrivez écrivent	écrivais	ai écrit	écrivis	écrirai
		avais écrit	ai eu écrit	eus écrit	aurai écrit
envoyer envoyant envoyé, ée	envoie envoies envoie envoyons envoyez envoient	envoyais	ai envoyé	envoyai	enverrai
		avais envoyé	ai eu envoyé	eus envoyé	aurai envoyé
faire faisant fait, te	fais fais fait faisons faites font	faisais	ai fait	fis	ferai
		avais fait	ai eu fait	eus fait	aurai fait
falloir fallu	il faut	il fallait	il a fallu	il fallut	il faudra
		il avait fallu	il a eu fallu	il eut fallu	il aura fallu
fuir fuyant fui, ie	fuis fuis fuit fuyons fuyez fuient	fuyais	ai fui	fuis	fuirai
		avais fui	ai eu fui	eus fui	aurai fui
haïr haïssant haï, ïe	hais hais hait haïssons haïssez haïssent	haïssais	ai haï	haïs	haïrai
		avais haï	ai eu haï	eus haï	aurai haï

	IMPÉRATIF	**SUBJONCTIF**		
Conditionnel présent	**Présent**	**Présent**	**Imparfait (littéraire)**	**Passé**
devrais **Conditionnel passé** aurais dû	dois devons devez	doive doives doive devions deviez doivent	dusse dusses dût dussions dussiez dussent	aie dû **Plus-que-parfait (littéraire)** eusse dû
dirais aurais dit	dis disons dites	dise dises dise disions disiez disent	disse disses dît dissions dissiez dissent	aie dit eusse dit
écrirais aurais écrit	écris écrivons écrivez	écrive écrives écrive écrivions écriviez écrivent	écrivisse écrivisses écrivît écrivissions écrivissiez écrivissent	aie écrit eusse écrit
enverrais aurais envoyé	envoie envoyons envoyez	envoie envoies envoie envoyions envoyiez envoient	envoyasse envoyasses envoyât envoyassions envoyassiez envoyassent	aie envoyé eusse envoyé
ferais aurais fait	fais faisons faites	fasses fasses fasse fassions fassiez fassent	fisses fisses fît fissions fissiez fissent	aie fait eusse fait
il faudrait il aurait fallu	*pas d'impératif*	il faille	il fallût	il ait fallu il eût fallu
fuirais aurais fui	fuis fuyons fuyez	fuie fuies fuie fuyions fuyiez fuient	fuisse fuisses fuît fuissions fuissiez fuissent	aie fui eusse fui
haïrais aurais haï	hais haïssons haïssez	haïsse haïsses haïsse haïssions haïssiez haïssent	haïsse haïsses haït haïssions haïssiez haïssent	aie haï eusse haï

<table>
<tr><th rowspan="2">INFINITIF et PARTICIPES</th><th colspan="5">INDICATIF</th></tr>
<tr><th>Présent</th><th>Imparfait</th><th>Passé composé</th><th>Passé simple</th><th>Futur</th></tr>
<tr><td rowspan="3">lire

lisant
lu, ue</td><td rowspan="3">lis
lis
lit
lisons
lisez
lisent</td><td>lisais</td><td>ai lu</td><td>lus</td><td>lirai</td></tr>
<tr><th>Plus-que-parfait</th><th>Passé surcomposé</th><th>Passé antérieur</th><th>Futur antérieur</th></tr>
<tr><td>avais lu</td><td>ai eu lu</td><td>eus lu</td><td>aurai lu</td></tr>
<tr><td rowspan="2">mettre

mettant
mis, ise</td><td rowspan="2">mets
mets
met
mettons
mettez
mettent</td><td>mettais</td><td>ai mis</td><td>mis</td><td>mettrai</td></tr>
<tr><td>avais mis</td><td>ai eu mis</td><td>eus mis</td><td>aurai mis</td></tr>
<tr><td rowspan="2">mourir

mourant
mort, te</td><td rowspan="2">meurs
meurs
meurt
mourons
mourez
meurent</td><td>mourais</td><td>suis mort(e)</td><td>mourus</td><td>mourrai</td></tr>
<tr><td>étais mort(e)</td><td>ai été mort(e)</td><td>fus mort(e)</td><td>serai mort(e)</td></tr>
<tr><td rowspan="2">naitre

naissant
né, ée</td><td rowspan="2">nais
nais
nait
naissons
naissez
naissent</td><td>naissais</td><td>suis né(e)</td><td>naquis</td><td>naitrai</td></tr>
<tr><td>étais né(e)</td><td>ai été né(e)</td><td>fus né(e)</td><td>serai né(e)</td></tr>
<tr><td rowspan="2">ouvrir

ouvrant
ouvert, te</td><td rowspan="2">ouvre
ouvres
ouvre
ouvrons
ouvrez
ouvrent</td><td>ouvrais</td><td>ai ouvert</td><td>ouvris</td><td>ouvrirai</td></tr>
<tr><td>avais ouvert</td><td>ai eu ouvert</td><td>eus ouvert</td><td>aurai ouvert</td></tr>
<tr><td rowspan="2">peindre

peignant
peint, te</td><td rowspan="2">peins
peins
peint
peignons
peignez
peignent</td><td>peignais</td><td>ai peint</td><td>peignis</td><td>peindrai</td></tr>
<tr><td>avais peint</td><td>ai eu peint</td><td>eus peint</td><td>aurai peint</td></tr>
<tr><td rowspan="2">plaire

plaisant
plu</td><td rowspan="2">plais
plais
plait
plaisons
plaisez
plaisent</td><td>plaisais</td><td>ai plu</td><td>plus</td><td>plairai</td></tr>
<tr><td>avais plu</td><td>ai eu plu</td><td>eus plu</td><td>aurai plu</td></tr>
<tr><td rowspan="2">pleuvoir

pleuvant
plu</td><td rowspan="2">il pleut</td><td>il pleuvait</td><td>il a plu</td><td>il plut</td><td>il pleuvra</td></tr>
<tr><td>il avait plu</td><td>il a eu plu</td><td>il eut plu</td><td>il aura plu</td></tr>
</table>

	IMPÉRATIF	**SUBJONCTIF**		
Conditionnel présent	**Présent**	**Présent**	**Imparfait (littéraire)**	**Passé**
lirais	lis lisons lisez	lise lises lise lisions lisiez lisent	lusse lusses lût lussions lussiez lussent	aie lu
Conditionnel passé				**Plus-que-parfait (littéraire)**
aurais lu				eusse lu
mettrais	mets mettons mettez	mette mettes mette mettions mettiez mettent	misse misses mît missions missiez missent	aie mis
aurais mis				eusse mis
mourrais	meurs mourons mourez	meure meures meure mourions mouriez meurent	mourusse mourusses mourût mourussions mourussiez mourussent	sois mort(e)
serais mort(e)				fusse mort(e)
naitrais	nais naissons naissez	naisse naisses naisse naissions naissiez naissent	naquisse naquisses naquît naquissions naquissiez naquissent	sois né(e)
serais né(e)				fusse né(e)
ouvrirais	ouvre ouvrons ouvrez	ouvre ouvres ouvre ouvrions ouvriez ouvrent	ouvrisse ouvrisses ouvrît ouvrissions ouvrissiez ouvrissent	aie ouvert
aurais ouvert				eusse ouvert
peindrais	peins peignons peignez	peigne peignes peigne peignions peigniez peignent	peignisse peignisses peignît peignissions peignissiez peignissent	aie peint
aurais peint				eusse peint
plairais	plais plaisons plaisez	plaise plaises plaise plaisions plaisiez plaisent	plusse plusses plût plussions plussiez plussent	aie plu
aurais plu				eusse plu
il pleuvrait	*pas d'impératif*	il pleuve	il plût	il ait plu
il aurait plu				il eût plu

INFINITIF et PARTICIPES	**INDICATIF**				
	Présent	**Imparfait**	**Passé composé**	**Passé simple**	**Futur**
pouvoir pouvant pu	peux, puis peux peut pouvons pouvez peuvent	pouvais	ai pu	pus	pourrai
		Plus-que-parfait	**Passé surcomposé**	**Passé antérieur**	**Futur antérieur**
		avais pu	ai eu pu	eus pu	aurai pu
prendre prenant pris, ise	prends prends prend prenons prenez prennent	prenais	ai pris	pris	prendrai
		avais pris	ai eu pris	eus pris	aurai pris
recevoir recevant reçu, ue	reçois reçois reçoit recevons recevez reçoivent	recevais	ai reçu	reçus	recevrai
		avais reçu	ai eu reçu	eus reçu	aurai reçu
résoudre résolvant résolu, ue	résous résous résout résolvons résolvez résolvent	résolvais	ai résolu	résolus	résoudrai
		avais résolu	ai eu résolu	eus résolu	aurai résolu
rire riant ri	ris ris rit rions riez rient	riais	ai ri	ris	rirai
		avais ri	ai eu ri	eus ri	aurai ri
savoir sachant su, ue	sais sais sait savons savez savent	savais	ai su	sus	saurai
		avais su	ai eu su	eus su	aurai su
suffire suffisant suffi	suffis suffis suffit suffisons suffisez suffisent	suffisais	ai suffi	suffis	suffirai
		avais suffi	ai eu suffi	eus suffi	aurai suffi
suivre suivant suivi, ie	suis suis suit suivons suivez suivent	suivais	ai suivi	suivis	suivrai
		avais suivi	ai eu suivi	eus suivi	aurai suivi

		IMPÉRATIF	SUBJONCTIF			
Conditionnel présent	**Conditionnel passé**	**Présent**	**Présent**	**Imparfait (littéraire)**	**Passé**	**Plus-que-parfait (littéraire)**
pourrais	aurais pu	*pas d'impératif*	puisse puisses puisse puissions puissiez puissent	pusse pusses pût pussions pussiez pussent	aie pu	eusse pu
prendrais	aurais pris	prends prenons prenez	prenne prennes prenne prenions preniez prennent	prisse prisses prît prissions prissiez prissent	aie pris	eusse pris
recevrais	aurais reçu	reçois recevons recevez	reçoive reçoives reçoive recevions receviez reçoivent	reçusse reçusses reçût reçussions reçussiez reçussent	aie reçu	eusse reçu
résoudrais	aurais résolu	résous résolvons résolvez	résolve résolves résolve résolvions résolviez résolvent	résolusse résolusses résolût résolussions résolussiez résolussent	aie résolu	eusse résolu
rirais	aurais ri	ris rions riez	rie ries rie riions riiez rient	risse risses rît rissions rissiez rissent	aie ri	eusse ri
saurais	aurais su	sache sachons sachez	sache saches sache sachions sachiez sachent	susse susses sût sussions sussiez sussent	aie su	eusse su
suffirais	aurais suffi	suffis suffisons suffisez	suffise suffises suffise suffisions suffisiez suffisent	suffisse suffisses suffît suffissions suffissiez suffissent	aie suffi	eusse suffi
suivrais	aurais suivi	suis suivons suivez	suive suives suive suivions suiviez suivent	suivisse suivisses suivît suivissions suivissiez suivissent	aie suivi	eusse suivi

INFINITIF et PARTICIPES	INDICATIF				
	Présent	**Imparfait**	**Passé composé**	**Passé simple**	**Futur**
tenir tenant tenu, ue	tiens tiens tient tenons tenez tiennent	tenais	ai tenu	tins	tiendrai
		Plus-que-parfait	**Passé surcomposé**	**Passé antérieur**	**Futur antérieur**
		avais tenu	ai eu tenu	eus tenu	aurai tenu
vaincre vainquant vaincu, ue	vaincs vaincs vainc vainquons vainquez vainquent	vainquais	ai vaincu	vainquis	vaincrai
		avais vaincu	ai eu vaincu	eus vaincu	aurai vaincu
valoir valant valu, ue	vaux vaux vaut valons valez valent	valais	ai valu	valus	vaudrai
		avais valu	ai eu valu	eus valu	aurai valu
venir venant venu, ue	viens viens vient venons venez viennent	venais	suis venu(e)	vins	viendrai
		étais venu(e)	ai été venu(e)	fus venu(e)	serai venu(e)
vêtir vêtant vêtu, ue	vêts vêts vêt vêtons vêtez vêtent	vêtais	ai vêtu	vêtis	vêtirai
		avais vêtu	ai eu vêtu	eus vêtu	aurai vêtu
vivre vivant vécu, ue	vis vis vit vivons vivez vivent	vivais	ai vécu	vécus	vivrai
		avais vécu	ai eu vécu	eus vécu	aurai vécu
voir voyant vu, ue	vois vois voit voyons voyez voient	voyais	ai vu	vis	verrai
		avais vu	ai eu vu	eus vu	aurai vu
vouloir voulant voulu, ue	veux veux veut voulons voulez veulent	voulais	ai voulu	voulus	voudrai
		avais voulu	ai eu voulu	eus voulu	aurai voulu

	IMPÉRATIF	**SUBJONCTIF**		
Conditionnel présent	**Présent**	**Présent**	**Imparfait (littéraire)**	**Passé**
tiendrais	tiens	tienne tiennes tienne	tinsse tinsses tînt	aie tenu
Conditionnel passé				**Plus-que-parfait (littéraire)**
aurais tenu	tenons tenez	tenions teniez tiennent	tinssions tinssiez tinssent	eusse tenu
vaincrais	vaincs	vainque vainques vainque	vainquisse vainquisses vainquît	aie vaincu
aurais vaincu	vainquons vainquez	vainquions vainquiez vainquent	vainquissions vainquissiez vainquissent	eusse vaincu
vaudrais	vaux	vaille vailles vaille	valusse valusses valût	aie valu
aurais valu	valons valez	valions valiez vaillent	valussions valussiez valussent	eusse valu
viendrais	viens	vienne viennes vienne	vinsse vinsses vînt	sois venu(e)
serais venu(e)	venons venez	venions veniez viennent	vinssions vinssiez vinssent	fusse venu(e)
vêtirais	vêts	vête vêtes vête	vêtisse vêtisses vêtît	aie vêtu
aurais vêtu	vêtons vêtez	vêtions vêtiez vêtent	vêtissions vêtissiez vêtissent	eusse vêtu
vivrais	vis	vive vives vive	vécusse vécusses vécût	aie vécu
aurais vécu	vivons vivez	vivions viviez vivent	vécussions vécussiez vécussent	eusse vécu
verrais	vois	voie voies voie	visse visses vît	aie vu
aurais vu	voyons voyez	voyions voyiez voient	vissions vissiez vissent	eusse vu
voudrais	veux (veuille)	veuille veuilles veuille	voulusse voulusses voulût	aie voulu
aurais voulu	voulons (veuillons) voulez (veuillez)	voulions vouliez veuillent	voulussions voulussiez voulussent	eusse voulu

APPENDICE

B

Les rectifications orthographiques

En 1990, l'Académie française a adopté, sous forme de recommandations, un certain nombre de rectifications orthographiques afin de simplifier certaines règles et de réduire ainsi le nombre d'exceptions. Il importe de dire que, ces rectifications n'étant pas obligatoires, on commence seulement à en voir l'application. Elles ont reçu l'appui des ministères de l'Éducation en Suisse, en France et en Belgique. Au Canada, les ministères de l'Éducation de l'Alberta et de la Saskatchewan ont déjà adopté la nouvelle orthographe, et le débat sur la nouvelle orthographe fait parfois la manchette au Québec. La plupart des dictionnaires en incorporent une bonne partie (*Le Petit Larousse* et le *Hachette* font figure de champions ici) ; certains conjugueurs, comme le *Bescherelle* et le *Devoir conjugal* (http://pomme.arts.sfu.ca/) devoir les ont intégrées. Plusieurs périodiques appliquent aussi les rectifications. Cependant, la plupart des universités et des collèges du Canada sont à la traine, et le grand public ne connait souvent même pas l'existence de cette réforme. Tout en ayant à l'esprit que les rectifications sont admises et que, techniquement, un enseignant(e) ne peut vous pénaliser pour leur application, il est préférable d'en discuter avec votre enseignant(e) avant la remise de travaux. De plus, il vaut mieux utiliser l'orthographe traditionnelle lors de demandes d'emploi ou de demandes de fonds, jusqu'à ce que la nouvelle orthographe soit admise par tous.

RÈGLES GÉNÉRALES

Trait d'union dans les nombres

Les numéraux composés sont tous liés par des traits d'union.

> vingt-cinq, vingt-et-un, cent-soixante-et-onze, deux-mille-neuf-cent-quatre-vingts, un-million-deux-cent-mille

Mots composés au pluriel

Les noms avec trait d'union composés d'un verbe et d'un nom ou d'une préposition et d'un nom suivent la règle générale du pluriel des noms. Ainsi, le nom prend toujours la marque du pluriel et le verbe ou la préposition reste toujours invariable. Il y a deux exceptions à cette règle :

- lorsque le nom débute par une majuscule ;
- lorsque le nom est lié au verbe ou à la préposition par un article.

un brise-glace/des brise-glaces, une avant-scène/des avant-scènes, un en-tête/des en-têtes
mais : un prie-Dieu/des prie-Dieu, un trompe-l'œil/des trompe-l'œil

Soudure des mots composés

- Les mots impliquant les préfixes **contre, entre, extra, infra, intra** et **ultra** ne prennent plus de trait d'union, sauf si la soudure risque de créer des erreurs de prononciation. Notez qu'avec **contre** et **entre**, on élimine le **e** si le second mot débute par une voyelle.

  entrejambe, contreculture, contremaitre, ultrachic, s'entrainer, contrexemple
  mais : intra-utérin, vésico-utérin (dont la prononciation serait fautive avec la soudure)

- De plus, les mots composés de termes scientifiques sont dorénavant soudés.

  hydroélectricité, macroéconomie, psychoacoustique

- Finalement, les onomatopées et un certain nombre de mots perdent le trait d'union et sont soudés.

  coincoin, lockout, essuietout, bassecour, hautefidélité, portemonnaie, tirebouchon, bienêtre, rondpoint, potpourri, guiliguili, bigbang, harakiri

Accent circonflexe

L'accent circonflexe disparait sur le **i** et le **u**, sauf si l'accent permet d'éviter la confusion entre deux mots et dans certaines terminaisons verbales du passé simple (1re et 2e pers. plur.), du subjonctif imparfait (3e pers. sing.) et au plus-que-parfait du subjonctif (3e pers. sing.).

maitre, connaitre, bruler, disparaitre, aout

mais : du/dû, sur/sûr, il croit (du verbe **croire**)/il croît (du verbe **croître**), jeune/jeûne, nous finîmes, que nous fûmes, qu'elle eût fini

Accent grave

L'accent aigu sur le **e** d'une syllabe qui en précède une autre comportant un **e muet** est remplacé par un accent grave, notamment pour les verbes se conjuguant comme **céder** et pour plusieurs noms. Exceptions : pour les préfixes **dé-** et **pré-**, pour les **é** en début de mot et dans les mots **médecin** et **médecine.**

je cèderai, règlementer, évènement, cèleri, crèmerie, sècheresse

Tréma

Le tréma sur les mots en **-guë** et **-guï** est déplacé sur la lettre **u**, pour donner **-güe** et **-güi.**

ambigüe, aigüe, exigüe, contigüe, cigüe

De plus, le tréma est ajouté à quelques mots pour éviter des prononciations fautives.

gageüre, mangeüre, vergeüre, rongeüre, argüer

Verbes en -eler et -eter

Les verbes en **-eler** et en **-eter** se conjuguent avec un accent grave et une consonne simple devant une syllabe contenant un **e muet,** sauf les verbes se conjuguant comme **appeler** et **jeter.** Les noms en **-ement** dérivés de ces verbes suivent également cette règle.

elle ruissèle, il étiquète, amoncèlement, nivèlement, cliquètement

Verbes en –otter et mots en -olle

Les verbes traditionnellement en **-otter** et leurs dérivés s'écrivent avec une consonne simple, sauf les mots de la même famille qu'un nom en **-otte** (comme botte/botter, flottement/flotter).

grisoter, frisoter, magoter

De plus, les mots traditionnellement en **-olle** ainsi que leurs dérivés s'écrivent dorénavant avec un seul **l.** Exceptions : **folle, colle, molle** et leurs dérivés.

girole, mariole, manéole, corole, barcarole

Pluriel des mots étrangers

Tous les mots étrangers utilisés en français suivent les règles générales du pluriel. Les seules exceptions sont les mots qui conservent leur valeur de citation, qui restent invariables : **des requiem, des mea culpa**. La terminaison des mots se terminant en **s, x** ou **z** ne change pas, comme pour les mots français en **s, x** ou **z.**

des minimums, des matchs, les statuquos, des chichekébabs, des stripteases, des ossobucos, des pipelines

mais : des kibboutz, des boss

Laisser + infinitif

Le participe passé du verbe **laisser** est invariable quand il est suivi d'un infinitif.

Elles se sont **laissé** bousculer.

Changements divers

L'orthographe de plusieurs mots a été modifiée pour la simplifier.

Nouvelle orthographe	**Orthographe traditionnelle**
absout, absoute, dissout, dissoute	absous, absoute, dissous, dissoute
assoir, rassoir, sursoir	asseoir, rasseoir, surseoir
boursouffler (et dérivés)	boursoufler
charriot	chariot
combattif	combatif
douçâtre	douceâtre
exéma (et dérivés)	eczéma
imbécilité	imbécillité
joailler	joaillier
levreau	levraut
nénufar	nénuphar
ognon	oignon
pagaille	pagaïe, pagaye
persiffler (et dérivés)	persifler
quincailler	quincaillier
relai	relais
saccarine (et dérivés)	saccharine
tocade	toquade

INDEX

B

C

W

Y